クローズド・ノート

雫井脩介

角川文庫
15188

クローズド・ノート

三月二十三日

お別れ会第三部。

「翼をください」は、私が聴きたいばかりにちょっと強引にプログラムに入れてしまって、企画のときにはブーイングもちらほらあったけれど、でもやっぱり、もう一度聴けてよかった。合唱コンクールで「優勝、四年二組！」と告げられたときの、みんなの歓喜の姿がよみがえってきた。あれから日にちが空いてたのに……みんなこっそり練習したのかも。今日の歌声はあの日以上に素晴らしかった。「この大空に翼を広げ……」っていうところ、隣の隣の、そのまた隣のクラスにまで届くんじゃないかと思うような大きな声が一斉に咲いて、身体の芯《しん》が震えるほどだった。

私からのお返しは初披露の「時代」。カラオケで何度も練習したかいはあったかな。みんな、じっと聴き入って（?）くれた。「まわるまわるよ、時代はまわる。別れと出逢《であ》いをくり返し……」そう、新しい時代の担い手のみんなは、もうすぐ私から離れていくんだ。そして、また新しい旅に入るんだ……歌詞を嚙《か》み締めて歌っているうちに、思わず感極まって、声が詰まってしまった。歌い切ってみんなからの拍手をもらったときには、本当に涙がこぼれそうだった。でも「アンコール」は余計だよ。

それから、みんなからのお手紙の授与式が続いた。変にかしこまったりして照れくさい。途中、拍手の中からふらふらと出てきた子が一人……君代《きみよ》ちゃんだった。何かと思ったら、「お手紙忘れました」って消え入りそうな声。なぐさめたら泣かれてしまった。怒られると思ったのかな。でも、もうこんなときにそんなことで怒んないよ。前は何の表情も見せてくれなかった君代ちゃんが、今はこうやって、ありのままの表情を見せてくれる……それだけで私は嬉《うれ》しい。

そのあとは突然、「先生への質問コーナー」が始まった。実行委員の秘密企画だったらしい。意地悪い子たちめ。

「先生はどうして何才か教えてくれないんですか?」には、みんな大受け。そのまま年齢当て大会になってしまった。最後まで隠し通そうと思ってたけど、無理だったか。

「マックで一緒にいた男の人は誰ですか?」っていうのも。出したのは幸雄君だな。気づかれなかったと思ってたのに。みんなのヒューヒュー攻撃に遭って、不覚にも赤面してしまった。「大切な友達です」なんてアイドルみたいな答えをしどろもどろに返したら、またヒューヒュー。「結婚はいつですか?」なんて鎌かけも来た。

ふふ……いつなんだろうね、隆……思わず真面目に考えそうになったけど、みんなには「そのときにはお祝いに来てね」って答えといたよ。

班ごとの出し物も面白かった。あっという間に時間が来て、最後はみんなでくす玉割り。

感動でした!

この一年、子供たち一人一人が鮮やかに成長していく姿は、奇跡を見ているようだった。

寂しいけど誇らしい。

みんなありがとう。

「太陽の子通信」最終回　三月二十四日配布分

四年二組の太陽の子たちへ

三月二十三日、お別れ会第三部が終わってしまいました。正直言って、私はこの日が来てほしくないという気持ちでした。みんなで作ったくす玉に三十四本のひもをつけて、みんなで引っぱろうというアイデア、くす玉がわれたら、みんなで「ありがとう・さようなら」の歌を歌おうというアイデアが出たとき、思わず「さんせい！」とピースサインを出していました。自分が先生だということをすっかり忘れていました。でもきょう、くす玉がわれたとき、何だか胸がいっぱいでした。歌も歌えないくらいに……どうしてこんな気持ちになったのかなあ。たぶん、あなたたち太陽の子が、とってもすばらしい子どもたちだったからでしょうね。そして四年二組という学級が大好きだったから……。

覚えていますか。四年生の初めに四の二、三十六名（今は三十四名になってしまったけれど）は家族だから、仲よく助け合っていこうねって言ったこと。あれから一年が過ぎました。

一学期。どんな子たちと出会えるかどきどきしていた始業式。心配なんて一日で吹きとんでしまうくらい明るい子たちが待っていました。五月。「せんせーい。ちょうちょが……」朝、私が自転車置き場にスクーターをとめると、元気のいい声が聞こえてきました。ふと花だんに目をやると、キャベツのまわりに大ぜいの子どもたち。四の二の子ばかりでしたねえ。それから、藤だなの下で食べた給食。はちにさされないかと心配だったけれど、甘い藤の香りがする中での給食はとってもおいしかったね。

七月。朝、いつものように「おはよう」って教室に入ると、優子《ゆうこ》ちゃんが「先生、私、ひっこしするの」って言って、泣きながら走り寄ってきました。とつぜんのことでびっくり。そして琢己《たくみ》くんも。ふたりがいなくなって、少しさびしくなりました。

二学期。水泳大会。真っ黒に日焼けしたみんな、よくがんばりました。運動会でのジンギスカン。元気いっぱいおどったね。合唱コンクールではみごと優勝。みんなでだき合って喜びました。学習発表会の花さき山も大成功。いそがしかったけれど、たくさん思い出ができました。遠足やお楽しみ会も楽しかったね。

三学期。お別れ会第一部のかくし芸大会は涙が出るほど笑いました。第二部のケーキパーティー。みんなの幸せそうな顔は忘れられません。

一年間いろいろあったけれど、あなたたちは学級目標のように「太陽の子」だったと思います。思いやりの「心」をあたたかくて強い「力」にすることができる四年二組のすばらしい子どもたち。いつまでもその「心の力」を持ちつづけてくださいね。

すてきな一年間をありがとう。体調が悪くて心配させたこともあったね。でも、みんなの笑顔があって先生もがんばれました。そして、ちょっぴりこわかったときがあったこともゆるしてね。ごめんなさい。

四年二組担任　真野伊吹《まのいぶき》

この一年のことを思い出してると、なかなか寝つけない。明日で4の2のみんなとお別れかと思うと、やっぱり切ない。

寝返りを打ってるうちに、のどのあたりが変な感じだなと思ってたら、案の定、喘鳴《ぜんめい》が出てきた。仕方がないから、ベッドから出た。二時。まだ隆なら起きてるだろう……電話すれば気もまぎれるかなと思ったけれど、あっという間に喘息《ぜんそく》の発作が本格的になって、電話するのはやめることにした。代わりにまたこうやってノートを開けている。早く薬が効いて眠れればいいけど……明日の修了式で倒れたりしたらシャレにならない。

初めて一年通してちゃんとクラスを受け持って、それも自分の努力にしっかり報いてくれる素晴らしいクラスで、本当に教師になってよかったって思える充実した一年だったけれど、身体だけは綱渡りだった。春の遠足は発作を起こしながら無理に歩いて病院に運ばれたし、普段でも階段の昇り降りさえつらい日があった。何とかここまでたどり着けたって気もする。

考えてみれば、隆と再会して今のようになれたのも、この一年のことだし……それもすべて順調にいったわけじゃなかったから、私も忙しいはずだよね。大変だったけど、私はこの一年で宝物をいっぱい手に入れたよ。そのうちのほとんどは明日、私のもとを離れていくけれど、寂しくても前向きな気持ちになれるのは、隆がいるからだと思う。

隆……もうすぐ誕生日だね。少し休んで元気になって、目いっぱいお祝いするよ。プレゼントはもう選んであるから……シンプルなかばんだけど、何回もお店に見に行って、やっぱりこれがいいと思った。休みに入ったら買ってくるね。

それから、ケーキを買って……料理はパスタでいいよね。そのうちもっとうまくなるから、今は無難なもので許してください。

目いっぱいお祝いするって言っておきながら、ちょっと平凡かな。何か変わったことでもできればいいけどね。すぐには何も浮かばないけど……考えてるのが楽しい。

そうだ……ちょっと思いつきました！

隆への手紙を書いてみる。子供たちがくれた手紙もすごくよかったからね。あんなふうに自分の気持ちを、素直に、愛敬《あいきょう》たっぷりに、ちょっと詩的に書いたりして……で、プレゼントのかばんに入れて、帰ってから隆に読んでもらおう。

隆へ

…………………………………………………………………………

…………………………………………………………………………。

1

その男の人は、私の住むマンションを見上げていた。

というより、二階にある私の部屋を見上げていた。

かなり使い込んだ風合いの折り畳み自転車にまたがり、マンションの前の小さな通りで立ち止まっている。南風に吹かれて乱れた髪を右手でかき上げながら、私の部屋のほうにその顔を向けている。二十代だろうか……その横顔は私より間違いなく年上に見える。

「香恵《かえ》の知り合い？」

隣を歩いていた葉菜《はな》ちゃんが顔を寄せて私に訊《き》いた。

私は小さくかぶりを振る。

私たちは彼の後ろ側から、私のマンションのほうへ歩いていた。右手にはケースに入れたマンドリンを持ち、肩にはトートバッグをかけていた。左手には近くのスーパーで買ったパスタの材料が入ったポリ袋を提げている。葉菜ちゃんの格好も似たようなもので、ポリ袋の中身はプリンや午後ティーだ。

カラオケボックスでマンドリンクラブの同級生たちと自主練習をしてきたのだが、いつもの通りというか、途中からは普通のカラオケ大会になった。九月から一年間、アメリカに留学することが決まっている葉菜ちゃんとは、これでしばらく一緒にマンドリンを弾くことも、歌うこともできなくなるというメモリアルな会であった。最後にみんなで「案山子《かかし》」を歌って、みんなでうるうるしていた。留学する友達への送別の歌にぴったりとは言えないかもしれないが、私や葉菜ちゃんを始め、同級生たちには上京組が多いから、一番涙腺《るいせん》を刺激する歌として私たちのレパートリーに入っている。

それがお開きになってから、私は葉菜ちゃんと二人でささやかな送別会を開こうと、いろいろ買い込んできたわけだ。だからその男の人に気づくまで、私は頭の中で「案山子」をリフレインさせながら、これから作るボロネーズのことを考えていた。最初作ったとき、「普通のミートソースのつもりが、何か違うから、ちょっと変わった名前にしたんでしょ」と葉菜ちゃんにからかわれてしまったボロネーズである。そんなことはない。私のは、よくあるミートソースより手間がかかっているのだから、プライドを込めてボロネーズと呼んでいるのだ。

でも、葉菜ちゃんが「ボロネーゼ、ボロネーゼ」と言うから、「シロガネーゼじゃないんだからぁ。ボロネーズだよ」と馬鹿にしたのは失敗だった。ボロネーゼでもいいらしい……というか、ボロネーゼのほうが通りがいいらしい。後日、葉菜ちゃんから「ボロネーズって、ネギ坊主みたいだし」と言い返されてしまった。

そんなボロネーズも作るのは今日で五回目になる。得意料理の筆頭として、味は保証できるけれど、今日は頭の中に「案山子」が流れているから、もしかしたら多少は和風というか田舎くさい味になってしまうかもしれないぞ……と、そんな馬鹿なことも考えていた。

しかし、彼の姿に気づいてからは、「案山子」もボロネーズもどこかへ行き、私はその後ろ姿と横顔に見とれていた。もし彼が街ですれ違っただけの相手であるなら、そうは目で追わなかったかもしれない。けれど、彼は私の部屋を見上げていたから……その理由だけで、私は彼に向ける視線に特別な何かを乗せていた。

実際、その男の人の後ろ姿には、ちょっといいなと思えるような雰囲気があった。どこがと訊かれると具体的に説明しにくいのだが、まず、白いシャツにインディゴブルーのジーンズという格好が清潔そうであり、また似合っていた。

それと、首から肩にかけてのラインがきれいだった。そのあたりを撫《な》でれば、さらりとした皮膚の感触とともに、緩やかな筋肉の起伏が手のひらに馴染《なじ》むのではないかと思われるような……そんな、硬質さと繊細な滑らかさが調和しているようなシルエットだった。

そして、横顔も悪くない……というか、かなりいい。眼は切れ長だが、優しげな潤みを帯びている。薄い唇やすっきりした顎《あご》には過度の雄々しさもなければ、逆の脆弱《ぜいじゃく》さもなく、ただ、眺める対象としての心地よさだけがあった。

やがて、その男の人は、私たちのほうへ一瞬だけ視線を動かした。

私たちを見たというより、人影に気づいたというような反応だった。彼はそれをきっかけにして、時間が動き出したかのように、アスファルトに着けていた足をペダルに乗せた。自転車をゆっくり漕《こ》ぎ始めてから、彼はもう一度だけ私の部屋のほうをちらりと見た。私たちのほうへは振り返らなかった。

そのまま四つ角を曲がっていく。

風を受けた白いシャツの背中が帆のようにふくらんだ。

そして、私の視界から消えていった。

私はその男の人が立ち止まっていたあたりでその姿を見送り、それから自分の部屋の窓を見た。

そんなに新しいマンションではないが、ざらりとした素焼きレンガ調の外壁タイルがいい味を出している見目《みめ》のおしゃれな建物ではある。

通り沿いの南向きの窓には、小さなバルコニー風の柵《さく》が巡らされていて、まるでヨーロッパの古都にあるアパルトマンのようでもある……と言えるほどのものではないのだが、そこそこの雰囲気は出している。このあたりの手頃なマンションの中ではよく頑張っているほうだ。

私の部屋の窓の柵には、鷺草《さぎそう》の小鉢が三つほどぶら下がっている。お母さんが引っ越しの手伝いに来たときに、どさくさに紛れて置いていったものだ。実家で育てていたやつが増え過ぎたので持ってきたらしい。そんなに手のかかる花ではなく、毎日水をやっただけで、ちゃんと咲いてくれた。もう盛りは過ぎてしまったが、二つ三つの花はまだ残っていて、小さな白い翼が風に揺られているのが、下からも見ることができる。

「あれ、見てたのかな……」私は口にする。

「鷺草?」

「うん」

「あれかもよ」

葉菜ちゃんがからかうように言って指差したのは、私の洗濯物だった。

柵の上に物干し竿《ざお》がかかっていて、私の服やタオルが干したままになっている。部屋干しはあまり好きではないから、下着類も外に干してある。ただ、高層階ではないし、通り沿いでもあることだし、そのまま干すのは抵抗があるので、下着はハンガーに引っかけ、そこにシャツなどを通して隠してしまうという技を使っている。

しかし、あろうことかよく見ると、風のいたずらしく、ノースリーブシャツの袖口《そでぐち》からブラジャーのカップの片っ方がにょきりと出てしまっている。

「え〜、やだ〜」

私が顔をしかめて泣きそうな顔をすると、葉菜ちゃんは声を立てて喜んだ。

「絶対あれだよ。間違いない」

「え〜」

どちらを見ていたかでだいぶ違うじゃないか。鷺草ならけっこうなロマンティストに思えるが、洗濯物を見ていたのなら、彼はハレンティストとでも呼ぶしかない。

まあでも、この世の現実は後者かな……そう思うと、先ほどまで浮いていた感情も、あっけなくどこかへ消えてしまったのだった。


「ああ、何か、初めて香恵のパスタが美味《おい》しいって思えたなぁ」

大皿のボロネーズを平らげた葉菜ちゃんは、ティッシュを唇に当てながら、ぬけぬけとそんなことを言い放った。

「何それ？　今までのは我慢して食べてたってこと？」

私はお皿を片しながら、じろりと睨《にら》んでみせる。

「違うって」葉菜ちゃんは涼しい顔でとぼけた。「今日のパスタを褒めてんじゃん」

「褒められた気がしないし」

「けけけ」

何が「けけけ」だ。私がムキになるのが嬉《うれ》しいらしい。

「まったく、送別の日になっても憎たらしい……そういうのを、立つ鳥跡を濁すって言うんだからね」

「へえ……」葉菜ちゃんはなぜか笑みを口に含んだ。「じゃあ、渡る世間は？」

「はあ？」私は眉《まゆ》をひそめる。「何言ってんの。渡る世間は鬼ばかりなんて、立つ鳥跡を濁すと全然意味が違うじゃん」

葉菜ちゃんはぷぅと吹き出した。「もう、いい加減、ことわざを間違えたまま憶《おぼ》えるのやめてよ」

「あ、あ」私は自分の間違いにようやく気づき、まんまと嵌《は》めた葉菜ちゃんの肩を叩《たた》きながら、笑ってごまかした。「もうやだ、最悪」

「本当、香恵は変わんないんだから。この一年半、まったく成長なし」

「葉菜ちゃんだって、そんな変わってないよ」私も負けずに言ってやる。

「毎日会ってるから分かんないんだよ。アメリカでがらっと変わってくるから、来年帰ってきたときは鈍感な香恵でもさすがに気づくよ」

葉菜ちゃんの言い方には、そうなりたいという願望や、そうなるぞという意思がこもっているように思えた。

「やだなぁ……ただでさえ口が悪いのに、これでアメリカ式の自己主張とか覚えてきたら、手に負えないよ」

私の憎まれ口も、葉菜ちゃんの「けけけ」という敵なしの笑いに一蹴《いっしゅう》された。

「案外、これからの一年で私のほうが変わってるかもよ」私は半ば負け惜しみで言った。

「香恵が？」

「そう。一年後、葉菜ちゃんを出迎える私は、まるで別人」

「金髪で煙草ぷか〜みたいな？」

この子はどうにかして私をくさそうとするのだ。

「そんなんじゃなくて……シャネルのスーツにヒール履いてさ、こうサングラス外しながら腰を捻《ひね》って、『あら、お帰りぃ』みたいな」

「その右手はどこに置いてんのよ？」葉菜ちゃんが私の演技を細かくチェックする。

「もちろんハンサムボーイの肩よ」

葉菜ちゃんは手を叩いて笑った。「どこでさらってくるの？」

「さらってくるんじゃなくて、未来の彼氏だってば」

「たぶん、香恵は、一年後もその服のまんま、すっぴんでへらへら〜って出迎えに来る気がするなぁ」

「いくら何でも、服くらい変わってるよっ」

二人でげらげら笑い、あ〜あと息をついた。

「まあたぶん、私もそんな変わんないよ」葉菜ちゃんが呟《つぶや》く。「変わったとしても、ちょっとだけだよ」

「そうだね」私もしんみりと受けた。「何だかんだ言っても、かえるの子はおたまじゃくしだし」

言ってから何となく違和感が残り、私は葉菜ちゃんと顔を見合わせた。「ちょっと使い方違う？」

「使い方以前の問題だよ」葉菜ちゃんは呆《あき》れたように言う。「まったく……これで学校の先生になろうっていうんだから」

「はいはい、またそれですか」私はいじけてみせる。「心配しなくても、先生にはならないからいいよ。それほど身のほど知らずじゃありませんからねえ」

ほかの同級生たちは〝天然ボケ〟で済ませてくれるが、葉菜ちゃんは手厳しい。「要は人としての基本がなってないのよ」とばっさりだ。何もそこまで言わなくてもいいのにと思うほどである。彼女に言わせれば、私は主体性がないそうだ。

学校の勉強とか流行の話題にはそこそこついていけても、人としての芯《しん》ができていないから、「仏作って魂入れずっていうのは香恵のこと」であるらしい。そのことわざは適切な使い方なのか絡んでみようかと思ったが、下手に墓穴を掘ってもまずいと思い直して、「私は仏みたいな人ってことだね」と、減らず口を叩いておいてやった。

とにかく、葉菜ちゃんはことあるごとに、「それで本当に学校の先生になる気？」と私をいじめる。

「香恵なら、小学生の教え子にも、『これどうする？』『それいいかも』って言うよね」

そんなふうに言って、私をからかう。「これどうする?」「それいいかも」というのは、みんなの意見を聞いてそれに乗っかる私の口癖である。とはいえ、いくら何でも小学生相手に……馬鹿にしないでよと言うべきだろうが、その前に、私だったらあり得るかもしれないなと思ってしまった。

結局のところ、葉菜ちゃんの毒舌に関係なく、私自身が教師など務まる柄ではないよなと自覚してしまったのである。もともとドラマや本などの影響を受けたまま、憧《あこが》れ半分で目指していただけだし、小学生でも低学年や中学年なら可愛くていいけれど、高学年は微妙、中学生はもう勘弁というような都合のいい夢だったから、現実を冷静に考えれば、醒《さ》めて当然であった。その点については、中学生の頃から英語の先生になりたいという夢を抱え続けて、着実にステップアップしている葉菜ちゃんとの差を認めざるを得ない。

「それで、今はリトミック教室の先生だっけ?」

葉菜ちゃんが胡散《うさん》くさそうに訊《き》くのは、私が夢をころころ変えるからだ。

「ああ、それやめた。私、考えたら、それほどリズム感ないし」

葉菜ちゃんは呆れ半分に息をつく。

「今まで聞いた中では、一番現実的だとは思ったけど」

「そう? じゃあ、やっぱり、それにしよっかな」

私が撤回すると、葉菜ちゃんはドンとテーブルを叩いて怖い眼をした。私は首をすくめて舌を出す。

童話作家に始まって、人間なら難しいけれどチンパンジーなら分相応だろうと、チンパンジーに文字を教える研究スタッフだとか、子供相手のマンドリン教室の先生だとか、けっこういけるかもと思って葉菜ちゃんに話すのだが、ことごとく撥《は》ね返されてしまう。マンドリンは確かに生徒が集まらないかもしれないけれど、ウクレレなら人気があるから、今からマンドリンクラブを辞めてウクレレを始めようかなと相談したら、ウクレレだって子供はやらないよと一言で切り捨てられた。言われてみればそうかもなと、私はそこで気づくのだ。

葉菜ちゃんは、こと将来の夢に関しては実現のためにそれなりの努力をしてきたらしいから、私ののほほんとした態度は相当苦々しく思っているようだ。

大学に入学したての頃は、周りを含めて、お互いに大人びているとか子供じみているといった差は分からなかった。大学というところは中学、高校と違って窮屈にできていないから、最初はみんな不安げながらも和気あいあいとした友好的な雰囲気である。その中で私などは、生意気に万年筆など使っていたから、かなりできる女だと思われていたくらいだ。

それが何ヵ月か経つうちに、お互いの地が見えてくるようになる。聞いたこともないような趣味を持っていたり、長い付き合いの彼氏がいたり、意外と夜遊びや派手なことが好きだったり……そういう趣味の差、価値観の差が明らかになるにつれ、友達関係の緩やかな離合集散が起こり、やがて、落ち着くところに落ち着く。というわけで、私は一番落ち着ける相手である葉菜ちゃんとばかりつるんでいるのだ。

しかし、その葉菜ちゃんも、こうやってちゃんと将来を見据えていたりして、私との差を見せつけてくれるのだから、私もこのままではまずい気はしている。

「まあ、葉菜ちゃんに負けないように私も頑張るよ」満腹の幸福感の中、私は大きく伸びをしつつ、何を頑張るのかも決めないままに宣言をした。

葉菜ちゃんも真面目に私の相手になっている根気はないらしく、ごろんとベッドに横たわった。この部屋に越してきたときに私が導入した低反発マットをいたく気に入っているらしい。気がつくといつも占領されている。

葉菜ちゃんはそこで天井を見上げながら、「香恵も大人に混じると、考え変わってくると思うよ」と独り言のように言った。

似たような台詞《せりふ》を前に聞いたなぁと思った。

あの日だ。

梅雨の最中《さなか》だった。

あの日もマンドリンクラブの練習を終えて、この部屋で葉菜ちゃんと夕飯を食べた。しとしとと雨が降っていた夜だ。あり合わせで作ったチャーハンは塩っ辛くてあまりいい出来とは言えなかったが、葉菜ちゃんは珍しく文句も言わずに食べていた。

そして、食べ終わり、午後ティーで喉《のど》に残っている塩っ辛さを中和しているときに、葉菜ちゃんからの告白があった。

春から付き合ってる彼氏がいるんだ。

九月から一年間、アメリカへ留学することにしたよ。

もう、メガトン級の爆弾、二連発である。衝撃と何とか作戦みたいなネーミングが付いていてもおかしくない。実際、私は一発目で頭に相当のダメージを受け、何だか冗談のような思いしか湧かないまま、葉菜ちゃんの一方的な話を聞いていた。

葉菜ちゃんの彼氏は、二十五歳の行政書士という仕事をやっている人らしい。「六つも年上なの？」とそのときは思った。世間的には別に珍しくないと分かっていながら、でも私はそう思った。

たぶん葉菜ちゃんは、その前にも私の知らないうちに彼氏を作っていたことはあったのかもしれない。ただ性格的に、自分のことで確信が持てないことは、なかなか教えてくれないのだ。だから、安定期に入るまでに消えていった彼女の恋があったとしても、私は知らないのである。それを訊くほど私も野暮ではない。

反対に私は、あるのかないのか分からない手応《てごた》えを目いっぱい拡大して、「彼と付き合っちゃうかも」などと喋《しゃべ》ってしまう。マンドリンクラブの男の子から用事の電話があって、たまたま世間話が長く続いたりするだけで、葉菜ちゃんへの報告は思わせぶりになる。話したこともない同学部の男の子から声をかけられた日には、一日中、その子の話題で引っ張れる。グループで映画に行けば行ったで、当日よりも、自分と雰囲気のよかった男の子との血液型相性占いをしている後日のほうが楽しかったりする。

しかし、その後の展開はことごとく尻《しり》すぼみである。勝手に盛り上がっておきながら、いざ二人でどこかへ出かけてみると、何だかしっくりこない。相性というのはデリケートな問題で、努力とかでどうなるものでもない。街のそこかしこで目にするラブラブなカップルたちは、いったいどんな性格とどんな性格がくっついて、あんなふうになっているのだろう。よほどぴったりこないとああはならない気がするのだが……私は性格的に珍しい型だから、それと合う型を持った男も少ないとでもいうのだろうか。

すべて相性の問題で済ませられれば楽だが、たぶんそれだけでもない。残念ながら私自身、男心をてんで分かっていないという自覚もある。相手が訳知り顔に語り始めたことでも、自分がそれを知っていると、「それ、昨日のテレビでやってたやつでしょ。知ってるよ。でも、それって……」と話を取ってしまい、得意になって喋るので相手は複雑な顔をしている。気が済むまで喋ってから、唐突に話題が途切れて沈黙が訪れ、今のはちょっとまずかったかなと反省するのだ。

とにかく、ちぐはぐ、ぎくしゃくを繰り返していると、疲れだけが残ってしまう。義務のようにデートをこなしてから家に帰ってきて、この日のために買ったばかりの服を脱ぎ捨てたときの、ほっとすること、ほっとすること。

そんなふうに、この前は何をあんなにはしゃいでいたんだろうと思うくらい、あっけない恋もどきが多いのである。葉菜ちゃんも最初は、「あれ、どうなったの？」と気にしてくれていたが、そのうち、はなから「あ、そう」という反応しかしてくれなくなった。

そうこうしているうちに、葉菜ちゃんのほうが本格的な恋を手に入れてしまったらしい。一度、葉菜ちゃんの手料理をお呼ばれしに彼女の部屋に行ったら、その彼氏……鹿島《かしま》さんがいた。付き合っていると言った以上、葉菜ちゃんも現物の証拠を見せたかったのかもしれない。

鹿島さんはやはり大人に思えた。どのへんがとは具体的に言っても馬鹿にされそうだったので口にはしなかったが、例えば、渋い色の靴下を履いていたりというあたりに私はそれを感じるのである。

葉菜ちゃんはこういう男の人が好きだったのかという思いは、意外でもあり、なるほどというところでもあった。鹿島さんは小さい頃なら学級委員でもやっていそうな、きりっとしたリーダータイプで、喋り方も自信に満ちている。行政書士事務所は彼のお父さんが所長を務めていて、彼は言わば二代目なのだとか。彼自身は起業家を目指す若者たちのための勉強会を立ち上げたり、堪能《たんのう》な語学と留学時代の人脈を生かして、ＩＴ企業の国際的な情報交換や人材交流をサポートするような仕事も開拓しているらしい。

葉菜ちゃんはそんな彼に触発されて、秘めていた上昇志向が疼《うず》いたのだろう。留学の決断も、その流れの末のことに違いない。鹿島さんも留学経験があって、今でも休暇や仕事の都合でアメリカに行くことが多いという。向こうで落ち合ったら、それはさぞかし盛り上がるんだろうなと、冒険心のない私にもそこだけはちょっと羨《うらや》ましく思えた。

私にはそんな上昇志向がまるで欠けている。アルバイト先の文具店などでは大人に混じって仕事をしているのだが、それで自分の何かが変わるということはない。末っ子的立場がぬくぬくとして居心地がいいとしか思わない。まあ、彼氏とアルバイト先の人とでは影響の大きさが違うのかもしれないが。

「じゃあ私も、大人の彼氏でも作ろっかな」

私は別に本気には思ってもないことを口にして、話を混ぜっ返した。

「不倫は駄目だよ」

葉菜ちゃんはじろっと私を睨《にら》んで言い足した。冗談か本気か分からないような私の台詞にも、とりあえず釘《くぎ》を刺しておくのは、葉菜ちゃんらしい。

「小姑《こじゅうと》みたい」と言うと、「友達思いと言って」と返された。

素っ気ない言葉がなぜかくすぐったくて、私は一人でにやにやしていた。友達に「友達」と言われると、妙に嬉《うれ》しくなるのはどうしてだろう。

やがて、葉菜ちゃんが、横になったまま鼻歌を口ずさみ始めた。

「元気でいるか……街には慣れたか……」

「案山子」だ。私の頭の中からは、マンションの前であの男の人を見たときに消えてしまっていたが、葉菜ちゃんの頭の中では延々とリフレインしていたようだ。

「元気でいるか……街には慣れたか……友達出来たか……」

この「友達出来たか」で、私はいつもうるうる来てしまう。そして心の中で、「友達できたよ」と呟くのだ。

「あのMD、忘れずに持ってってね」

「うん、もちろん持ってくよ」葉菜ちゃんは優しげな声で応えた。

あの日、留学の話を聞いた私は、昂揚《こうよう》した気分のまま、とにかく何か餞別《せんべつ》を贈らねばと思い立った。「まだ二ヵ月も先の話だから」という葉菜ちゃんの声を聞き流しながら、引っ越しの中途半端な荷解きでクローゼットに押し込んだままになっていた段ボール箱を引っ張り出し、「案山子」の入ったMDを彼女に渡した。あれは何だか青春ドラマのワンシーンのようだった。

まあ、しっかり者の葉菜ちゃんのことだし、あの感動の場面を演出したMDを、よもや忘れていくことはないだろうな……そんなことを思っていると、彼女が不意に夢から醒《さ》めたような声を出した。

「あ、そう言えばあれ、そのまんま……？」

「あれって？」

葉菜ちゃんはうつぶせに寝返りを打った。手を伸ばして、そこからクローゼットを開けようとする。

「ああ……だって、取りに来ないし」私は彼女の言いたいことが分かって答える。

「ふーん」葉菜ちゃんは、少し開いた隙間からクローゼットの中を覗《のぞ》いている。

あれを発見したのも、ＭＤをクローゼットの段ボール箱から探し出したときのことだった。

私の部屋のクローゼットは二枚の引き戸で開け閉めするようになっている。しかしながら、私はベッドをクローゼットの左の引き戸に寄せるように置いているため、左の引き戸は開けないのだ。部屋を決めるために見に来たときも、右の引き戸しか開けなかった気がする。考えてみれば、私は実家の自分の部屋の押し入れなども右側しか開けないから、脳がそういうふうに決めてしまっているに違いない。

そんなふうだから私は、前の部屋から持ってきた荷物でとりあえず入り用ではないものを、クローゼットの奥へ奥へと、つまり右から左へと押し込んでいた。

そしてあの日、「案山子」の入ったＭＤを探すために、私はクローゼットの荷物を引っ張り出した。「奥に入ってるかも」などと言いながら、段ボール箱や小物入れなどを外に出して積み上げていた。

そうしたら、ベッドであぐらをかいていた葉菜ちゃんが今日と同じように腕を伸ばし、「こっちから開ければいいじゃん」と、左側の引き戸を私のほうへ押した。

「何だ、そっちからも開くんだ」

私はそんな間抜けなことを口走った気がする。そして、開いた左側から探そうと膝《ひざ》を立てた。

そこで私はあれを見つけたのだ。

クローゼットの中に、私の物ではない物があった。

とはいえ、一見してぎょっとするような物ではない。左の側壁に付いているプラスティックのフックに、地味に引っかけられていた。葉菜ちゃんは、何が私の持ち物で何がそうでないかなど知らないから、「何これ？」と私が呟《つぶや》いても無反応である。

それは、布で作られたエプロン型の手紙挿しだった。ポケットの部分にひよこの絵のキルティングが施してあるが、年季も入っているらしく全体的にはくたびれた布切れという印象である。からし色が色落ちしたような布地は、クローゼットの側壁と同化しているようにさえ思える。ひたすら大人しく、ひっそりとそこにある。

ポケットからはキャンパスノートが覗いていた。グリーティングカードのようなものも、束になって一緒に入っている。

身を乗り出してノートをつまんでみる。表紙の中央に、「伊吹's　note」とマジックでタイトル書きされているのが見えた。その少し下に、去年の年が記されている。ノートは新品のような紙と紙のフィット感がなく、使い込んだことが分かる厚みが出ている。適当にめくってみると、やはり文字がぎっしり書き込まれている。

私はそれをちらりと見たところで、反射的に手を離していた。見知らぬ人のノートで、中に何か書いてある。それがはっきり分かったからには、あとはそっとしておいたほうがいいような気がした。中をちゃんと見てみたい好奇心もあるにはあったが、他人のノートを勝手に見ることにはちょっと抵抗があったし、誰かも分からない人のものだから何となく気味が悪いということもあった。

「何それ？」葉菜ちゃんが私の挙動を不審に感じたらしく、訊《き》いてきた。

「たぶん、前に住んでた人が忘れてったんだと思うけど」

「へえ」葉菜ちゃんは興味があるのかないのか分からない声を出した。「忘れてくほうも忘れてくほうだけど、今まで気づかないほうも気づかないほうだよね。きっとその人、香恵と同じ、お間抜けタイプだよ」

「ひどっ」

口ではそう言って拗《す》ねてみせたが、同じ部屋を借りるくらいなのだから、私と性格が似ているのかなと思わないでもなかった。

「何が書いてあるか見てみたら？」葉菜ちゃんが悪い遊びをそそのかすように言う。

「いい。何かやだ」

「取りに来ないのかな」

「そのうち取りに来るよ」

「来るよね、きっと、長い黒髪をたらした青白い女の人がさぁ……その人、お礼を言ったあとに、『それであなた、私のノート読みましたかぁ？』って香恵に訊くよね」

「もう、無理やり怖い話にしないでよ」

私はけらけら笑う葉菜ちゃんに枕を叩《たた》きつけ、MDの箱を出すと、さっさとクローゼットの引き戸を閉めてしまったのだった。

あのあと「案山子」のMDを葉菜ちゃんに渡す場面が、感動的とはいえ、いまいち涙を誘うまでに至らなかったのは、あの変な発見が間に挿《はさ》まったために違いなかった。そのうち伊吹さんとやらが取りに現れるだろうとほっといてあるが、今のところ現れる気配はない。捨てるわけにはいかないし、不動産屋にも言いそびれている。

「何が書いてあるか見てみた？」

この前と同じように、葉菜ちゃんは悪い笑みを浮かべて訊く。

「見てない。忘れてたし」

忘れてたというのは嘘である。私の部屋だというのに、クローゼットの一角だけは何となく私の領域ではないような気さえしている。

「忘れた頃にやってくるよ。青白い顔した女の人が……」

「またそれ言う」

「けけけ」

しんみりした夜になるはずだったのに……。

今日もあのノートのおかげで妙な空気が流れ込んできてしまった。

2

それから月が変わって、九月に入っていた。

葉菜ちゃんはアメリカに旅立った。

私は見送りには行かなかった。鹿島さんが見送りに行くらしかったので、気を回したのだ。葉菜ちゃんの性格だと、私のいる前では照れが先に立って、別れの抱擁の一つも満足にはできないだろう。これも友情である。

無事に着いたという報告を含めた何回かの電話はすでにあった。だから、まるっきり何をやっているのかも分からなくなったわけではない。しかし、会いたいときに会って、喋《しゃべ》りたいだけ喋ることができなくなり、心の中に一足早い秋風が訪れたような寂しさはやはりあった。

葉菜ちゃんがいなくなってからの私は、連日、駅前にある文具店のアルバイトで夏休みを消化していた。マンドリンクラブの合宿が終わって、葉菜ちゃんの送別も済ませて、今の生活の中心はこれである。

〔今井文具堂〕は駅前といっても目抜き通りの外れに建っているのだが、創業は戦後すぐにという、なかなかの老舗《しにせ》らしい。三階建てのオフホワイトのタイルが張られた店舗は、十年くらい前に、今は亡き先代の創業社長が置き土産のように建てていった悲願のビルなのだとか。一階の正面は大きなガラス張りの上、舶来文具のしゃれたディスプレイもされていて、店構えとしてもけっこうな風格を見せている。

大きな街ではないからだとも思うが、近くにこれほどの文具店はほかにない。それでいて、私の通う教育大以外にも、二つ三つの私大が点在する学園都市だから、需要は確かで、客足は途切れない。

先代の創業社長は営業に手腕を発揮する遣《や》り手《て》タイプだったそうである。その息子である今の社長はちょっと頑固っぽくも見える職人タイプだ。先代社長はその適性を見抜いていたのか、息子を早くから大手万年筆メーカーへ修業に出した。そして、息子は父の期待に応《こた》え、ミクロの世界と言われるペン先調整の技術を会得して戻ってきた。「文具店の格は万年筆の取り扱いで決まる」というのが先代社長の口癖だったらしいから、万年筆売り場を充実させるのも悲願の一つだったのかもしれない。

以来、書くたびに引っかかる万年筆も〔今井文具堂〕に持っていけば、たちまちすらすら書けるようになるということで、その道のひいき客が店につくようになったのだという。雑誌などでも取り上げられるので、遠路はるばる万年筆を買い求めに来たり、調整を頼みに来たりする客も少なくない。

そして、この店にはれっきとした看板娘がいる。残念ながら私ではない。三代目……になるつもりかどうかは分からないが、一人娘の今井可奈子《かなこ》さんである。出版社に四、五年いて、今年からここで働き始めたというから、年は二十六、七だと思う。社長の娘ということを抜きにしても存在感のある人だ。一見、つんとしているようにも見えるが、意外に面倒見がよくて、私は可愛がられている。


その日、開店前に、一階の舶来文具売り場のショーウインドウを拭《ふ》いていた私の背中に、可奈子さんの声がかかった。

「香恵ちゃんてさぁ……万年筆、好きなんだよね？」

振り向くと、彼女は腕を組んで立っていた。ショートカットが似合う細身の上に、背筋が伸びていて凜々《りり》しい。

「え？　何で分かるんですか？」

私がびっくりして答えると、可奈子さんは「やっぱりね」と独り言のように言って口元を緩めた。

「私、言ったことはないはずですけどねぇ」

「毎日見てれば分かるわよ」

「鋭いなぁ」

「ここにバイトに来る前にも、万年筆を見に来たことあったでしょ」

「えっ？　あれ、見てたんですか？」

「まあね」可奈子さんは涼しげに言う。「で、何か持ってんの？」

「持ってます……ドルチェのミニですけど」

「へえ、香恵ちゃんにぴったりじゃない」

「そうですか？」

見立て上手な可奈子さんに似合うと褒められ、私は嬉《うれ》しくなってしまった。

万年筆のドルチェビータ・ミニは、大学の仲間内ではすっかり私のトレードマークとなっている。これを忘れた日には、講義に出る気もなくなってしまうから、いちいち取りに帰ったりしているほどだ。

この万年筆は、お父さんからの大学入学祝いのプレゼントだった。

去年の春、教育大への入学を決めて、上京の準備をしていたある日、お父さんが唐突に、

「出かけるぞ」と言ってきた。何やら意を決して切り出したような言い方だった。鼻息の音が聞こえた気がする。

まあしばらくは親と外出する機会もなくなるし……という半ば親孝行のつもりでついていくと、行き先はデパートだった。そして、肩をそびやかして歩いていたお父さんは、文具売り場の万年筆を並べたショーケースの前でおもむろに足を止め、「何か一本選びなさい」と少しぶっきらぼうに言った。

もしかしたら通学に使えるバッグでも買ってくれるのかと、ひそかに期待していた私は、正直なところがっかりした。筆記具などシャープペンとマーカーペンで事足りている。そのときの私は万年筆などにはまるで興味がなかったし、むしろ時代がかった代物っぽくて敬遠したいような対象だった。

その頃、私が万年筆と聞いてイメージしていたのは、モンブランのマイスターシュテュック149のような、黒々とした樹脂の軸を持った葉巻みたいなペンである。あるいはギンギラに光るシルバーカラーの無機質な感じのペンとか。実際、お父さんが持っている何本かも、そんなタイプのものばかりだった。ショーケースに並んでいる品も、そんなのが多いように見えた。

こんなペンを片手に講義を受ける女子大生っていったい……私には何だか冗談としか思えない光景しか想像できなかった。ショーケースを覗《のぞ》き込んでみれば、どれも二、三万から五、六万のいい値段をしている。たかがペン一本で。中には金満趣味としか思えない装飾を施したやつも鎮座するように置かれていて、十何万という値段をつけていたりもする。字を書く道具としては変わらない私のシャープペンは百円なのに……。

こんなお金を出すくらいなら、バッグか服でも買ってくれたほうが嬉しいよ……という台詞《せりふ》が浮かぶものの、さあ買ってやるというお父さんの鼻息に押されて、口には出せなかった。

仕方ない、さっさと適当なのを選んで、お父さんに満足してもらうか……結局、私はそんなふうに大人の対応で素直な子供になり切ることにしたのだった。

ところが、いざ万年筆を一つ一つ見ていくと、気持ちに不思議な変化が出てきた。なるほど高価なだけあって、どれもきれいなのである。ライトの加減もあるのだろうが、一本一本きらきらと輝いている。ペン先はもちろん、黒いばかりだと思っていた樹脂にも艶《つや》やかな光沢がある。

カルティエの万年筆を見つけて、私はほぉ～と思った。あのカルティエである。黒い樹脂にイエローゴールドの大胆なデザインが施されている。高いはずである。

ウォーターマンのカレンやパーカーのデュオフォールドも私の目を惹《ひ》いた。カレンはペン先がボディと一体化したような流線形のデザインがきれいだった。デュオフォールドはモザイク模様のボディが何とも言えずおしゃれだった。

しかし私の目は、次の瞬間にはそこから離れ、ショーケースの片隅に釘付《くぎづ》けとなっていた。

そこにはデルタというブランドの、目にも鮮やかなオレンジ色のボディを擁したシリーズが並んでいた。ドルチェビータ……私はその中のドルチェビータ・ミニという、いかにも可愛らしい万年筆を見下ろして、ため息をついた。オレンジ色がとにかく映えていて、小さいのに存在感があった。黒のキャップにはスターリングシルバーの飾りがアンティーク調に輪を描いていて、貫禄《かんろく》めいた味もかもし出している。

「それちょっと出してみて」

私の目線の先を読んだお父さんが、私の前に立っていた店員に声をかけた。

愛想よく返事をした店員は、ショーケースの中からその一本を出すと、試し書きセットをショーケースの上に置いた。ボトルに入ったインクにペン先を慎重に浸《つ》け、インクがちゃんと出るかどうか確かめてから、私に差し出してきた。

手にしてみると、軽くもなければ重くもなく、軸のお尻《しり》に差したキャップの重量バランスが実に絶妙だった。小ぶりなサイズも私の手にはちょうど合う。

試し書きの瞬間にはわくわくしていた。

果たして、ペン先を紙の上に滑らせてみると……。

まるで魔法のように、潤沢なブルーのインクがペン先の動きを追って出現した。

ペン先の硬質な見映えから、カリカリした書き味を想像していた私は、筆圧をかけなくても勝手に線が出てきてしまうその滑らかさに感動さえ覚えていた。ボールペンでもマジックでも毛筆でも味わったことのない、初めての感触だった。

クルクルと曲線をいくつか書いてから、何か字を書いてみたくなった。

何でもいいのだが、かえってこういうときは思い浮かばないものだ。私は寄せ書きの色紙などを回されたときでも、妙に構えてしまって、いつも苦労するたちである。目の前には店員のお姉さんが、後ろにはお父さんが立って、私の手元を覗き込んでいる。店の試し書き用紙に自分の名前を書くのもおかしいし、残念ながら座右の銘も持っていない。「愛」なんて書いたそばから赤面してしまう字も避けたい。かといって、「あいうえお」とかも馬鹿っぽい。

そんなことを考えて、自分で自分を勝手に窮地に立たせてしまった私は、とにかくという感じで、頭に浮かんだ字をそろそろと書いてみた。

「人間」。

わっ、人間って何だよ……私は自分で書いておきながら、目が点になっていた。今ここに「人間」と書く意味が分からない。あまりに考え過ぎて、自分の根源まで行ってしまったのだ。

私は内心慌てて、取り繕うように書き足した。

いた。

私は冷や汗をたらりと流しながら、これでいいかなとおそるおそる前後の二人の顔を窺《うかが》った。店員もお父さんも、どんな反応をしていいか分からないような、曖昧《あいまい》な表情をしていた。

「人間国宝」。

葉菜ちゃんにそのときの話をしたら、案の定、ゲラゲラと笑われてしまった。

「せめて『人間』でやめとけばよかったのに。店員も、いきなり客に『人間国宝』なんて書かれたって困るよねえ」

確かに……。

「人間国宝」は以前、高校の友達と何かの話をしていたときに脱線して、「人間国宝っていう言い方、人間ポンプみたいで笑えるよねえ。どう想像しても、壺《つぼ》や掛け軸と一緒にその人が展示されてる絵しか浮かばないよ」と言ったら、「あんたは小学生か」と返されてしまったことがあり、それが頭のどこかに残っていたのだ。最初は「人間失格」という言葉が浮かんだのだが、それはいくら何でもまずいだろうという分別が働いて、代わりに出てきた言葉がこれだった。

私にはよくこういうことがあるから、天然ボケとか言われてしまう。考えているうちに、発想が変なほうへぴょんと飛んでいるのだ。

だから、何人かの中で一番初めにやったり、発言したりするのも苦手なのである。思い切りパターンを外していたりして、まったく格好がつかないことが多い。人の意見を聞いて、「そうかもそうかも」とか「違うよ違うよ」なんてやるのが好きなのだ。コロコロ意見が変わったりして主体性がないなんて言われてしまうけれど、そのときどきはそう思っているのだから仕方がない。

とにかくそういうわけで、私のドルチェビータ・ミニの書き初めは「人間国宝」だった。そして、万年筆を買ったその夜、私がまずやったのは、試し書きに相応《ふさわ》しい言葉を考えるということだった。

ペンの運びのあらゆる方向をそろえているということで、万年筆の試し書きには「永」という字がいいらしい。そのときはもちろん、そんなことは知らなかった。それを知ってからは、試し書きのレパートリーに「永遠」という言葉を加え、これを書けば知っている人にはなかなかの通《つう》に見えるかなと、一人で悦に入ったりしていた。

その夜、考え出したのは、「春夏秋冬」だった。まあ自然で、試し書きにはちょうどいい。実際、どこかの万年筆売り場をお邪魔するときは今もよく使っている。

私のドルチェは大学の初講義で晴れ晴れしくデビューを果たした。見渡す限り、周りに万年筆を使っている同級生はいなかった。ペンケースから颯爽《さっそう》とドルチェを取り出し、ルーズリーフにセピア色の文字を書き込んでいく自分は、大人になったようで、何となく格好よく思えた。

「香恵ってさぁ、最初はものすっごく頭のいい子だと思ったよ」
「そうそう、何か私たちとはレベルが違うみたいなオーラ出してさぁ……」
のちになって、打ち解けた同級生たちからは口々にそう言われた。そのあとは決まって、どっと笑いが起こるのだった。しかし、私が人畜無害な凡人と発覚するまで、周囲ではちょっとした万年筆ブームになった。まあ、みんなったら、私の真似なんかしたりして……などと私は得意になっていた。

大学の最寄り駅のそばに〔今井文具堂〕を見つけると、私は学校帰りに寄っては万年筆売り場を覗き、今度買うんだったらどれがいいかな……などと夢想しながら、高級万年筆の試し書きをさせてもらっていた。その頃、可奈子さんはまだこの店にはいなかった。

それ以降は私の熱も落ち着き、しばらくはこの店からも足が遠のいていた。そして今年の春過ぎに、大学に歩いて通えるこの町に部屋を移したこともあって、散歩がてら、久しぶりにこの店に足を向けてみたのだった。

そこで、万年筆売り場に立つ可奈子さんを見た。

可奈子さんは店の制服ではなく、渋い色のパンツスーツを着ていて、それこそほかの店員とは違うオーラを出していた。ことさら大人びているわけでも、キャリアウーマンのような遣《や》り手《て》に見えるわけでもないのだが、立ち姿に知的な清潔さがあった。彼女の存在だけで、万年筆売り場の一角がブティックのような雰囲気になっていた。

そのとき、可奈子さんはショーケースの脇で何やら書き物をしていた。手にしていたのは、きれいな赤ワイン色をしたアウロラのミニ・オプティマだった。可奈子さん愛用の一本である。私はそれを見ただけで、その万年筆が欲しいと思ってしまった。実際にはそれだけの金銭的余裕はなく、可奈子さんの前をうろうろしただけだったが……それでも、帰り際には店頭に張ってある「パート・アルバイト募集」の張り紙を見つけて、翌日には応募の電話をしたのだった。

ここでアルバイトを始めてから、女子大生風のお客さんがミニ・オプティマを買っていくところを何度も目撃した。ここに置いてある万年筆の中で一番売れているのかもしれない。可奈子さんが胸に挿したり手にしたりしているからに違いない。

可奈子さんはそれ以外の万年筆もよく売る。ショーケースの前に品定めをするお客さんが三人並び、彼女が一手に応対して、全員が購入していったのを見たこともあった。万年筆など世の中にそれほど流行《はや》っていないはずなのに、彼女はさくさくと売るのだ。どうやらお父さんよりおじいさんの血を受け継いでいるらしい。

話してみると、構えたところがない自然体の人である。従業員には彼女より年上のおばさんたちが多いからか、私は可奈子さんに可愛がられていて、食事休憩やおやつ休憩などによく誘われる。ただ、万年筆売り場は彼女のテリトリーなので、それに興味があるようなことは言わないようにしていたつもりだった。

しかし、そんなことも関係なく、あっさりと気づかれていたらしい。葉菜ちゃんにも、私は視線が分かりやすいと言われたりする。ただ、アルバイトに来る前のことも憶《おぼ》えられていたのには驚いた。可奈子さんはずっと書き物をしていたのに、ちゃんと見ていたのだ。

恐れ入りましたと言いたいところである。

「今日から万年筆のフェアやるでしょ」目の前の可奈子さんは続ける。

今日から十日間、言ってみれば、万年筆の売り出しが行われる。当店「万年筆友の会」の会員特典という形で実質一割引になる上、インクやオリジナルのペンケースがサービスに付く。少し前から店頭に告知の張り紙がしてあったし、ホームページにもお知らせとして載っていた。

「今日は初日だから、けっこうお客さんが来ると思うんだよね」

「そうですね」

私は応《こた》えながら、話の先を期待してしまい、勝手に顔がにやけてきた。

「香恵ちゃん、やる？」

「やった……」

私は手を叩《たた》いて可奈子さんのあとをついていった。

開店までに可奈子さんに教えてもらったのは、在庫品やメーカーカタログ、インクサンプルノートなどの置き場所と、「万年筆友の会」の申し込み方など特典サービスの手続きについてだった。あとは分からないことがあれば、そのときどきで彼女に訊《き》けばいいということだった。デパートなどの文具売り場でも、こちらの質問に即答できず、あたふたしている店員は多い。それを思えば、アルバイトに過度な期待はしていないのだろうと、気楽に考えることにした。

今井社長がネクタイに作業服といういつもの出《い》で立《た》ちで、万年筆売り場の裏手にある社長室から店内に出てきた。社長室と言っても、可奈子さんの話によれば、万年筆のペン先の研磨機械などがそろった作業場のような部屋らしい。来客でもない限り、社長は一日中そこにこもっている。

「おはようございます」

挨拶《あいさつ》すると、社長はちょっと不思議そうに眉《まゆ》を動かして、万年筆売り場に入っている私を見た。

「看板娘そろい踏みぃ」

可奈子さんがいたずらっぽく言うと、社長はおやまあという感じで顎《あご》を引いた。それから、「あれ、来週な」と、何やら不機嫌そうな感じで続けた。

「あ、そう」

社長が離れると、可奈子さんは私のほうを向いた。

「うちのオリジナル万年筆のことお客さんに訊かれたら、ちょっと遅れてて、来週入荷予定だって答えといて」

「へえ、うちのオリジナルができるんですか?」

「限定でね。前は資金繰りが苦しかったときに作って、それで立ち直ったりしたらしいよ」

「え……じゃあ、今も苦しいんですか?」

私が冗談混じりに訊くと、可奈子さんは「そうかもよ」と言って、私の二の腕にパンチを見舞った。

聞けば、可奈子さんのデザイン案をもとに、社長が設計書を起こして、国内の老舗万年筆メーカーに製作依頼したものだということだ。ペン先には社長ならではの業《わざ》が詰まっているだろうし、可奈子さんのデザインというのもセンスがよさそうだ。

「試し書きさせてくださいね」

そう言ったら、「買ってくれてもいいよ」と返された。

十時半になって、店がオープンした。開店を待ちかねていたように入ってきた客が二、三人いたが、急ぎの買い物だったらしく、目当ての事務用品を買って、すぐに出ていった。

それからしばらくすると、店内をぶらぶら見て回るようなお客さんが増え始めた。時折、万年筆売り場にも流れてくるようになった。

「いらっしゃいませ！」

ただ、挨拶してはみても、立ち止まらないままに離れていく人が多い。

「ちょっと声が大きいね」

後ろで伝票をチェックしていた可奈子さんに言われて、私は「え？」と戸惑った。中央売り場のカウンターにいたときには、「もっと大きな声で挨拶して」としか言われなかったのに。

「あんまり構えてると、お客さんも寄ってこないよ。自然体でやって」

「自然体と言われても……難しいですね」

「いつもの香恵ちゃんみたいに、ぼけっとした感じでいいってこと」

あまりな言われようだが、可奈子さんは真面目に言っているらしい。

「お客さんには圧力をかけないほうがいいのよ。虎視眈々《こしたんたん》と見つめたりとか、先手を取るように声をかけたりすると、簡単に逃げられるからさ。買わせてやる〜っていう気持ちを態度に出さないこと」

買わせてやる〜っと言いながら、可奈子さんは、私に摑《つか》みかかる真似をした。

「そんな怖いことは思ってませんよ……」

「いや、それは別に思っててもいいんだけど」

どうやら可奈子さんは、買わせてやる〜っと思いながら仕事をしているらしい。そうは見えない。

「ただ、挨拶なんて、相手の耳に届けばいいのよ。『お客さんのことは気づいてますよ』ってことが伝わればいいだけ。それがすなわち、『何かありましたら、遠慮なく声をかけてくださいね』ってことなんだから。で、実際、お客さんに声をかけてもらいやすいように待機しておくわけ。付かず離れずね」

「なるほど」

可奈子さんが言うからか、説得力がある。確かに買う立場で考えてみても、あまり店員にしゃしゃり出てこられると嫌なものである。

「とにかく、ショーケースをじっくり見てもらうことが大事だからね」

「は〜い」

「それから、試し書きをしてもらうこと。高級品らしくケースに入れてるけど、飾り物じゃないんだから、どんどん外に出していかないとね」

「ですね」

実際に手にしてもらえば、万年筆の手触りや書き味が実感できる。万年筆には独特の魅力があるのだから、あとは言葉などいらない。セールスはそこに持っていくまでが大変なのだろう。

可奈子さんのアドバイスがあってから、私も肩の力が抜け、メーカーのカタログを広げながら、お客さんが来るのを待った。

やがて、万年筆売り場の前に立ち止まるお客さんがちらほらと出てきた。最初から万年筆売り場を目指してやってきたような人もいた。一人がショーケースを眺めていると、ほかのお客さんたちも吸い寄せられるように集まってくる。試し書きを求める人はなかなか出てこないが、売り場には絶え間なく人がとどまるようになった。

「お目に留まるものがございましたら、お出しいたしますので」

可奈子さんがカウンターの中を動き回りながら、お客さんに声をかけた。ソフトな言い方なのだが、絶妙にその場の空気を動かす力があった。

「すいません」お客さんの一人から手が挙がった。「これ、見せてちょうだい」

待ってました……という気負いは見せないようにして、私はさりげなく、金縁眼鏡をかけた中年男性客の前に進み寄った。

「これね」と彼が指差していたのは、ペリカンのスーベレーン400の青縞《あおしま》だった。

「はい、少々お待ちください」

ショーケースの裏からそっと慎重に万年筆を取り出す。我ながらいかにも不慣れな手つきだが、それだけ高価なものを扱っているというふうにも見えるだろうから、それはそれでいい気がした。慌てて手を滑らせ、床に落としてしまうのが、いかにも私らしいパターンである。

「試し書きなさいますか？」

万年筆を手渡して訊くと、お客さんは、もちろんというように頷《うなず》いた。

試し書きセットを後ろの棚から持ってくる。いよいよお飾りとしてショーケースの中に閉じ込められていた万年筆の、実用道具としてのポテンシャルを発揮する出番が来た……そう思うと、何とも言えない嬉《うれ》しさが込み上げてきた。

手触りを確かめたお客さんから万年筆を受け取り、ペン先をブルーのインクに浸《つ》ける。そして、まず自分でまっさらな紙に線を引いてみる。私が客のときに見ていた手順である。

ペン先はすでに社長の微調整が済んでいるから、書き心地は申し分ない。

お客さんに万年筆を渡すと、彼はゆっくりと直線や曲線を書き始めた。

私は、どうだ、という思いでそれを見ていた。買ってくれそうだという直感があった。スーベレーン400は定番中の定番で、大き過ぎず小さ過ぎず、そして軽い。値段も手頃で、ストライプデザインのボディは派手でも地味でもなく、ただ、万年筆らしい気品を保っている。

「これは太さいろいろあるの？」

「ペン先ですか。はい、これはFですから細字になりますね」

あまり万年筆を使ったことがない人なのかもしれない。最初の一本ということならスーベレーンはうってつけだ。買ってくれそうである。

次に、そのお客さんは字を書き始めた。「拝啓　初秋の候……」と書いている。手紙を書くのに使うのだろうか。

見ていると、いろんなことが推理できて面白い。

売り場の片隅では、可奈子さんも試し書きセットを出していた。主婦らしき初老の女性の応対をしている。万年筆はパーカーのソネットらしい。何かの贈り物だろうかとそちらも見当づけてみた。

私の前のおじさんは難しい顔をして、試し書きを続けている。自分でペン先をインクに浸け、「拝啓」「前略」「敬具」「草々」「暑中お見舞い申し上げます」などと書きながら、たちまち用紙を埋めてしまった。

「ふむ……」

お客さんは渋く唸《うな》りながら、万年筆を上げてしげしげと眺め始めた。私はその合間を縫って、用紙を破った。

「これはどうやってインクを注《さ》すのかな？」

「ええっと……」確かスーベレーンは吸入式だったよなと思いながらも、私は目を泳がせて可奈子さんを見た。

可奈子さんは私をちらりと見て、指先でネジを回すような仕草をしてみせた。

「これはですね、ペン先をインクに浸けておいて、軸のお尻《しり》を回すと、インクが吸い上げられるようになってるんです」

「ほう」

彼は不思議そうな顔をしながら感心したような声を洩《も》らし、そしてまた試し書きを再開した。新しい紙に、手紙に使う文句を書き連ねていく。

ふと可奈子さんのほうを見ると、彼女は商品の包装をしているところだった。やっぱり贈り物か……ということより、もう売れたのかという驚きのほうが強かった。

「ふむ……」

金縁眼鏡のおじさんは、新しい紙も文字でいっぱいにしたところで、またしみじみと唸った。それから、フェアのサービス内容やその期間のことなどを訊《き》いてきたので、私は問われるままに答えた。

そして……。

「はい、どうもね」

彼はそう言うと、万年筆をペントレイに置いた。満足したのか納得したのか、とにかくそんなような意味の頷きを繰り返して、万年筆売り場から離れていく。

「あ……はい」

どうやら買ってはくれないらしい。

私の直感なんて当てにならないな……。

私はしょんぼりして、彼の背中を見送った。そして、気を取り直してスーベレーンのペン先を洗おうと手元に目を落とした。

あ……何だ、これ？

ボディのインクタンクにインクがたんまりと入っているのが、インク窓から見える。あの金縁眼鏡のおじさん……私がよそ見をしている隙に、勝手にインクを吸い上げていたのだ。

「インク入れられちゃいました～」

私が可奈子さんに泣きついたところに、「すいません」とまた、別のお客さんから声がかかった。

「洗うのあとでいいから、先に向こう聞いて」可奈子さんは表情を変えずに言う。

「はい」

今度は私とほとんど年が変わらなさそうな大学生風の男の子だった。ぼさぼさの頭をして、帆布の大きなショルダーバッグを肩に下げている。足踏みして落ち着きがなく、妙に鼻息が荒い。ペリカンのスピリット・オブ・ガウディを見たいと言う。万年筆オタクだなと私は踏んだ。こんな高価な限定物、絶対買わないくせに……そう思いながらも口には出せず、しぶしぶという感じでショーケースから取り出した。

「試し書きしたいんですけど」

「はい……少々お待ちください」

私もいろんなところで試し書きをさせてもらったけれど、十万円以上の限定物はさすがに遠慮したぞ……私は可奈子さんのところに行き、ひそひそと訊いてみた。

「ガウディの試し書きっていいんですか？」

「どうぞ、どうぞ」

可奈子さんは当然とばかりに言う。

そりゃそうだよな。本当に買うつもりだったら、普通に試し書きするわけだし……。

私から万年筆を受け取ったショルダーバッグの彼は、嬉々《きき》として「永」の字を書き始めた。

案外、アルバイトで稼いだなけなしのお金を、そのショルダーバッグに入れているのかもしれない。「じゃあ、これください」と言いながら札束を叩《たた》きつけてきたら、拍手してやってもいいぞ……私はそんなことを考えながら、彼が勝手にインクを吸い上げないように見張っていた。

彼は一人でぶつぶつと、この書き味は何々と似てるけど、でもやっぱりこの角度で書くとペリカン独特の腰を感じるよなぁ……などと言いながら試し書きを堪能《たんのう》している。

そして、おもむろに手を止めてショーケースを覗《のぞ》き込んだ。

「あとそれも」

彼は、同じくペリカンのトレドを指差した。ボディにペリカンの絵が彫り込まれた、伝統ある逸品である。しかも普通のトレドではなく、復刻限定品だ。よくもまあぬけぬけと……このショーケースの中で一番高い品物かもしれないのに。

「はい、少々お待ちください」

私は引きつった笑顔で言い、限定トレドを取り出した。慎重過ぎるほど慎重な手つきでペントレイに横たえてやる。ショルダーバッグの彼はひょいとそれを取り上げると、鑑定でもするかのようにしげしげと眺め、それからまた、「永」の字を書き始めた。

彼の後ろで、何か目当ての品でもありそうな様子のお客さんもいるのだが、ここから目を離すわけにもいかない。

「限定品をお探しなんですか?」

私はちょっと嫌味な感じの営業口調で、ショルダーバッグの彼に声をかけてみた。買う気がないのに店員に食いついてこられると、プレッシャーがかかる。私の経験である。

「うん、普通のじゃつまんないしね」彼は平然と答える。

「ご予算はどれくらいでお考えですか?」

これはかなり嫌らしい質問だぞと、我ながら思った。

「特に考えてないけど」彼はしれっと受け流した。

「これまではどういった品をお求めに?」

大したものは持っていないだろうし、これもまた鬱陶《うっとう》しい質問に違いないと繰り出してみたが、ショルダーバッグの彼はふと顔を上げ、遠い目でどこかを見た。そして喋《しゃべ》り始めた。

「アウロラのダ・ヴィンチとかだね。ヤフオクで三万六千円でゲットしたから。あと、ビスコンティのコペルニクスとかも。これはヤフオクで一万五千ちょっとだったかな。eBayでモンブランのバーンスタインも狙ったけど、スナイプ入札にさらわれちゃって。まあ、あれだったら、カラヤンのほうがいいって思ってたから悔しくはないけどさ。それから……」

話が止まらなくなった。しかも、全部、ネットオークションでの売買の話である。安く買っただの、高く売っただの、買い損ねただの、売って赤字だっただの……ガウディが今、売りに出ていて、いくらまでなら張ってもいいか考えているなどという話まで出てきた。

うんざりして適当に相槌《あいづち》を打っていると、さらに彼の蘊蓄《うんちく》まで聞く羽目になった。

「このトレドの限定って、普通のトレドとどこが違うか知ってるかな?」

いくら私が万年筆好きだとはいえ、一九三〇年代の象眼技法がどうとかという話をされても、さすがにマニアック過ぎて理解する気にもなれない。

「だいぶ、このトレドをお気に召されたようですね。今ですと、ちょうどフェアをやっておりまして……」

まだまだ話は続きそうだったので、私は無理やり営業トークで彼の口にふたをした。「でも、これ、シリアルナンバーが普通なんだよねえ。1とか777とかだったら文句なく買いたいんだけど」

「ああ、そうだよね」彼はいかにも真面目に検討しているような相槌を打った。

はあ……? 私が呆《あき》れて笑顔を凍りつかせている間に、彼は、「じゃあまた来ます」と言ってすたこらと帰っていった。

どっと疲れて可奈子さんのほうを見ると、先ほどまでショルダーバッグの彼の後ろにずっと立っていたサラリーマン風のお客さんが財布を出しているところだった。

可奈子さんが手にしているのはオレンジ色の箱である。ドルチェビータだ。ショーケースからは、ドルチェビータのオーバーサイズが消えていた。

ああ、私が売りたかったなぁ。あんな大きな万年筆が売れるなんて、それだけで愉快だろうに……可奈子さんもどことなく楽しげだ。

どうして私のところには冷やかししか来ないんだろう……いじけたくなる。

そのあとも昼を挿《はさ》んで客足は引かず、なのに私は一本も売ることができなかった。いや、売るには売ったが、それは、ショーケースの上に出ている安価な万年筆をサンプルで勝手に試し書きして買うお客さんの相手をしただけだった。

もはや、私だけ冷やかしのお客さんばかりじゃないかという愚痴も通用しなかった。確かに、最初から買う気のないお客さんは、いかにもアルバイトっぽい店員のほうが頼みやすいのか、私にあれこれ声をかけてくることが多いのだが、私は買い気のありそうなお客さんも逃がしていた。いったんは私のところで試し書きをしていたお客さんがしばらくしてから戻ってきて、可奈子さんの応対で万年筆を買っていったのには、さすがに落ち込んだ。その人が買ったのは、私のところで試し書きをしていた品ではなかった。


「じゃあ、遅くなったけど、休憩して」

二時を過ぎて客足が途切れたあたりで、可奈子さんが声をかけてきた。

「は～い」

へとへとだった。いつものレジ打ちより時間が経つのは早かったが、はるかに疲れた。

「難しいですねえ」

「そう?」可奈子さんはとぼけたように言う。

「さっきの、カランダッシュ買ってったお客さんて、あれは可奈子さんが勧めたんですか?」

戻ってきて、可奈子さんのところで買い直した人だ。

「そうだね」

「私のときはスーベレーンに興味を持ってたみたいだったのになぁ……どうしてカランダ

ッシュになったんですか？」

「最初は軽いほうが書き疲れないって思ってたんじゃないかなぁ。あとまあ、初めての万年筆だから、定番のほうが安心っていうのもあったのかもね。でも、試し書きの字が泳いでたから、多少重量感のあるやつのほうが、安定して逆に疲れないかもしれませんよって、あれを出してみたのよ。そしたら、目からうろこだったみたい」

「へえ……」私は感嘆の吐息をついた。私も相手の好みを読んでいるつもりだったが、観察力が違う。「なるほど……そうですよねえ。相手にぴったり合うのを持ってくれば、話は簡単なんですよねえ。でも、それが分かんないんだなぁ」

「とりあえずは、その人がどんな万年筆に興味を持ってるかを、観察しておけばいいんじゃないの。高いものとか珍しいものとか気になるものがあっても、試し書きは当たり障りのないものにしちゃう人もいるしね。そういうときはこっちから本当に興味がありそうなのを勧めてみると、背中を押されたみたいになって、反応がよかったりするよ」

「観察って、その人の視線を見るってことですか？　可奈子さん、そこまで見てるんですか？」

彼女は、ショーケースを眺めているだけのお客さんには気を留めているようになど見えないのに。じっくり見てもらうために余分なプレッシャーはかけないとも言っていたのに。

「別にじっと見てなくても分かるわよ。本当に買う気のある人が気に入った品を見てるときの目は違うから」

私には無理だ。

「何か私、お客さんをいっぱい逃がしちゃったような気がします」

「そう?」可奈子さんはまたとぼけた声を出した。「まあ、慣れの問題でしょ」

才能の問題だと思うけど……私は肩を落としながらも、とりあえず休憩だと気持ちを入れ替え、隣のコンビニでお弁当とお茶を買ってきて、裏の事務所に入った。

事務所では奥さんが隅のテーブルで一人、パソコンを打っていた。ほんわかした感じの人で、一緒にいても気詰まりではない。私はロングテーブルに並んだパイプ椅子の一つを引き、そこに腰かけた。お弁当を広げてちびちびと食べ始める。

「万年筆、売れてるみたい?」

奥さんがパソコンに顔を向けたまま私に訊いてきた。

「あ……はい」

具体的にどう売れているのか言葉を付け足そうとしたが、頭が疲れていて適当な台詞《せりふ》が思い浮かばず、間抜けな返事をしただけになってしまった。

奥さんの口からも続く話は出てこなかった。ただ、キーボードを叩く音が続いたり、止んだりしている。

「あの……」私は呼びかけてみた。

奥さんが手を止め、私のほうを向く。

「可奈子さんだと、どうして万年筆が売れるんですかねえ？」

奥さんはきょとんと私を見てから、「まあ、うちの店なりの信用があるからね」と答えた。

「でも、私だと売れないんですけど」

奥さんはかすかに口元を緩めた。

「安くはないんだから、なかなか簡単には売れないわよ」

「でも、可奈子さんはちゃんと売るんですよ」私は口をすぼめる。

「そりゃまあ、あの子なりにコツを摑《つか》んでるんでしょ」

「コツですか」

奥さんはパソコンに顔を戻してから、一つ頷《うなず》いて、どこか上のほうを見た。

「万年筆に魂を込めるのよ」

「魂……ですか？」

「そう」

精神論？　私は眉《まゆ》をひそめる。

「それは……万年筆を愛するってことですか？」

「うーん……結局はそういうことかな。社長がそう言ったら、何か理解したみたいよ」

社長の言葉なのか……可奈子さんはそれで何かを摑んだらしいが、私には抽象的過ぎてよく分からない。まさか願かけということではないだろう。そんなことで売れるなら、商売人は苦労知らずだ。

奥の扉が開いて、社長が出てきた。細かい仕事で肩が凝るのか、腕を回しながら書類棚のほうへ向かう。

「堀井《ほりい》さんが、可奈子はどうして万年筆を売るのがうまいのかって訊《き》いてるわよ」奥さんが社長の背中に声をかける。

社長はちらりと私を見てから、書類棚に目を戻した。

「万年筆に魂を込めて売るんだよ」

奥さんの言った通りである。

「それは、万年筆を愛するってことなのかって」奥さんが私の代わりに訊いてくれる。

「まあ、そういうことなんだろうな」

なぜか社長の言い方は他人事《ひとごと》になっていた。目当てのファイルを引き抜いた社長は、首を傾げる私に目をやり、少し決まり悪そうに咳払《せきばら》いをした。「そういうことだよ。万年筆を好きにならないと万年筆は売れないんだ」改めて言い切り、社長室に戻っていった。

「そうですよね……」仕方なく、私も納得したふりをしておいた。

休憩を終えて、売り場に戻る。

「じゃあ私もご飯食べようかな」可奈子さんが私を見て言った。「もう夕方まではそんなに忙しくはならないと思うけど、何かあったら遠慮なく呼びに来て」

「は〜い」

「万引きだけは気をつけてね」

可奈子さんはそう言い残して、裏へ消えていった。

とりあえずのところ、私は万引きさえされなければ、仕事をしたことになるらしい。でもせっかくだから、こういうときにいいお客さんが来てくれないかなと思う。中央売り場のレジにいるときは、暇であればあるほどありがたかったが、今日はちょっと違う。売れたら絶対に嬉《うれ》しいし、自慢できるような気がする。

一人になってからしばらくして、白髪頭の小柄な男性がやってきた。七十は過ぎている感じだが、足取りはまだ溌剌《はつらつ》としている。ショーケースをざっと見渡しただけで、すぐに声をかけてきた。

「今、若いのは万年筆なんて使わないよな」砕けた調子でそんなことを言う。

「いや、そんなこともないと思いますけど」

私が愛想笑いを交えて応《こた》えると、そのお客さんは腕を組んで、かぶりを振った。「いやあ、使わないって」

決めつけられてしまい、私は何と返していいか分からなくなった。ちょっと頑固そうなタイプにも見える。口答えしたら怒ってしまうかもしれない。

「うちの孫なんてさ、まあ長いこと遊んでばっかりで、しかも夜しか動かないようなぐうたらだったから、なおさら万年筆なんて似合わねえよな」

プレゼントを探しているのだろうか。想像するに、おじいさん本人が似合わないと言っているのだから、そのお孫さんには本当に似合わないのだろう。けれど、「そうですね」と同調するのもおかしいから、笑顔で適当にごまかしておいた。

「でも、まあ、やっと仕事を決めたっていうからさ」彼は少し照れがあるのか、ことさらぶっきらぼうに言った。

「そうですか。それはおめでとうございます」

「やっぱりボールペンだろうな。若いやつは」

「ボールペンは使いやすいですからね」

我ながら、うまく話を合わせられたと思った。おじいさんも、筋張った首をふんふんと動かしている。

「何か、お勧めはあるかい？」

万年筆ではないが、これは私の腕にかかっているということだ。にわかに緊張する。

「そうですね……ご予算とかはどれくらいでしょうか？」

「いや、そこそこのやつでいいよ。そこそこの」

難しいことを言う……でも、可奈子さんなら、それでもぴしっと選ぶのだろう。

「そうですねえ」私は泳ぎそうになる目で必死に手頃なボールペンを探して、何とか見つけた。「やっぱり、カランダッシュのボールペンは人気がありますよ」

もっともらしいことを言って、ショーケースの裏からエクリドールを取り出す。実際に使ったことは私もないのだが、持った瞬間、これはいいかもと思えるような重量感があった。耳に聞く評判だけのことはありそうだ。

ところが、おじいさんは一目見ただけで顔をしかめた。

「駄目だよ、そんなギンギラギンなだけでしゃれっ気もないようなの」

「そうですか……でも、これは非常に書きやすいということで人気が……」

「いや、駄目駄目駄目」

まったくこのおじいさんの趣味ではないらしい。シルバーカラー、ゴールドカラーは人によって好き嫌いがあるから、致し方ないのだろうか。

「もっと何ていうか、社会人としての責任を感じさせるようなさぁ……分かるかなぁ？」

「はあ……そうですねえ……」

もう一度、仕切り直しだ。このおじいさん、頑固そうではあるが、逆に好みがはっきり分かっていいかもしれない。ちゃんとこうやってヒントを与えてくれるのだから、それらしい一本を、自信を持って勧めれば、買ってくれるのではないか。

よし、困ったときのペリカン頼みだ……私は勝手にそんな言葉を作って、スーベレーンのボールペンを取り出した。

「それでしたら、スーベレーンはどうでしょうか。同じシリーズの万年筆は人気がありますし、仕事で使うのにも持ってこいだと思いますよ」

無理やり、自信たっぷりの口調で言ってみた。

私からスーベレーンのボールペンを受け取ったおじいさんは、一転、無口になって、胸ポケットから取り出した老眼鏡をかけた。

私は彼の前に、そっと試し書きセットを置いた。

おじいさんは、芯《しん》を出したり引っ込めたりしながら、じっくりとボールペンを観察したあと、おもむろに試し書きを始めた。達筆な字で、「健康第一」と書いた。このとっつきにくそうなおじいさんの思わぬ本音を見た気がして、ちょっと笑ってしまいそうになったが、それは何とか堪《こら》えた。

それより、このペンに魂を込めねば……私はおじいさんの手に握られているボールペンに意識を集中させ、いいボールペンですよ、買ってください、買ってください……と何度も念じた。

これでどうだ。やれることはやったぞ。

おじいさんはさらに「快眠快食」と書いたあと、何やら感じ入るようにしみじみと唸《うな》った。それから、ショーケースの中のスーベレーンのコーナーを見た。

「これは違う色もあるわけだね？」

「ええ。色もサイズもございます」

「サイズ？」

「はい。それより大きいのや小さいのもありますから、お好みで選んでいただけます」

「どれ？」

私はサイズと色が選べるように、何本かをまたショーケースから出した。出しながら、一本一本に、「頑張って買ってもらってね」と祈りを込めた。

おじいさんは、目の前に出された一本一本をつぶさに見ている。ざっと見て、「これがいいな」と言ってくれることを願ったが、意外に時間がかかった。

ちょっと出し過ぎてしまったかなと私は思った。十本近く出ている。おじいさんも明らかに選びあぐねている感じだ。しかし、一生懸命選んでいる相手に下手なことを言うと、余計に混乱させてしまいそうで、私としてはもう黙って見守るしかなかった。

「けっこう難しいな……」

取っかえ引っかえボールペンを手にしていたおじいさんは、すべてのボールペンをトレイに置いて、ため息混じりにそう呟《つぶや》いた。

私は落胆しながらも、彼の心情が理解できた。洋服などを買いに行くとき、いろんなのを見ているうちに選ぶのに疲れてしまい、ふとどうでもよくなってしまうことが自分でもあるのだ。

「ほかの種類をご覧になりますか？」

提案してはみたが、あっさりかぶりを振られた。

「こういうのも本人の趣味に合わないとな。今日はまあいいや」

嫌気が差したように言い、おじいさんは来たときより少し猫背になって店を出ていった。

買ってもらえなかった。

魂を込めたのに。


「何か売れた？」

可奈子さんは、三十分くらいで食事休憩から戻ってきた。

「売れてません」

私はいじけ気味に言ったが、可奈子さんにはどうでもよかったらしく、おかしそうに話を変えた。

「うちのお父さん、香恵ちゃんに、万年筆を売るコツを説いたんだって？」

「ええ……ていうか、私が訊いたからですけど」

「『魂を込めて売れ』っていうおじいちゃんの言葉、そのまんま愛情を込めて売れっていう意味だって？」

あれは先代社長の言葉だったらしい。

「意味、違うんですか？」

可奈子さんはからからと笑った。

「もう、本当、あの夫婦は販売音痴なんだから」彼女は自分の両親を容赦なくこき下ろした。「そんな精神論で売れるわけないじゃない」

そう言えば、社長は、どこか他人事《ひとごと》のように答えていた。先代の言葉を、可奈子さんは理解できて、自分は理解できなかったと薄々気づいていたということか。

「じゃあ、あの言葉はどういう意味だったんですか？」

「別に難しいことじゃないのよ。おじいちゃんが偉ぶって、回りくどい言い方をしただけなんだから」

「でも、言葉通りじゃないんなら、難しいですよ」

「そうねえ……一番分かりやすいのはネーミングよ」可奈子さんは澄ました顔になって言う。「例えば、モンブランの作家シリーズの中で、香恵ちゃんの好きな作家はいる？」

「うーん……私が好きなのって、児童文学とかなんですよねえ」

これを言うと、葉菜ちゃんあたりなら〝お子ちゃま〟扱いしてくるところだが、可奈子さんは、「教育大だもんねえ」と納得してくれた。

「じゃあ、ジュール・ヴェルヌかな？」

「ところが読んでないんですよ」

ジュール・ヴェルヌはモンブランの作家シリーズの一人で、児童文学という言葉を持ち出せばこの人が該当することになるのだろうが、あいにく私は読んだ記憶がない。

「だったら、児童文学では、誰が好きなの？」

「そうですねえ……トム・ソーヤなんかは好きかも」

ジュール・ヴェルヌの『十五少年漂流記』は読んでないけれど……と、連想式に浮かんだままに答えた。

「トム・ソーヤって、『トム・ソーヤの冒険』っていうタイトルでしょ」

「あ、そっか」私は笑ってごまかした。作者名を思い出そうとしたが出てこない。あきらめて別の作家を探すことにした。「ええと、じゃあトム・ソーヤの人じゃなくて……」

「ハックルベリーとか言わないでよ」

「言いませんよ」私は可奈子さんの茶々を受け流してから、「あれがいいです」と訂正した。

「『星の王子さま』」

口に出してから、また間違ったと気づいた。

「あ、やだ、ごめんなさい」

可奈子さんはぽかんとした顔をしてから一転、げらげらと笑い出した。言った私も笑えてしまった。

「本当、香恵ちゃんは天然なんだから」

言われても、返す言葉がなかった。最初は作家の名前を考えていたのだが、ハックルベリーを出されたところで、じゃあロビンソン・クルーソーも駄目だなと変なことを思ってしまい、そのうちなぜか冒険物以外の好きな児童文学を探していた。

「まあ、いいわよ。『星の王子さま』なら『星の王子さま』で」可奈子さんは、真面目に付き合っていると話が終わらないと思ったのか、呆《あき》れ気味に折れた。「でね、もし、『星の王子さま』っていう名前のきれいな万年筆がどこかから出たら、ちょっと欲しくなるでしょ」

「それは、そうですね」私はこくりと頷《うなず》く。

「それは、その万年筆に、『星の王子さま』のファンに訴える魂が入ったからなのよ」

「はあ……」

何となく分かる……が、何となくしか分からない。

「つまり」

可奈子さんは、ここは試験に出ますよとでも言いそうな勢いで指を立てた。

「〝魂〟とは、〝共感できるストーリー〟のことなのよ。分かる？」

共感できるストーリー？　『星の王子さま』だからストーリーということなのか？

「今ので、また分からなくなりましたよ」

正直に言うと、可奈子さんは、がくっとずっこけてみせた。そして、それ以上は教えてくれなかった。というか、お客さんが来たために、自然と話が終わってしまった。

それから休憩を挿《はさ》んで五時過ぎまではお客さんの数も少なく、接客は全部、可奈子さんがこなした。私は商品の包装やショーケースへの補充を手伝ったり、試し書きをした万年筆のペン先を超音波洗浄器にかけたりして、あとは可奈子さんの後ろで、彼女が接客するのを見学していた。

可奈子さんは相変わらずよく売った。私はその様子をかなり熱心に見ていた。背中にくっつくようにして、彼女の言葉を聞き取った。

そうするうちに私は、彼女が言う〝魂〟とか〝共感できるストーリー〟というのが分かるようになってきた。確かに可奈子さんは、お客さんとの会話の中で〝魂〟を込めているのだ。

例えば、私が応対した頑固そうなおじいさんのように、スーベレーンの万年筆をいくつも並べて、書き比べ始めたお客さんがいた。この人もやがて選び疲れるのではないかと見ていたところ、可奈子さんは、「スーベレーンは色やサイズ、ペン先の種類のバリエーションが豊富ですから、万年筆を知る人が自分に合った一本を探すことができるシリーズなんですよ」というような言葉をかけていた。

私は、定番で手頃なシリーズだから、入門の一本に相応《ふさわ》しいのだと勝手に理解していたから、可奈子さんの言葉には唸《うな》らされた。あのおじいさんに勧めて失敗した理由も分かった気がした。

そして、それと同時に私は気づいた。

可奈子さんはさりげない言い方で、「スーベレーンは万年筆を知る人にこそ相応しい」という〝魂〟を込めたのだ。

目の前のお客さんは、自分が万年筆を知る人間だと言われたに等しい。実際、何本かの万年筆を所有しているらしいから、可奈子さんの言葉を素直に受け取るだろう。そして、その自分に相応しい一本を選ぶ作業が楽しくなるに違いない。〝共感できるストーリー〟がスーベレーンに込められ、お客さんはそれに共感し、愛着が湧いたのだ。

そして時間をかけて一本を選び、晴れてお買い上げとなった。

また、四十歳くらいの大人しそうな男の人がウォーターマンのカレンを前に決めあぐねているときも、可奈子さんは冴《さ》えていた。

「これは女性向けなんですかね？」

そのお客さんは、どうやら、カレンの流線形デザインを気に入ったらしいが、女性向けの万年筆ではないかということで、踏ん切りがつかないようだった。

「確かに、女性の方にも人気がありますけれど、同じように、男性の方にも人気がありますよ」可奈子さんは答えた。「性別ということより、比較的若い世代の方が買われていきますね。三、四十代の若い手に馴染《なじ》むデザインだと思いますよ」

可奈子さんは、カレンに、「女性に似合うのではなく、若い人に似合う」という魂を込めたのだ。若い世代を目の前のお客さんと同じ三、四十代と定義して、そのお客さんが共感できるストーリーをくっつけてみせたのだ。

見た目や使い勝手そのものの印象とは別の魅力……言い換えれば、付加価値の一種なのかもしれない。それを創業社長風に言うなら〝魂〟と言い、可奈子さん風に言うなら〝共感できるストーリー〟と言う……ということなのだ。

たぶんに商才がものを言う秘訣《ひけつ》で、分かったからといってすぐに実践できるものではないのだが、ただ漫然と品物を売るのではない世界が見えただけでも、私は一つ勉強になった気がした。

五時を過ぎたあたりから、徐々にまた、客足が重なり始めた。私にも声がかかり、可奈子さんから離れての接客に追われるようになった。ショーケースにない品物の問い合わせを受けて在庫の確認作業をしたり、当店オリジナル万年筆の予約を受けたりしたあと、買い気のありそうなお客さんの試し書きにも付き合ったりしたのだが、お買い上げまでには至らなかった。クラシックなデザインのペンを試したかと思うと、カジュアルなものに興味を示してみたりと、いまいち趣味を摑《つか》むことができなかったので、魂を込めることもできなかった。なかなか難しい。

「これ見せてください」

心の中で反省会を開いているところに、また別のお客さんから声がかかった。

二十代の男の人で、Tシャツにジーンズというラフな格好をしていた。学生っぽくはないが、会社勤めをしているような感じでもない。整った顔立ちだが、うっすらと無精ひげを見せている。

派手なネックレスでも着けていれば、それなりに似合うだろうし、まあ遊び人なのだろうと目星をつけることができるかもしれない。しかし、何の飾り気もないということは、そういう柄ではないのだろう。口調も穏やかだった。

無精ひげの彼は、ビスコンティのヴァン・ゴッホを指差していた。きれいはきれいだが、このショーケースの中では取り立てて目を惹《ひ》くペンでもない……と私は思っている。考えられるとすれば、この彼は意外にと言うべきか、ゴッホのファンなのかもしれない。

ゴッホならやはり青かなと、私はブルーカラーの一本を取り出した。

「こちらですね」

言いながら、手渡す……と……。

受け取る彼の手に私は目を奪われてしまった。

指が長い。

爪のあたりにちょっとした汚れが付いていて、清潔さはそれほど感じないのだが、節立ったような野暮ったさがなく、男の人の手とは思えない、しなやかなシルエットをしている。

その手に握られる万年筆を見ながら、私は妙に心が浮かれるのを感じていた。

それほど魅力的には見えていなかった万年筆が、彼の手の中で映えている。

何かいいかも……と思った。立ち姿を含めて、細長い指で万年筆を扱っている様子が実に絵になっている。

「試し書きなさいますか？」私はちらりと彼の顔を見上げて訊《き》いた。

ん……？　この人、どこかで見たことあるかな？

はいという返事とともに、彼の視線が私に向いた。視線も返事同様、素っ気なかった。

しかし、私は勝手に既視感めいたものを感じて、心の中で首を捻《ひね》った。

まあいい……。

試し書きセットを出して、彼から万年筆を受け取る。比べてみると、長さはともかく、まだ私の指のほうが細かったので、何となくほっとした。

ペン先をインクに浸し、紙に滑らせてインクの出を確かめてから、ゆっくり万年筆の向きを変えて彼に返す。

どんな字を書くんだろうか……私の頭にはそんな好奇心が芽生えていた。

万年筆を手にした彼は、それを寝かせ気味に持って、リズミカルに動かし始めた。

最初は何の字を書いているのかと思って見ていたが、てんで分からなかった。相当の悪筆かと思ったが、どうやら字ではないらしい。英語でもなければ、不規則な曲線でもない。と、そうこうしているうちに、気づいたときにはすっかり猫の絵が出来上がっていた。

猫……。

何ともとぼけた顔の猫である。あくびをしている。

私は意表を衝《つ》かれて呆気《あっけ》に取られ、そして思わず吹き出していた。

猫の絵を描いた彼が、それに反応して顔を上げた。突き刺すような視線ではなかったが、私は慌てて口を両手で覆い、目礼で詫《わ》びた。彼は彼で、ちょっと恥ずかしくなったのか、絵でも字でもない曲線を適当に書き始めた。

でも……万年筆の試し書きに猫の絵なんて初めて見た。別にわざと受けを狙おうとしているわけでもないようなのだ。

私はすぐにでも可奈子さんのところに寄っていって、「ちょっと聞いてくださいよ～」と肩を叩《たた》いて教えたい気分だった。可奈子さんはほかの接客に回っている。この気分をどこに向けたらいいのだろう……私は衝動を持て余したあげく、それをソフトにして、描いた本人に向けてみた。

「お上手ですねえ」

さらりと言ってしまった。言った私はつかえが取れてすっとした。言われた彼は一瞬私を見ただけで、すぐに万年筆へ目を落とした。落ち着かない素ぶりでペン先をインクに浸《つ》けようとする。

「あ、どうぞ」

私はインク瓶に手を添えながら、やはり余計なことを言ってしまったかなと少し後悔した。

インクを付け足した彼は、まるで決まりの悪さをやり過ごすようにしてペンを動かしている。

そして、しばらくしてから……。

彼はうつむいたまま、ふふっと軽く失笑した。

どうやら、私の言葉に対しての反応らしい。妙な時間差にくすぐられて、私もまたおかしさが込み上げてきた。

困ったなと思って視線を外すと、可奈子さんと目が合った。何を笑ってるの？　という感じで、彼女もニヤリとしている。それを見たら、また余計におかしくなった。

もう目の前の彼はとっくに笑っていないというのに、私はずっと笑いを嚙《か》み殺すのに一生懸命になっていた。

ふと、彼がペンを止めて、腰を伸ばした。顔は無表情になっている。あまり晴れた感じではない。書き心地がぴんとこなかったか。

「よろしければ、ほかのもお出ししますので」

いい加減、笑いを収めた私は、接客モードに戻って声をかけた。

私の言葉に応《こた》えるように、無精ひげの彼はショーケースに目を移した。しかし、急に言われても困るとでも言いたげに、選びあぐねている。

「どういったタイプのものがお好みですか？」

買い気のないお客さんなら鬱陶《うっとう》しいと思われるかもしれないが、買い気はありそうだと判断して、思い切って訊いてみた。

「いや、その……ぬらぬら書けるようなって言うのかな……」

そういう言い方で通じるかどうか怪しむように言葉を濁しつつ、彼は答えた。

「ああ、はい」私は頷《うなず》いた。〝ぬらぬら〟というのは万年筆の書き味を表現する独特の言い方である。インクが潤沢に出てくるような、どろっとした感覚だ。「たぶん、ペン先の太いものであればあるほど、書くときにはソフトに感じますし、そういったぬらぬら感も出てくると思いますけど」

「うーん」と彼は唸《うな》る。「あんまり太い線でも困るんだけど」

「そうですか」このヴァン・ゴッホはM（中字）のニブを付けている。「やっぱり、これくらいの太さで？」

「そうだね」と無精ひげの彼。

「デザインとかのお好みもこんな感じでしょうか？」

「いや、特にこれがいいと思ったわけじゃないけどね」

若い人でデザインを気にしない人はいないだろう。今一つ好みが分からない。値段的な制約があるのかもしれないが、それをずばり訊くのは気が引ける。

ぬらぬら感は実際に書いて納得してもらうしかない。とりあえず、ヴァン・ゴッホからそんなに外れていないタイプのものを勧めてみようか。

ちょうどスティピュラのイ・カストーニがMで出ていたので、私はそのブルーカラーを取り出した。

「これなんかどうですかね。キャップのクリップにラピスラズリが埋まってて、胸ポケットに挿すとおしゃれなんですよ」

私は言いながら、実際に自分の胸ポケットに万年筆を挿してみせる。

「へえ」

無精ひげの彼から、意外なほど素直な感嘆の声が上がった。興味を惹いたようだ。

「へへへ」私はちょっと冗談ぽく胸を張る。「どうですか？」

いいね、というように眼を細めた彼に、私はその万年筆を手渡した。

「どうぞ書いてみてください」

勧めてみると、彼はペン先をインクに浸けて、適当な曲線を書き始めた。

「字を書いてみたほうが、感覚的に分かりやすいと思いますよ」

彼は下を向いたまま、微苦笑で受けた。

「何か、好きな言葉とか書いてみたらいかがですか」

何をおせっかいなこと言っているんだろうと自分で思いながらも、それほどの不自然さは感じなかった。今までになくお客さんとの距離が近く思える。ずいぶん自分の口が軽くなっている。

彼は手を止めて、何かを考えるような時間を置いた。私のおせっかいに押されて、本当に好きな言葉を書こうとしているように見えた。そして何か言葉を決めたのか、ペン先を紙に向けた。

しかし、そこで彼は動かなくなった。意識がどこかへ行ってしまったような何秒間かがあった。腕の力が緩むようにして、ペン先が紙につく。それでも彼はぼんやりしている。

何だか、一瞬にして彼との距離が離れ、空気が重くなった気がした。

気を取り直したように、彼はペンを走らせる。けれど、気に入らなかったのか、すぐにぐちゃぐちゃとその字を潰《つぶ》してしまった。何を書こうとしたのかも分からない。

「別に、字を書くものじゃないから」

彼は独り言のように、取り繕ったことを言う。

「万年筆は字を書くものですよ」私はけっこう真面目に応じた。

「そうかな」彼はそんなふうに呟《つぶや》く。

「え？　違いますかね……」

当たり前のことを言ったつもりだったのだが、ごく自然な感じで疑問を唱えられると、こっちが間違っているのかなという気になってしまう。確かにファッションで持ち歩く人もいるかもしれないし、もしかしたらペン軸の中に機密文書を入れておくスパイだっているかもしれない。しかし、そういう人は別に試し書きなど必要ないだろう……などと私があちこちに思考を飛ばしていると、目の前の彼は、何やらすべてを煙《けむ》に巻いてしまうように、私の反応に対してくすっと笑った。

変な人……。

単にからかわれているのだろうか。

よく分からない。

どちらにしろ、イ・カストーニもぴんとこなかったらしいと察して、私は次に勧める万年筆を探した。

「お値段的には、やっぱりそれくらいのものをお考えですか？」

「いや別に……まあ、高過ぎるのも困るけど」

「じゃあ、十万円以内あたりで……？」

からかわれた仕返しに、ちょっと嫌らしく、高めの数字をぶつけてやった。もちろん半分冗談だと分かってもらうために、軽く笑いを混ぜておいた。

ところが、彼はあっさり「そうだね」と答えた。

へえ、意外と気合が入ってるな……そう思う一方で、冗談混じりに訊《き》いたから冗談で返されたのかなとも考える。表情を見る限りでは、そんなふうでもないのだが……。

どうしよう。

じゃあ、といって、いきなり十万円近い品を出すのは、いかにも商売っ気丸出しという感じがして嫌だし……私はとりあえず、Mのニブサイズが出ている万年筆をチェックした。

「これはどうですか」

私はラミー2000を取り出した。今までの二本とは違って、黒が基調のシンプルなデザインだが、それがおしゃれとも言われているし、男の人は案外こういうのが好きなのかもしれないという気がした。前に私が試し書きしたときの感覚では、書き味も割と滑らかだった。

「一九六〇年代に二〇〇〇年をイメージしてデザインされたペンなんですよ。何とかハウスっていう、ええと、ドイツの……」

「バウハウス？」

「あ、そうです。そこのデザイナーが手がけたんです」

藴蓄《うんちく》も、魂を込めるうちの一つだろうと思ったのだが、なにぶんそれほどの知識もないから、中途半端な説明にしかならない。ただ、それでも彼は、「へえ、面白いね」と感心したような相槌《あいづち》を打って、ラミー2000の試し書きを始めた。ペンを寝かせるようにして、クルクルと曲線を描く。時折スピードを変えたり、節をつけたりして、リズムがいい。

「うん……」

単なる曲線だというのに、やけに堂々としていて、踊っているようにも見える。目の錯覚かなと思うくらいだ。

「なかなかいいけど……どうだろう、でも、やっぱりちょっと違うかな。見た目もあんまり万年筆らしくないしね。どっちかって言うと、バウハウスみたいなモダンな感じよりは、クラシックなデザインのほうがいいかも」

彼はそう言いながら、ふと顔を上げた。

その顔がすぐ近くにあったので、私はびっくりしてのけ反った。曲線に見入っているうちに、知らず知らず顔を寄せてしまっていたらしい。

彼のほうは何も気にならなかったようだ。表情も変わっていない。

「ああ、じゃあ……」私は焦りを隠すようにして、ショーケースへと意識を向けた。「これなんか、どうです?」

アウロラのアスティルを取り出す。軸の細長いペンだが、彼の指には合うかもしれない。

「これはニューヨーク近代美術館の永久保存モデルなんですよ」

彼はそれを受け取ってから、しげしげと見つめた。

「これもあんまり万年筆らしくないね」

「あっ、ごめんなさい」

値段とニブサイズを気にしながら、何か一言コメントできるものはないかなと探していたら、彼の注文がきれいに頭から抜け落ちていた。

「いいよ。これも面白そうだし」

彼はそう言って、アスティルの試し書きを始めた。仕方なくという感じではなく、本当に書いてみたいという気があるように見える。「ふーん」と言いながら、楽しそうに曲線を描いている。

自分が勧めるものに対して興味を持ってくれるのは、なかなか嬉《うれ》しいものだ。ショーケースにあるものを次々に勧めていったら、この彼は、そのまま素直に試し書きしていくのではないだろうか。そんな気がして愉快になる。

「やっぱり、ペンによって、けっこう違うんだね」

「そうですね。同じMでもメーカーによって線の太さが違いますし、書き味なんかマニアの方に言わせると、同じ種類のペンでも一本一本、微妙に違うらしいですしね」

「そうなんだ」

「使い込むと、その人の癖に合ったペン先に変わっていくんですよ」

「へえ、そうなの？」

「と言われてます」

あとで話が違うと言われても困るから、慌てて付け加えた。このあたりは、不意に売る立場であることを思い出して、妙に締まりが悪い。

「私のは最初からばっちり合ってたんで、そんな感覚はいまいちよく分からなかったりするんですけど」

「それはどれ？」

「ドルチェビータ・ミニです。これ」

私はショーケースの中から、自分が持っているのと同じ一本を出した。

「それいいね」彼は眼を細めた。「何か似合ってるし」

「そうですかぁ？」

「うん」彼は太鼓判を押すように頷《うなず》いてくれた。

可奈子さんに続き、一日で二人に褒められるなんて……私は単純に舞い上がってしまった。

「試し書きしてみますか？　あ、えっと、Mでしたね」

相手の答えも待たずに後ろの棚から在庫を探そうとしたところに、店内のスピーカーから閉店の音楽が流れ始めた。

もうそんな時間か……時計を見ると、あと五分で閉店時間の七時である。

「あ、じゃあ、また」彼も音楽に反応して、私を呼び止めるように言った。

「あ……はい」

まだ五分あるのに……とは思ったが、閉店の音楽が流れている中では、気が焦って選ぶのが難しいというのも分かる。

「またどうぞ」

私は彼の背中に声をかけた。

彼は振り向かなかった。あれほど相手を近くに感じていたのが嘘のようだ。まあ、店員の挨拶《あいさつ》にいちいち振り向くのもおかしいかとは思ったが、当たり前のことが寂しくも感じられた。

気づくと、万年筆売り場のお客さんは引けていた。

「今のお客さん」可奈子さんがさりげなく近寄ってきた。「香恵ちゃんと呼吸合ってたね」

「そうですか？」

可奈子さんに言われると、そうかなぁという気がしてくる。確かに私のほうも、接客していて一番気分が乗ったのは彼だった。

「たぶん、また来るわよ。次は買ってくれそう？」

「分かんないですよ。買う気はあるみたいですけど……でも、変な人なんですよ。これこれ、見てくださいよ」私は、彼が試し書きした紙を手に取った。「ふふふ、猫ですよ。試し書きに猫の絵ですよ」

私は思い出し笑いをしながら言ったのだが、可奈子さんは何やら当たり前の顔をしている。

「イラストレーターだからでしょ」

「え、知ってるんですか？」

「よくこの店に来るじゃない。いつも二階に上がってくし」

「そうなんだ」

知らなかった。何となく見た憶《おぼ》えがある気がしたのは、そういうことだったのだろうか。

二階は画材を中心にして書道の道具やクラフト用品などがそろっているフロアなのだが、それにしても、この売り場から入口近くの階段を上がっていくお客さんを見ていて、しかもそれを憶えているなんて、まったく驚きである。可奈子さんならではだ。

「でも、二階に行くからって、イラストレーターとは限らないんじゃないですか？」

「けっこういろいろ買ってくし」

「でも……」

「絵も描いたじゃない」

「そうですけど……」

「それに、このへんはイラストレーターが多いからね」

「へえ、そうなんですか？」

「近くに美大があるし、沿線にはいくつかアートスクールがあるし、もともと有名なイラストレーターが何人かこのへんに住んでたから、いつの間にか若手のイラストレーターやアーティストが集まるようになったのよ。ほら、小説家だったら鎌倉《かまくら》だとか、漫画家だったら練馬《ねりま》だとか、デザイナーだったら恵比寿《えびす》だとか、そういうのがあるじゃない。駅前の喫茶店に行くと、それっぽい人たちが絵を広げて仕事の打ち合わせとかよくやってるよ。私も編集者だったときは、このへんのイラストレーターと仕事してたしね」

「へえ、そうなんだ」

　この町にそんな顔があるとは知らなかった。住みやすい町だから、そのあたりも好まれているのかもしれない。確かに、そういう人たちが客層にいなければ、二階のフロアにあれだけの画材をそろえる意味もないのだ。聞いて納得である。可奈子さんが言い切るくらいなのだから、たぶんあの人もイラストレーターなのだろう。そうでないとしても、アート関係の仕事をしている人には違いなさそうだ。

　七時になったので、私は閉店作業をするために店頭に出た。スタンド看板を仕舞おうとして、そのそばに置かれてあった自転車に目が留まった。

あ……。

折り畳み自転車……。

私のマンションの前であの男の人が乗っていた折り畳み自転車と同じかどうかは分からなかったが、それを見た瞬間、私はあの男の人のことを思い出した。

入口の自動ドアが開いた音で、私はそちらを振り返った。最後までいたお客さんが紙袋を提げて出てくる。

さっきの、無精ひげの彼だった。

「ありがとうございました」

二階で買い物をしていたらしい。

彼は私の声に反応して、軽く頷きながら私を見た。そして、視線を離してから、もう一度私を見た。その口元に小さな笑みが覗《のぞ》いた。

顔を憶えられてる……。

私はつられて笑顔を返し、ぺこりと頭を下げた。

彼はスタンド看板の横に置いてあった折り畳み自転車にまたがり、駅前通りのほうへと漕《こ》いでいく。

髪の毛はちょっと短くしたみたいだ……私はその後ろ姿を見ながら思う。風に乱れた髪をあの細長い指でかき上げていたから、あの日は絵になっていたのかもしれない。あの日の印象と比べると、今日はそれほどでもない……なんて言ったら失礼かな……ふふふ。

あの日は私のマンションの何を見ていたのだろう。やはり、窓辺のデザインがイラストレーターの目に引っかかったということなのだろうか……。

それにしても……。

二度見されてしまった。

私は愉快な気持ちに任せて身体を弾ませ、スタンド看板を店内に運んだ。

「何笑ってんの？」

万年筆売り場に戻ったとたん、可奈子さんに怪訝《けげん》そうな顔をされた。

「別に笑ってませんよ」私は慌てて顔を引き締めた。

ずっとあの彼のことを考えていたと思われても困るので、ちょっと間を空けてから、可奈子さんに話しかけてみた。

「でも、あのお客さん、万年筆で何するつもりなんでしょうね。字を書くとは限らないなんて言ってましたよ」

「絵を描くんでしょ」可奈子さんは当然とばかりに答えた。

「それって、イラストレーターの間で流行《はや》ってるんですか？」

「流行ってるかどうかは知らないけど、万年筆で描く人もいなくはないわよ。それ用の万年筆もあるんだし」

「ああ、ありますね」私は手を叩《たた》いた。「じゃあ、今度はそれを勧めてみようかな」

「この前、私が勧めた」可奈子さんはレジを閉めながら、あっさりと言った。

「え、この前って?」

「一週間くらい前かな。一度ここに来たから、ふでDEまんねんを勧めてみたのよ。でも、求めてた感覚と微妙に違ったみたい」

可奈子さんは彼をイラストレーターだと読んで、絵を描くのに合いそうな万年筆を勧めたわけだ。ペン先が長くなっていて、筆記角度によって線の太さに変化をつけられるタイプのものである。

「なかなか決まらなかったし、フェアも近いから、またゆっくり選びに来てくださいって言っといたの」

「へえ……可奈子さんの見立てでも、決まらないことがあるんですね」

「そりゃあるわよ」可奈子さんは笑う。「何となく息が合わないとかね。あの人は私より香恵ちゃんのほうが合うみたい。またよろしくね」

「はあ……」私はどういう顔をしていいか分からず、ぼんやりとした相槌《あいづち》を打った。本心では嬉《うれ》しかった。

「けど、万年筆で描く絵ってどんな絵なんでしょうね……?」

「まあ、そんな画期的な絵ではないでしょ。普通のペン画なんだと思うよ。ただ、万年筆はペン先がイリジウムコーティングされてて、カリカリした付けペンとは書き味が違うから、そういうのを求めてるんじゃないかな」

「そうか……あの人、ぬらぬらがいいって言ってましたもんねえ」

「ぬらぬらって言っても、インクフローの問題だからねえ。実際、インクを通してみないと何とも言えないから、試し書きしたところで限界はあるんだよねえ。まあ、そういう人は柔らかいペンが欲しいってことなんだと思うけどね」

「やっぱり、そうですよねえ……それも、けっこう微妙な感覚なんでしょうねえ」

「まあ、いろいろ試したら、そのうち買ってくれるわよ。おおかた、新しい仕事が入ったから、気持ちが大きくなって、ちょっと変わった道具でも使ってみようってとこでしょ。じゃなきゃ、ペン一本に何万もかけようなんて思わないだろうし」

　当たっているかもしれないが、お客さんもそこまで読まれては立場がないなという気もする。

「でも、いいんじゃないかな」可奈子さんは自分で言い過ぎたと思ったのか、今度はフォローするようなことを言った。「そんなふうに道具にこだわる男なんて、なかなか頼もしいじゃない。道具なんて使えりゃ何でもいいなんて言ってる人間が一番信用できないからね」

「そうですかねえ?」それも言い過ぎな気がする。

「契約書にマイスターシュテュックでサインする人と百円のボールペンでサインする人と、どっち信用できる?」

「それは極端だし」私は苦笑いする。

「人類は道具を使うことによって進化したのよ。それへのこだわりがなくなったら人類じゃないわよ」

人類って……私が試し書きした「人間」くらい大きく出たなぁ……私は可奈子さんの信念が何となくユーモラスに感じられておかしかった。

でも、言いたいことは分かる。万年筆一つ取っても、凝り出せばきりがない。歴史、機能、デザイン、味わいと、いったん首を突っ込めば、深く果てしない世界が広がっている。そういう道具選びが極めて人間的なものであるというのは、その通りだと思える。高校生の頃ならたぶん分からなかっただろうが、今は分かる。私もそれくらいの成長はしているのだ。


無精ひげの彼が再び万年筆売り場に来たのは、それから三日後のことだった。同じ夕方ではあったが、まだ五時を回ったばかりだったから、フェア初日のように閉店時間が来てタイムアップという心配はなさそうだった。

この日の彼は、レモンイエローのVネックシャツを着ていた。下はこの前と同じジーンズだ。着るものにもこだわりがあるのかどうかは分からないが、まあ、いかにも普段着という装いである。

シャツのお腹のあたりには絵の具のようなオレンジ色の染みが付いている。これをこの前見ていたら、可奈子さんが推理した彼の仕事にもあっさり頷《うなず》いていただろうなと思った。そして彼の無精ひげはまた伸びていた。仕事が立て込んでいたのだろうか。何だか徹夜でもしていたかのような雰囲気である。

「いらっしゃいませ」

彼は特に私の挨拶《あいさつ》には反応せず、ショーケースに並んだ万年筆を見渡している。私の前に立ったくらいだから、私の存在を認識しているとは思うのだが……今日はまた、この前のような感じで話せるのだろうかと、少し不安になる。

とりあえず私は、可奈子さんが言う基本を守って、しばらくはその様子を見守ることにした。

何を隠そう、私はフェア二日目から今日まで、五本の万年筆を買ってもらうことに成功していた。フェア期間中とはいえ初日のような客足はない中での成果だから悪くない。もちろん黙っていても買ってくれたような人もいたが、少なくとも五本のうちの三本はお客さんがあれこれ試し書きした上に、私も割とそつなく応対することができた。そうやって決めてもらったから、私が売り上げたと胸を張って言えそうなものだった。可奈子さんにも褒めてもらった。

初日はやはり、ある種の緊張感や気負いが出ていたのかもしれない。それがお客さんに伝わって、買い気を削《そ》いでいたのかもしれない……そんな気がした。可奈子さんのように、商品にうまく魂を込める域には至らないが、お客さんがリラックスして試し書きしてくれるように気を遣うだけで成果は違ってきた。慣れが大きい。

昨日の夕方、無精ひげの彼は、店に来て二階に上がっていった。あ、来た……と思い、万年筆売り場に寄るのを待っていたが、彼はそのまま小さな包みを手にして帰ってしまった。何か急ぎの買い物があったらしい。こちらが待っていても、彼はただのお客さんだから気まぐれである。

そして今、ようやく彼はやってきて、万年筆をじっくりと眺めている。猫の絵を描いていたからではないが、私は小学生の頃、実家の庭先によく遊びに来ていた猫のことを思い出した。餌をやろうとサッシを開けると、警戒して逃げていく。餌を庭に置いて待っていると、しばらくして猫は戻ってくる。食べようとするところに私がサッシを開けると、また猫はびっくりして逃げていく。私はその泥棒猫ぶりが面白くて、餌を置いては食べるところの邪魔をして遊んでいた。

そんなふうだから、なかなか猫は懐かなかった。教訓としては、じっとしていれば寄ってくる相手には、下手に動いても逃げられるだけということだ。可奈子さんが言う秘訣《ひけつ》にも通じるものがある気がする。

彼は何を見ているのだろうか？

可奈子さんなら相手の視線の動きをさりげなく見て、何に興味を持っているのか見極めてしまうのだろうが、これだけの万年筆が並んでいる中で、私にはそんな芸当はできない。それをしようと思ったら、ショーケースの裏から相手を覗《のぞ》いて、どこで視線が合うか確かめなければならない。

けれど、そのうち、彼の視線が一箇所に定まってきた。あちこち動いてもそこに戻る。ウォーターマンのコーナーのようだ。おフランスのメーカーらしく、どれもデザインが洒落《しゃれ》ている。

カレンかな、レタロンかな……値段的にはそのへんが手頃だが、やっぱり目を惹《ひ》くと言えばセレニテだ。ボディがカーブを描いていて、羽ペンのようなシルエットをしている。キャップをすれば、鞘《さや》に収めた刀のようでもある。男の人が好みそうなデザインだ。

「出しましょうか？」声のかけ頃だと思って、言ってみた。

「じゃあ、これ」彼はやはりセレニテを指差した。値段は値札を見て承知しているのだろうから、十万円程度までOKという彼の言葉はまんざら適当に言ったわけでもないのかもしれない。

「ペン先はMがいいですか?」

私が訊くと、彼は小さく頷いてから、「よく憶《おぼ》えてるね」というような笑みを浮かべて私を見た。

「少々お待ちください」

この前と違って人が変わっていたらどうしようと思っていたが、どうやらそんなことはなさそうだった。店員に笑顔を向けてくれるお客さんなど、そうはいない。

私は在庫の棚からニブがMのセレニテを出した。そして、試し書きセットをショーケースの上に置いた。

「このペンはですね、バランスが絶妙で、キャップをすると、まっすぐ立つんですよ……ほら」

私がセレニテをショーケースの上に立ててみせると、彼は「へえ」と素直に感心してくれた。

何だか調子が出てくる。

「格好いいペンですよね。はい、どうぞ」

インクを付けた万年筆を渡すと、彼はためらうことなく、紙の上にブルーの曲線を描き始めた。

私はそれに見とれてしまう。

細長い指とセレニテのボディが実にマッチしている。それがしなやかに動く。この前よりいっそう優雅に見えるのは、どうやらその指でアートを生み出すらしいということが分かったからだろうか。それにしても、ただ曲線を描いているだけなのに、まったく見飽きない。

彼は何度かインクを付け足して試し書きを続けたあと、「ふん」と微妙な唸《うな》り声を喉《のど》の奥にくぐもらせた。そして、また、ほかの万年筆へ目を移す。

これも違ったのかな……。

「どうでした？」そう訊《き》かれても困るかなと思いながらも訊いてみた。

「うん……いいけど」

やはり曖昧《あいまい》な返事である。

「ほかのも何本か、お出ししましょうか？」

「そうだね……何かお勧めがあれば」

「オプティマとかどうです？　人気ありますよ」

そう水を向けると、彼はショーケースのオプティマを見て、その気になったらしく、笑顔で頷いた。

何本か書き比べないと、この人は納得しないのかもなと、私はオプティマのほかにも適当に出してみることにした。二、三万で抑えなくてもいいのなら、お勧めはいくらでもある。デルタのドルチェビータ・ミニやオールドナポリ、カランダッシュのメットウッドやパーカーのデュオフォールドといったものをペントレイに並べてみた。

彼はそれらを取っかえ引っかえしながら、紙に曲線を描いていく。ペンを寝かせ気味に構えて、さらさらと動かしていく。時折、くいっくいっと節をつけて、曲線を変化させる。そうやって、それぞれのペンの書き味を堪能《たんのう》しながら、「へえ」とか「ふん」とか、小さな声を上げたりしている。楽しそうだ。

私も見ているだけで楽しかった。ほかのお客さんは可奈子さん一人で十分応対できているから、いらぬ心配もしなくていい。仕事をしているという感覚すら薄れてくる。彼がドルチェビータ・ミニの試し書きを始めたときには、何とか気に入ってくれないかなと思って見ていた。男の人の手なら、ミニよりミディアムのほうが合うだろうかとも思ったが、ミニを出してしまった。ミディアムはキャップを軸尻《じくしり》に嵌《は》めて使うには、逆に少し大きい気がする。

「それ、私も持ってるやつなんですよ」

そう言うと、彼は鼻を鳴らすように笑った。この前、時間切れになったのを、またちゃっかり勧めてきたのがおかしいのだろうか……そんな感じである。

「どれかいいのはありましたか?」

試し書きに一区切りついたようだったので、期待を込めて訊いてみた。

「うーん……どれもいいんだけどね……」

残念ながら、ぴんときたものはなかったようだ。まだいろいろ試してみたいのかもしれない。

それではと、私は、クロスのヴァーブやウォーターマンのリエゾン、デュポンのフィデリオなどを新たに出した。

ふと可奈子さんからの視線を感じた。見ると、ショーケース脇のテーブルを指差している。

ショーケース脇のテーブルはペン先の調整を待つお客さんや「万年筆友の会」の申し込みをするお客さんに座ってもらうためのものだが、可奈子さんは、買い気のある常連のお客さんが限定万年筆などをゆっくり試し書きするときにも案内しているらしい。そこに座ってもらえということだ。

「よろしかったら、こちらで試し書きされますか？」

そう訊いてみると、彼は二つ返事でOKした。買う気のない人なら尻込みするところだろうが、どうやら腰を据えて選ぶつもりらしい。私も向かい側に座れるので、いっそう楽である。

彼にテーブルへ移動してもらい、私は試し書きの終わった万年筆を超音波洗浄器にかけた。この仕事は立ち詰めだけに足が疲れる。早く座りたい。座って、のんびりと彼の試し書きを眺めていたい。

　と、そこへ……。

「香・恵・ちゃん」

　いたずらっぽいような男の人の声が投げかけられた。振り向くと、ネクタイ姿の男の人がショーケースに肘《ひじ》を載せ、こちらに笑顔を見せていた。

「あ……」

　鹿島さんである。

　びっくりして言葉が出なかった。

「頑張ってる？」

　口を開けているだけの私に代わって、彼が話しかけてくる。

「はい……」

　やっとのことで返事だけをすると、彼は白い歯を見せて頷《うなず》いた。

　彼とはこれまでに三回ほど会ったことがある。もちろん、葉菜ちゃんを介してである。そのときに、ここでアルバイトをやっていると話をしたかもしれない。たぶんした。

　でも、来るとは思わなかった。

「どうしたんですか？」

「いや、びっくりさせるつもりはなかったんだけどね」

「びっくりですよ」

「悪い、悪い」鹿島さんは爽《さわ》やかに謝る。「いや、もちろん、買い物で来たんだよ」

まだ残暑が厳しいから、上着は着けていないが、ダークグレーのシャツに光沢のある渋い色のネクタイを締めている。左手首には茶色い革ベルトの大きな腕時計を嵌めている。以前、葉菜ちゃんや私に、オメガから買い替えたんだとさりげなく自慢していたから、たぶん高いのだろう。

鹿島さんは私の反応を楽しんでいるかのように眼を細めている。おでこが狭く、眉《まゆ》がきりっとしていて、ほとんど欠点の見当たらない二枚目である。最初見たときは多少〝濃い〟気もしたが、見慣れてしまえば、そんな違和感もなくなった。

「プリットと付箋《ふせん》あるかな。あと、集計用紙とA４のクリアファイルも」

「あ、はい」

私に探してほしいということなのだろう。お客さんなのだから、売り場が違うといっても無下にはできない。私は試し書きを続けている無精ひげの彼を残して、万年筆売り場から出た。事務用品売り場に行って、言われた品を集める。

「その制服似合うね」

後ろからついてきた鹿島さんが冗談でも口にするように言った。私が反応に困っているのを見て、また楽しそうに笑っている。

葉菜ちゃんがこの場にいれば何ということはないのだろうが、二人きりではどんなふうに接すればいいのか分からない。学校の友達でも、同じグループなのにそれほど話が合うわけではないという子がいたりする。そういう子とたまに二人きりになってしまうと、妙にぎくしゃくして落ち着かない。今の鹿島さんがちょうどそんな感じだ。

「葉菜ちゃん、元気そうですね」

私は商品をレジに持っていきながら、そんな話題を振ってみた。というか、共通の話題はそれしかないのである。

「あ、そう？」

鹿島さんが他人事《ひとごと》のように応《こた》えたので、私は思わず彼の顔を見た。

「いや、なかなか連絡取ろうにも時間が合わなくてさ。そう……よかった、よかった」

確かに時差があるから、連絡が取りづらいのは分かる。それでも私たちは三、四日に一回くらいは電話をかけ合っているのだが……それだけ私が暇だということだろうか。

時間を気にして、お互い遠慮し合っているということはあるかもしれない。私にはそういう気兼ねもいらないから、葉菜ちゃんも電話してきてくれる……そんな気はする。

「香恵ちゃんは万年筆を売る係なの？」

「はい。フェアをやってるんで、その期間だけ」

「へえ……じゃあ、俺も一本買おうかな」

鹿島さんは気前のいいことを言って、また白い歯を見せた。

商品を中央レジに預けて万年筆売り場へ戻ってくると、支払いを済ませた鹿島さんもすぐにやってきた。

「香恵ちゃんのお勧めはどれ？」

本当に買う気らしい。

まさかドルチェビータシリーズを勧めるわけにはいかない。葉菜ちゃんが見つけたら、いくら何でもいい気はしないだろうから。

「スーベレーンはどうですか。人気ありますよ」

「ああ、それ青いやつ持ってる。親父からもらってね。せっかくだから、もっと変わったのが欲しいな」

彼はそう言って、顎《あご》に手を当てながらショーケースを見回した。

「あ、これいいな。ガウディって、あのガウディだよね」

ペリカンの限定品、スピリット・オブ・ガウディが目に留まったらしい。

「大学んときの卒業旅行で行ったんだよ」彼はニヤリとして私を見る。「桜田家」

「桜田家？」

「サクラダファミリア」

「ああ……」私はとりあえずという感じで笑っておいた。

「これにするよ」

「え……本当ですか？」

「もちろん。カード使えるでしょ？」

何と……私が初めてここに来たときからずっと置いてあったガウディが、こんなに簡単に売れるとは。

「試し書きとかしなくていいんですか？」

「じゃあ、しよっか」

鹿島さんはそう言って、やはり微笑む。

文句なしに爽やかなのだが、いつもこんな感じで疲れないのかなという気もする。余計なお世話か……。

試し書きセットを出して、インクを付けた万年筆を渡す。

鹿島さんはそれを受け取って、紙に何やら書き始めた。英語のようだ。つらつらと筆記体で文章のようなものを書いていく。

「うん、上等、上等」

やっぱり、この人、違うな……やることなすことに格好がついている。

鹿島さんはふと手を止めて、私の胸元を見た。

「堀井……」

私の名札を確かめて、その字を紙に記していく。

「かえ……はどんな字だっけ？」

「……香るに恵むです」

「ふむ……いい名前だ」彼は書きながら、独り言のように言う。「〝香恵〟なんて、名前からして商売向きだよね。これを〝買え〟なんて」

「ははは……」私はかなり無理に笑った。

「好きな食べ物は？」

「えっと……」急に訊《き》かれても困る。「パスタとか」

「パスタ。いいね」彼は紙にPASTAと書き、その下にまた何やらSALVEなどと、アルファベットを連ねた。「［サルヴェ］っていうイタリアンの店がうちの近くにあってね。ここのパスタはけっこう評判なんだよ。特にクリームソース系なんか、コクがあってなかなか美味《うま》いんだ。このバイトは何時まで？」

「は……何時までって……？」私は鹿島さんが現実的な話をしていることに気づいて、どう答えたらいいのか分からなくなった。

「この店は何時までなの？」彼は訊き方を変えた。

「七時ですけど……」

「じゃあ、八時の予約でどうかな……それとも八時半くらい？」

勝手に話が進んでいく。それが自然で当然であるというような口ぶりである。

私は曖昧《あいまい》に愛想笑いを浮かべるしかなかった。それを見て、鹿島さんは少し声を落とした。

「いや、葉菜ちゃんのことを聞きたいんだよ。本当に普段は時間が取れなくてさ。だから、ちょっとやばいよね。どうしたらいいかとか、いろいろ相談相手になってほしくて」

そうなんだ……彼が真面目に言うのを聞いて、私はそんな気になりかけた。

「頼むよ」彼は上目遣いに私を見る。

でも、私と話をする暇があったら、さっさと葉菜ちゃんと連絡を取ればいいのにと思う。

「ごめんなさい。今日はちょっと……」

やはり、素直に誘いに乗るには違和感があった。それほど鹿島さんとは打ち解けているわけではないという人見知りの気持ちが単純にある。

「用事？」

「はい……ごめんなさい」

「そう……」

鹿島さんはちょっと失望したというような、憮然《ぶぜん》とした表情を見せた。

「これ、いまいち書きにくいね」

彼はガウディに目を戻して言う。

「……そうですか？」

何だか気まずい間が空いた。しかし、それ以上、私のほうで付け足す言葉はない。鹿島さんは私の顔をしばらく覗《のぞ》き込んでから、ふっと笑った。

「嘘、嘘。ちゃんと買うよ」

一応、笑顔を返しておいたが、思わず頬が引きつってしまった。

不意にどこかで、携帯電話の着信メロディーが鳴った。無精ひげの彼だ。ポケットから取り出した携帯電話を耳に当てて、何やら話しながら、試し書きを続けている。

「じゃあ、とりあえず、携帯の番号だけ教えといてくれる？」鹿島さんがその彼の様子を見て思いついたように言った。「葉菜ちゃんのことで連絡したいときとかあるし」

鹿島さんは私のほうに用紙を寄せ、万年筆を差し出してきた。

携帯電話の番号くらいならマンドリンクラブの男の子たちにも普通に教えているから構わない。あの彼がこちらを見ていたら躊躇《ちゅうちょ》したかもしれないが、あいにく見てくれてはいない。

「葉菜ちゃんから電話があったら、鹿島さんが店に来たよって言っときますね」

私は電話番号を記しながら、牽制《けんせい》の意味を込めて言ってみた。

「うん、よろしく言っといてよ」

鹿島さんはさらりと応《こた》えた。態度が思わせぶりなだけで、私のほうが邪推し過ぎかな……そんなふうにも思う。

「じゃあ、またね」

鹿島さんは万年筆を買い上げたあと、最後にまた爽《さわ》やかな笑みを残して帰っていった。

「すごいの売ったねえ」

可奈子さんが無表情で褒めてくれる。

「あれ、彼氏？　彼氏？」

中央売り場のお局《つぼね》さんが、出ていった鹿島さんを目で追うようにしながら、私に迫ってきた。

「友達の彼氏ですよ」

そう答えても、お局さんは「え～？」と、疑いの眼差《まなざ》しをからかい半分に寄越すだけだった。

私はその視線を振り切って、カウンター脇のテーブルへ戻った。無精ひげの彼はまだ電話中だった。何やら丁寧な口調で話している。仕事の打ち合わせのようだ。

「分かりました……あと三枚くらいならその時間で間に合うと思いますよ……はい」

込み入った打ち合わせらしいのに、穏やかに話す人だ。耳に心地いいその声を聞いていると、周りの空気が和らいでいく気がする。頬杖《ほおづえ》をついて眼を閉じてみる。何だかとてもほっとする。

話し終わったのに気づいて、私は眼を開けた。「また来ます」

「ごめん」彼は万年筆を置いて私を見た。

「あ……はい」

急の仕事が入ったのだろうか……私は落胆する気分を声に乗せてしまった。ようやく鹿島さんが帰ったと思ったのに……今日もタイミングが悪い。

「またよさそうなのがあったら教えて」

つまり、さっき私が出した何本かもぴんとはこなかったらしい。けれど、また頼むと言われて嬉《うれ》しくないわけがない。

「はい、また一緒に探しましょう」

私が反射的に応えると、彼は軽く笑って頷《うなず》いた。

その日の夜遅く、葉菜ちゃんから電話があった。

〈はあ、何か、いろいろ慣れなくて大変だよ〉

私が万年筆フェアに奮闘している間、葉菜ちゃんは葉菜ちゃんで留学生活を軌道に乗せる苦労がいろいろあったらしい。しかし、私は無精ひげの彼のことを話したくて、葉菜ちゃんの愚痴もそこそこに、「それより聞いて、聞いて」と自分の話を始めた。

「この前、カラオケの帰りにさぁ、私のマンションの前で私の部屋を見てた人がいたでしょ」

〈そんな人、いたっけ？〉

「いたじゃん」私は口を尖《とが》らせる。「あの人、香恵の知り合いかって、葉菜ちゃん、私に訊いたじゃん」

〈ああ、そう言えばいたねえ、香恵のブラ見てた変な人……てか、あんたはどうでもいいことだけ、よく憶《おぼ》えてるね〉

同じ光景を見ていたのに、ずいぶんと印象が違うものだ。

まあいい。

「その人がさぁ、〔今井文具堂〕に来たのよ」

〈香恵、あの人の顔まで憶えてたの？　それとも、向こうが香恵のこと知ってたの？〉

「どっちも違うよ。私はあの自転車が置いてあったから気づいたんだけどね。でも、前からあの彼、うちの店にちょくちょく来てたみたい。同じ町に住んでるみたいだし、たぶん、今までにもよく会ってるんだよ。あれだね、出会いってさぁ、偶然だ何だっていう以前に、意識するしないってことなんだなって思ったよ。通りすがりでもおかしくない関係が、意識することによって出会いになるのよ」

〈は？　出会いって何？〉葉菜ちゃんは声を落として訊く。〈何がどうなったの？〉

「だから、あの彼がうちの店に来たのよ」

〈で？〉

「ちょうど私、万年筆売り場に回されてたの。フェアやってて、お客さんがいつもより多いからね。担当の可奈子さんが私のこと、万年筆好きだって見抜いててさぁ、本当、可奈子さんって勘が鋭いっていうか、観察力がすごくてびっくりするよ。最初会ったときも、可奈子さんってば、ほかの仕事やってて私のほうなんか見てなかったと思ったら……」

〈ちょっと、何の話をしてんのよ？〉葉菜ちゃんがさえぎる。

「何の話って、葉菜ちゃんが、『で？』って言うから……」

〈あのねえ、可奈子さんとかどうでもいいの。無駄に電話代増やさないでよ〉

怒られてしまった。話している途中で頭に浮かんだことまで、全部一緒に話してしまいたくなるのが私の癖である。

〈私が訊《き》きたいのは、その男の人と香恵がどんな関係なのかってことよ〉

「関係は、だから、その人が万年筆を買いに来て、私が接客したのよ」

〈それで？〉

「いや、三日前に来て、今日も来たの。気に入ったのがなかなかないみたいで」

〈それだけ？〉

「また来るんだって」

葉菜ちゃんの吐息がはっきり聞こえた。

〈つまり、それが出会いってことね〉

「そうだけど……何かさぁ、話してると雰囲気がよくて……可奈子さんにも息が合ってるって言われたし」

〈でも、別に外で会おうとか、そういう話になってるわけじゃないんでしょ？〉

「そりゃそうだよ。まだ話らしい話もしてないんだし」

今日はそんな話をするタイミングもなかった。

〈はいはい……じゃあ、進展があったら教えてちょうだい。進展があったらでいいからね〉葉菜ちゃんは嫌味っぽく繰り返した。

もうちょっと盛り上げてくれてもいいのに……こちらの気分まで水を差された格好だ。

〈じゃあ、そろそろ今日の用意しなきゃ〉と葉菜ちゃん。

「あ……それとさぁ」切られそうになったので、私は慌て気味に言った。

〈ん？〉

「今日、鹿島さんも来たよ」何となくそうしたほうがいいように感じて、私は軽い口調で言ってみた。「事務用品買いに」

〈……へえ〉葉菜ちゃんの反応には少し間があったように思えた。

「何か、そっちに行ってからは、お互い、連絡つきづらいんだって？」

〈うん……まあ、メールのやり取りはしてるけど〉

「あ、そうなんだ」音信不通ではないらしく、私はほっとした。

〈彼、何か言ってた？〉葉菜ちゃんが訊く。

「特には……これから葉菜ちゃんのことで連絡取りたいときとか出てくるかもしれないからって、まあ、携帯番号教えたりはしたけど」

〈……ふーん〉

「まずかったかな？」

〈いや、別にまずくはないよ〉

口調だけではどういう感情がこもっているのか、いまいちよく分からない。

「心配しなくても、葉菜ちゃんに都合の悪いことは言わないよ」

〈別に都合の悪いことなんてないし〉

「……そうだよね」

冗談っぽいやり取りにしたかったのに、そうはならず、妙な気まずさだけが残った。

でも、これを言わずにおいて、あとから私と鹿島さんが連絡を取り合っていたと分かったら、その内容がどうであれ、葉菜ちゃんは気分を害するに違いない。今でも十分、微妙な空気なのだ。私が鹿島さんに義理立てする必要などないのだから、余計な神経を遣うより、正直に言っておいたほうが身のためである。

「お互い忙しいだろうけど、葉菜ちゃんからこまめに連絡したほうがいいかもしんないよ」

そう言うと、葉菜ちゃんは浮かない相槌《あいづち》を打った。

〈してるんだけどね……何か、電話だとタイミングが合わなくて〉

「そう……」

まだ半月も経たないのに……やっぱり遠距離恋愛というのは難しいのだろうか。他人の恋路に深入りしたくはないけれど、二人を知っているのは私だけだし、葉菜ちゃんのことを考えれば、私が鹿島さんと連絡を取ってフォローすることも必要なのかなという気もしてくる。

関わるべきか、関わらざるべきか……。

〈じゃあね〉

「うん」

電話を切った私は、ベッドに寝転がった。

私って、人の言葉一つ一つに対して、本当に気持ちがコロコロ変わってしまうよなぁ……呆《あき》れ気味にそう思う。さっきまでは下手に巻き込まれないほうがいいと考えていたのに、今は、自分が首を突っ込まないと駄目なのかなという気になっている。

こんなこと、いくら考えてもしょうがないな……。

そんなことより、私のこと……。

無精ひげの彼……今度はいつ来るんだろう。

葉菜ちゃんには話し足りなかった。彼のことを考えるときに感じる、この何とも言えないウキウキ感を伝えたかったのに。

何かラブソングでも聴きたい気分だな……ドリカムのＭＤでも出してみようか。

確か、あれもクローゼットに押し込んであったはず……。

クローゼットと言えば……。

今日も伊吹さんは来なかったなぁ……。

まあ、そんなに来てほしいとも思わないけれど……。

でも、いつまでもあのノートが置いてあるのも、何か落ち着かないんだよね……。

あのノート、どうしようか……。

ん……？

私ってば、本当に考えが飛ぶ。

今日はもう寝よう。


週が明けて、フェアも残すところ三日となった。

「まあ、ほとんど終わったようなもんだけどね」

可奈子さんが予想する客足の伸びは、そんなところらしい。ただそれでも先週とは違う新しい風が万年筆売り場に流れているように思えるのは、〔今井文具堂〕オリジナル万年筆が搬入されたからだった。

その名も「スイーッ」。名付け親は可奈子さんである。社長ではそんな名前は付けられないだろう。書くことの快楽を表した名前だということだが、社長はすいすい書けるからだと思っているらしい。

ペンは長さ、太さとも手頃なミドルサイズである。ボディはマーブル調のチョコレートブラウンで、グリップとキャップに万年筆では珍しいピンクゴールドの装飾が施されている。ペン先も21金のピンクゴールドで、FとMの二種類がある。

私も早速試し書きをさせてもらった。持ち重りがなく、かといって安っぽい軽さもない。ペン先は柔らかめで、紙に吸いつくような滑らかさがあった。

「どうだ？　どうだ？」

横から社長が訊いてくるので、「すいすい書けますね」と言ったら、そうだろというように頷《うなず》いていた。

「まあ、けっこう試行錯誤はしたけど、いいのができたんじゃないかな」

可奈子さんも自ら及第点をつけた。

「香恵ちゃん、買ってくれていいよ」

「おぉ、そんなに気に入ったんなら、買ってくれよ」社長も珍しく冗談口調である。

「私のせいで手に入れられないお客さんが出たら、可哀想じゃないですか」

欲しいのは山々だが、先週一週間のバイト代が飛んでしまうと思うと、本気にしないのが一番である。私はいったん逃げるようにして売り場に出ていった。しかし、それからまた、思いついたことがあって、事務所に戻ってきた。

「このペンって、かなり柔らかいですよね？」

スイーツという名前の響きからして、ペン先の柔らかさも狙いの一つに違いないだろうと思った。

「まあ、硬くはないだろうね」可奈子さんはそんなふうに答えた。

「これ、ペンを寝かせて書く人向けにペン先調整できます？」私は社長に問いかけてみた。

「だいたい万年筆は寝かせて書くもんだぞ」

「こんな感じなんですけど」私は無精ひげの彼のペンさばきを真似てみる。

「そんなに寝かせるのか？」

「絵を描く人なのよ」可奈子さんが私の代わりに説明してくれる。

「そしたら三角研ぎだろうなぁ」社長は独り言のように言う。

「Mで一本作ってもらえませんかねえ。売れ残ったら、そのときは私が買いますから」

そう言うと、可奈子さんが「へえ」と、からかい半分に感心したような声を出した。

「でも、確かに買ってくれるかもね。私もそんな気がするよ。お父さん、そうして」

可奈子さんが後押しをしてくれて、私も自信が出た。あの彼がこれを買ってくれるような気がしたのだった。


無精ひげの彼は、その日の夕方六時頃に姿を見せた。先週のフェア初日もそんな時間だったから、私は待ってましたとばかりに後ろの棚から社長にペン先を研いでもらったスイーツを取り出した。

彼は今日もショーケースを右から左へ眺めることから始めている。もどかしい気はするが、よほどの常連でもなければ、「どうも」なんて言いながらやってきたりはしないから、そのあたりは仕方ない。

「あの……あの……」お客さんは彼一人だったので、私のほうから声をかけてみた。

彼は私の声に顔を上げた。無精ひげの彼……ではなくなっていた。今日はさっぱりとひげを剃《そ》っていて、私のマンションの前で見かけたときの面影が戻っている。仕事が一段落したのかなと勝手に想像した。

「新しい万年筆が入ったんですけど、見てみませんか？」

彼が興味ありげな視線を返してきて、自然と笑顔が合った。

「こちらへどうぞ」

テーブルに着いてもらって、試し書きセットを出す。

「これなんですけど」私は向かいに座った。「この店のオリジナルなんですよ。社長が万年筆の世界で割と知られてるんで、以前作ったオリジナルもかなり評判だったらしいですよ。これも百本限定で、もう三十本以上の予約が来てるんですから」

「へえ……じゃあ、早く決めないと、なくなっちゃうね」

彼はスイーツを手にして眼を細める。

「そうですよ」

私が言うと、彼はにこりとして、ペン先をインクに浸《つ》けた。

そして、いつものようにペンを寝かせるように持って、紙の上に滑らせる。

するするっとペン先が動き、ブルーの線が描かれる。

「へえ」彼は手を動かしながら、小さく声を出した。感触を確かめるように、何度も何度も曲線を描いていく。

「ペン先は社長がテストを繰り返して設計したものなんですよ。柔らかめでありながら書き応《ごた》えのある繊細な味わいを目指したそうです。ボディはあの人、娘さんの可奈子さんがデザインしてるんです。このピンクゴールドの使い方とかうまいですよねえ。男女どちらにも合うデザインってなかなか難しいと思うんですけど、これは絶妙ですよ」

「うん……」彼は同感したように頷いて、試し書きを続ける。

私はその手の動きに見とれる。

「君は娘さんじゃないの？」

書きながら、彼が気まぐれで訊《き》くように、そんな問いかけを口にした。

「私はただのアルバイトです。ここは〔今井文具堂〕ですけど、私は堀井ですから」

「そっか」

「堀井香恵っていうんですけど、名前が商売向きって言われるんですよ」

私は何をどさくさに紛れて自己紹介してるんだろう……しかも、鹿島さんの寒いダジャレの受け売りである。

「それ、誰か言ってたね」笑いを含んだ声で彼が言う。

「聞いてました？」

仕方ないので、笑ってごまかした。

彼はインクを付け足し、さらさらと曲線を描き続ける。

「どうですか？」

「うん……手に訊いてるとこ」

なるほど、手が判断するんだ。

「万年筆って面白いですよね」私は勝手に話しかけてみる。「いい万年筆は適当に書いても字がうまく見えるし」
「うん……線に味があるんだよね」
彼が返した言葉に私は頷いた。「独特の味なんですよね」
「今はそれがテーマなんだ」少し口が軽くなったように彼が言う。
「テーマ？」
「そう。生きた線をどう描くか」
「猫の絵を描いたほうが分かりやすいんじゃないですか？　遠慮しないで描いてください
よ」
私が言うと、彼は小さく肩をすくめるようにして、伏し目がちに微笑した。
「別に絵じゃなくてもいいんだよ」そう言いながらも、紙をめくり、新しい紙に猫の絵を
描き始めた。サービスで描いてみせてくれるような手軽さだった。「要は線なんだ。生き
た線」彼はそう繰り返す。
「生きた線っていうのは、簡単に言うと、太さの変化ってことですか？」
「単純に強弱をつければいいってことでもないと思うんだ。そうじゃなくて、滑らかな線
の中にできる微妙な揺らぎっていうのかな。目に見えてぶれてるわけじゃないんだけど、
フリーハンドでしか出せない味……」
「トレモロみたいなもんですかね」

「マンドリンの弾き方ですよ。一つの音に対して弦をかき鳴らして、震えるような持続音を出すんです。ビブラートって言ったらいいのかな……まあ、演歌で言うこぶしみたいなもんですよ」

「トレモロ……?」

葉菜ちゃんが聞いていたら、「全然違うよ」と言われそうだが、ほかにいいたとえを思いつかなかった。

「こぶしか」彼はくすりと笑う。「こぶしとはちょっと違うかな」

「そうですよねえ」

変なたとえを出してしまったばかりに、話がずれてしまった。

「これ、今までの中では一番合うかも」彼は万年筆を紙から離して、安堵《あんど》するように言った。

「生きた線が描けますか?」

「それは理想みたいなもんだからね。万年筆で描けるかどうかも分からないし」

「そうなんですか」

「でも、近い線は描けそうな気がする」

そう言って、彼はまたペンを動かす。

「もう少し柔らかさがあればいいんだけどな……」彼はすぐに手を止めて、独り言のように呟《つぶや》いた。

「たぶん、長く使ってもへたらないためには、これくらいの張りは必要なんだと思います」

「そうだね」彼は頷《うなず》いた。「じゃあ、これにするよ」

「いいんですか？」完璧《かんぺき》に納得して決めたという感じではなかったので、私は思わず訊き返してしまった。「無理に決めなくてもいいんですよ。またじっくりほかのを探してもらっても」

「いいよ。探して見つかるとも限らないし、ある程度の中で選ばないと、仕事も始められないから」

「そうですか……」

「これ、万年筆らしいし、いいよ」

「ありがとうございます」

ようやく決めてもらったのは喜ぶべきことかもしれないが、気持ちが入っていた接客だっただけに、あまりすっきりしない気も残る。

「じゃあ、友の会への入会申し込み用紙をお持ちしますので」

私はそう言い置いて、席を立った。後ろの棚から申し込み用紙と記入用の万年筆を取り、そのまま、売り場の端にいる可奈子さんのもとへ近寄った。

「スイーツに決まりました」

耳元で言うと、可奈子さんはカタログをめくりながら、「お、やったね」と愛想のない声で褒めてくれた。

「あれって、もう少し柔らかくするって調整はできませんよね?」

「あれでまだ硬いんだ」可奈子さんは苦笑した。「でも、それは無理だね。アーチも浅めだし、切り割りも長く取ってあるし、厚みもあんなもんでしょ。そのへんは調整でどうにかできるもんじゃないしね」

「そうですよねえ」

考えてみれば、そのお客さんがどこまでその商品に満足して買っていくかなど、なかなか分からないことである。気に入ってくれたのだから買っていくのだろうと思うしかない。しかし、彼とはああでもない、こうでもないというやり取りをしただけに、その満足度が何となく分かってしまっている。そこが少々複雑である。

でも、彼が言うように、ある程度の妥協は仕方ないのかもしれない。私のドルチェだって、可奈子さんのミニ・オプティマみたいに本格的なインク吸入式だったらもっと可愛いのにと思ったりもする。理想を言ったらきりがない。

「じゃあ、こちらにご記入をお願いしますね」

私はテーブルに戻って、彼に入会申し込み用紙とペンを渡した。書いている間に、スイーツのペン先を超音波洗浄器にかけて、箱に仕舞う。

それを持っていくと、彼は記入用の万年筆を試し書きの用紙に走らせていた。本当にペンを使うのが好きなんだなぁと、おかしくなった。

私は椅子に座って、書き上がった入会申し込み用紙を手前に引き寄せた。

石飛隆作《いしとびりゅうさく》。二十六歳。

鹿島さんよりもさらに一つ上だ。うちのお姉ちゃんも二十五歳だし、それより上だと思うと、やはり大人に感じてしまう。

住まいは思った通り、この町である。町名からして、駅前に近いかもしれない。

石飛さんか……私は日にちと商品番号の欄を埋めながら、その名前を心の中で口にしてみる。気になる人の名前が分かるのは、精神衛生上いいものである。別に、だからどうだということはなくても、何となく親しみが増す気はする。

「お支払いのほうなんですが、現金になさいますか？　それともカードになさいますか？」

石飛さんは私の声など聞こえていないように、記入用の万年筆で試し書きを続けている。紙をめくって、二枚目に入っている。

「あの……」

「ねえ……」石飛さんは逆に私を呼んだ。「この万年筆はどこのやつ？」

「え……？」

急に訊《き》かれても分からない。バイオレットカラーのシンプルな万年筆である。私の目で分からないということは、どこかのメーカーの生産終了モデルなのだろう。

「ちょっと見せてください」

受け取って見てみるが、ブランド名やロゴがどこにも入っていない。

あ、これ……。

ボディカラーが違うし、ペン先もイエローゴールドだが、デザインはスイーツに似ている。

私は石飛さんの前にある試し書き用紙にそのペンを走らせてみた。

スイーツよりさらにしっとりした書き味だ。

私は席を立って、可奈子さんのもとに走り寄った。

「これって何ですか？」

可奈子さんは私が手にした万年筆をちらりと見てから、「ああ」と素っ気なく言った。

「スイーツの試作品よ」

「試作品？」

「その色もどうかと思ってね。いくつかバリエーション作った中でそれも最後まで残ったんだけど、結局、今のにしたのよ」

「これ、どうして柔らかいんですか?」

「よく分かったわね、柔らかいって」可奈子さんは呆《あき》れたように笑った。

「確かに柔らかいですよ」

「それは23金のペン先なのよ。金って柔らかいからね」

なるほど……純金イコール24金だから、ほぼ純金に近いのだ。一般的な万年筆のペン先は14金や18金が多い。ほかの金属とかけ合わせて、一定の硬度を保っている。

「でも、感覚的な柔らかさって思うほど出なかった気がしたし、耐久性を下げてまでこだわるものでもないなと思って、21金に落ち着いたのよ」

「これ、売ることってできませんか?」

「欲しいって?」

「だと思います」

可奈子さんは一瞬、思案するような顔をしてから言った。「ちゃんと訊いてみて。社長に交渉してくるから」

私はまた石飛さんのところに戻った。

「これはスイーツの試作品らしいです」

「試作品か……何とかならないかな」彼は真面目な顔をして言う。「これが一番いいんだけど」

可奈子さんに視線を送ると、彼女は頷いて、奥の事務所に消えていった。

「ちょっとお待ちくださいね」

そう言ってはみたが、可奈子さんはなかなか戻ってこなかった。

二人でじっと待つ。

職人気質の社長のことだから、未完成の試作品など売れるかなどと言っているのかもしれない。可奈子さんは商人気質だから、お客さんが気に入ったものなら試作品でも商品にして当たり前くらいに思っているだろう。

しかし、せっかくこれと思った万年筆が見つかったのだから、それを渡してあげたいなと思う。社長が駄目だと言うなら、すっとぼけて、スイーツの紙袋に紛れ込ませてやろうか……。

そんなことを考えていると、ようやく可奈子さんが事務所から出てきた。いつもの澄ました顔なので、表情だけではどういう答えなのか分からない。

私は自分がそれを買おうとしているかのように緊張しながら、彼女の言葉を待った。

可奈子さんはそのまま私の隣まで来て、石飛さんに顔を向けた。

「これは現品限りのものですから、もし破損しても同じように修理することはできませんけど、それでもよろしいですか？」

私は石飛さんを見た。

「けっこうです」

石飛さんは即答した。私と目が合い、彼はいたずらっぽく笑った。

石飛さんはスイーツと試作品の両方を買った。試作品は可奈子さんと社長との間で、二万円と決まったらしい。割引で一万八千円。スイーツの三分の一の値段である。試作品だけに高いか安いかは何とも言えないが、石飛さんの表情ははっきりと明るかった。

可奈子さんは無理してスイーツのほうまで買ってもらわなくても構いませんよというようなことをちらりと口にした。使うつもりがなければ買ってもらわなくてもいいという可奈子さんなりのプライドがこもった言葉にも聞こえたが、石飛さんのほうは別に無理をしてというつもりはないようだった。あとから彼は、「本当に壊れたら困るしね」と私にぼそりと言った。どうやら、試作品が現品限りと言われた上、書き味の近いスイーツもいつ売り切れるか分からないということで、とりあえず買っておきたかったというのが本心のようだ。

「石飛さんは、絵を描く仕事をされてるんですか?」

試作品のペン先を石飛さんの書き癖に合わせて社長に調整してもらっている間、私は沈黙を埋めるようにして訊いてみた。

彼はちょっと照れくさそうに頷《うなず》いた。

「どんな絵を描かれるんですか？」

そんなことまで訊いてずうずうしいかなと思いながら、でも、次はいつ話せるかも分からないし、少しでも彼のことを知っておきたいという気持ちで踏み込んでみた。

「雑誌に載せる絵とか広告に使う絵とか……そんなんだよね」

「へえ……どんな雑誌に載ってるんですか？」

彼は、名前だけなら私も聞いたことがあるような雑誌をいくつか挙げた。小声になっているあたりが可愛らしい。そして、「まだ駆け出しだから、そんなもん」と自嘲《じちょう》気味に付け加えた。

それでも私は素直に感心した。名前の通っているところに仕事を頼まれるのだから、若くても才能を評価されているのだろう。

「じゃあ、この万年筆は何か新しい仕事に使うんですか？」

そう訊くと、彼は「鋭いね」と言って苦笑した。可奈子さんが言っていたのだとも言えず、私は曖昧《あいまい》な笑みでごまかした。

「週刊誌の小説に入れる挿絵の仕事が入ってね、締め切りぎりぎりに書く作家だから、挿絵はそれを読んでぱっと描かなきゃいけないらしいんだ。だから、その挿絵にしても絵柄というより、線の勢いや味わいで見せられるものにしようかなと考えててね」

「なるほど」

「ていうか、小説の挿絵だから、万年筆を使ってみたらどうかなって考えたのが最初なんだけど」

そう言って、彼はいたずらっぽく笑う。

「けっこう単純なアイデアだったんですね」

私は調子に乗ってそんなことを言ってしまったが、彼は「そうそう」と頷いていた。

やがて、社長が石飛さんの買ったスイーツの試作品を持って、裏から出てきた。お客さんを前にすると、社長はいっそう仏頂面になる。試作品を売ることになったからどうとか、そんなことではないらしい。可奈子さんによれば、社長は単に見知らぬお客さんを前にすると、かなり緊張するたちなのだとか。

そんな社長に対して、石飛さんは、お客さんなのに頭を下げて万年筆を受け取っていた。そして、軽く試し書きをして、「文句なしですね」と言った。

よかった……。

めでたし、めでたしだ。

私は満足感とともに、心の中でほっと息をついた。

3

　夏休みが明けると、あれだけ暑かった朝晩に秋の気配が色濃くなってきた。寝る前にかけるエアコンのタイマーもだんだんと短くなっていく。

　大学が始まったことで、学業が本分の私は必然的にアルバイトに入ることができる日が減った。講義のほうは特に変わりはないのだが、マンドリンクラブの定期演奏会があと一カ月ほどに迫っている。我がクラブ発足以来、五十数回の開催を重ねている伝統ある定期演奏会だから、普段は和気あいあいとしたクラブにも、徐々に緊張感が流れ込んできている。練習も簡単にはサボらせてもらえない。

　そんなわけで、アルバイトに出られるのは週に一、二回……土曜とか日曜の数時間程度になった。

　もともと土日は会社関係の需要がないので、お客さんは少なめである。商品の搬入もほとんどない。日曜はたいてい社長も奥さんも可奈子さんも休みで、社長の弟である専務が出ている。私はフェア期間中の仕事ぶりが認められて、可奈子さんがいない日曜には、万年筆売り場に入れてもらえるようになった。

　それはそれでよかったのだが、正直なところ、二階の売り場に上げてくれないかなという思いもないではなかった。

あれ以来、石飛さんが万年筆売り場に姿を見せることはなくなってしまった。インクでも買いに来てくれればいいのにとは思うものの、そうそうインクもなくなってはくれないのだろう。買いに来たとしても、私が売り場にいる日に来てくれるとは限らない。

万年筆売り場はフェアのときのようには忙しくないので、単なる店番のようにぼーっとしていることが多い。自然と店の入口のほうにばかり目が行く。

入口付近なら石飛さんの姿も見かける。その日は何か買い足らなかったのか、一日に二度来ていた。可奈子さんが以前から知っていただけあって、注意して見ていると確かに彼はよく店に来るのが分かる。しかし、行き先は二階だけである。

彼のほうは私のことなど何も意識していないらしい。意識してはいるのだろうが、用もなく私の顔を見に来たりするのは恥ずかしいのかもしれない……などと考えるのは、あまり現実的ではない。彼は二階に上がるときも下りてくるときも、ちらりともこちらを見ようとはしないのだ。

私にしても、持ち場を離れて彼とのお喋《しゃべ》りに興じるわけにはいかない。彼が万年筆を買いに来ていたとき、あれほど距離が近い気がしたのは何だったのだろうか。今となっては、夢の中の出来事のようである。もうしばらくしたら、ふと顔を合わせたとしても、何の反応もしてくれなくなってしまうような気がする。

まあ、出会いなんて、散々期待を抱かせる割には、その後は得てしてこんなものなんだな……私は入口あたりに見え隠れする石飛さんの姿を目で追いながら、その距離の遠さに心を沈ませる。夢中にならないうちにしぼんでくれて、逆にいいのかもしれない。私も今は葉菜ちゃんがいなかったりして何やら気持ちがぽっかり空いているから、石飛さんのことばかり気にしてしまうのだが、そのうち、この遠さが当たり前という感覚になるのだろう……残念ではあるけれど、そんなふうにも思う。


「ねえ、ねえ……今年も親とか呼ぶ?」

私の後ろで、美歩《みほ》ちゃんが誰に訊《き》くでもなく、そんな問いかけを口にする。

このところ、マンドリンクラブの練習が終わる頃には、あたりはすっかり夕闇に包まれている。そんな中をだらだらとみんなで固まって家路につくのが最近のお馴染《なじ》みの光景となっている。

美歩ちゃんが親を呼ぶかと訊いているのは、もちろん定期演奏会のことだ。最近の帰り道の話題は、どうしてもその関係のことが多い。

「そりゃ、呼ぶでしょ」常識派の理奈《りな》ちゃんが言う。

「私はたぶん呼ばない。呼ぶともう、そっちの対応で大変だし」あっさり言うのはドライな恭子《きょうこ》ちゃんだ。

「恭子んとこは九州だから、確かに大変かもね。まあ、去年呼んだからいいっていう気もするけど、来年どうかっていうのもあるんだよねえ」と美歩ちゃん。

「確かに」

　みんなどこか他人事《ひとごと》のようにしか言わないが、今度の定期演奏会を一つの区切りにして、クラブを辞める子が出てくるのは間違いないところだ。四年生まで続けるのはサークルの中心メンバーになる人材か、いったん始めれば最後までやり通すのを信条としているタイプであって、だいたいは三年生の定期演奏会が終わると、練習には顔を出さなくなり、就職活動や教員試験勉強などへ力を入れるようになる。

　それと同様に、二年生の定期演奏会を機にクラブを離れていく者も少なくない。去年の二年生もそうだった。上級生が一年生のお尻《しり》を叩《たた》くときも、「とりあえず二年の定期まで頑張りなよ」というのが口癖のようになっている。定期演奏会を二回もやれば、ある程度の達成感を味わうことができるし、あとになってからもマンドリンをやっていたと言えるからだ。ただ、それを過ぎると、「三年の定期まで頑張りなよ」という言葉が待っていると言われている。そこまで頑張ると就職活動のアピールにもなるというのが殺し文句だとか。

　しかし、実際は、このままずっとマンドリン漬けというのもな……という気持ちがすでに頭をもたげてきている。おそらく、みんなもきっとそう思っているのだろう。そんな空気なのである。

マンドリンクラブのような真面目なサークルに属さない学科の友達は、顔を合わせれば、「何か面白いことない？」と口にする。「面白いこと」をくんくん嗅《か》ぎ回ることこそキャンパスライフであり、合コンやイベントで手帳のスケジュールが埋まる子ほど生き生きとして見えるというのは、ある意味、否定できない事実である。

そんな中で、マンドリンのような地味な楽器を練習することで毎日を費やしていると、何だか取り残されていく気になったりすることもある。学科の友達からは、「香恵は打ち込めることがあっていいね」などと言われたりするが、私はたまたま高校のときからマンドリンをやっていたから何となく続けているだけで、そんなに夢中になってやっているわけでもない。今年は定期演奏会を間近に控えても、あまり気分が盛り上がらないから、自分でも困っている。

「香恵は親呼ぶの？」美歩ちゃんが私の隣に回って、訊いてきた。

「呼ぶのはいいけど、うちの親、クラシックとかにまるで興味ないんだよねえ。去年も演奏始まる前までは写真撮ったりして盛り上がってたのに、演奏が始まったとたん、夫婦そろってグーグー寝てたからねえ」

「あ、もしかして、二列目くらいにいなかった？」

「え？　憶《おぼ》えてんの？」私はぎくりとする。

「あれ、香恵のお父さんとお母さんだったんだ」

笑いとともにみんなの視線を浴びて、私はたじたじとなった。

「あのときけっこう話題になったのに、香恵、言わなかったじゃん」

「さすがに他人のふりしたよ～」

「まったく、親子して、やってくれるよねぇ」

「私は関係ないじゃん。問題は親なんだよ」私は口を尖《とが》らせる。「お父さんなんか、今でもマンドリンのことマンダリン、マンダリンって言うし、本当恥ずかしいよ」

「ははは、ありがち～」みんな手を叩いて笑っている。

「高校のときだって私はバイオリンをやりたかったのに、うちはそんな柄じゃないとか言ってさぁ」

「ははは、すごい中流意識だね。それでマンドリンになったんだ」

「マンドリンも最初は渋ってたんだよ。買いたくなったら自分のお金で買いなさいよとか、わざわざ念押してさぁ。それで、お姉ちゃんの結婚式になったら一曲弾け弾けって、都合がいいんだから」

「ははは、そんなもんだよ」

「しかも曲まで指定されて、練習するの大変だったよ」

「へえ……何弾いたの?」

『ともしび』。昔、歌声喫茶とかで流行《はや》ったらしいよ」

「ああ、でも、ロシア民謡って哀愁あっていいんだよね」

「そうそう、何気にいい曲だから反抗しづらくて、私も微妙だったよ」

「ははは……何だかんだ言って、香恵は家族に可愛がられてるでしょ。そんなタイプだよ」

「そんなことないよ~」私は口をすぼめる。

「いやいや、香恵を見てると、日本の平和をしみじみ感じるよ」

あまり褒められている気はしないのだけれど、悪くも言われていないから、私としては複雑な気分である。

「ねえ、美歩ちゃんは彼氏呼ぶの?」

ふと、恭子ちゃんが割と真面目な口調で訊いたので、私が緩めた空気も一瞬のうちにどこかへ行ってしまった。

「うん、一応来るみたいだけど」

へえ、美歩ちゃんって彼氏いるんだ……私は何気ない様子で答えている彼女の横顔を見て、妙にどきりとした。

「恭子は?」美歩ちゃんが逆に訊く。

え、恭子ちゃんもいるのか……いつの間に。

「見に来たいとは言うんだよねえ」と恭子ちゃん。

「ははあ……それで恭子、親を呼ばないってことか？」

「なるほど、話がつながったね」

みんなから、そんな反応が上がった。

「ていうかさぁ」恭子ちゃんは照れ隠しのように早口になった。「両方呼ぶと、何か気ぃ遣うじゃん。彼、花束持ってくるとか言ってるし」

「花束かぁ……いいなぁ」私は思わず、そう声に出していた。

去年も演奏終了後の挨拶《あいさつ》のとき、上級生たちがステージ下に駆けつけた家族や友達、そして恋人らしき人たちから花束を受け取っていた。我々去年の一年生はそれなりの出番しかなかったし、第一そんなお約束があるとは知らなかったから、もらえた子はほとんどいなかったと思う。

しかし今年は我々も演奏会の主力だ。去年の光景を見た家族らが気を利かせるか、あるいは本人が誰かにストレートに頼むかして、みんな花束をもらおうとするのではないだろうか。

「美歩ちゃんも彼にもらうの？」私は彼女の袖《そで》を引っ張って訊いた。

「どうだろ……分かんない」美歩ちゃんが澄ました顔で答える。

ちぇっ、優等生がテストの手応《てごた》えを訊《き》かれたときのような答え方だよ……私は心の中でひそかにひがんだ。

実際、美歩ちゃんや恭子ちゃん以外にも、彼氏に花束をもらう子はいるんだろうな……そんな気がする。

別に見栄を張りたいわけではないけれど、誰にももらえないのはやはり寂しいと思う。かといって、彼氏なんて、どこかでさっと調達できるものでもないし……この際、演奏中にいびきをかく親で妥協するしかないか。

「じゃあね」

「ばいばい」

駅に着いたところで、みんなと別れた。「どうする?」と誰かが言って、ご飯を食べたりボウリングをしたり、カラオケをしたりすることもあるが、誰も何も言わないと、みんな淡々としたものである。葉菜ちゃんがいた頃は、そんなときも二人でつるんで……という感じだったのだが、今はもういないから、私もさっさと家路につくしかない。

マンションに帰って、夕食とお風呂《ふろ》を済ませたあと、私は実家に電話をしてみた。来てもらうなら、そろそろ声をかけておかなければならない。

ところが……。

〈今年はちょっと無理ねえ〉

　お母さんにあっさりと断られてしまった。

「どうしてえ？」私はむっとして問い詰める。

〈お父さんがお尻《しり》を悪くしてねえ〉お母さんが声を落として言う。

「はあ？」

〈だから、痔《じ》よ。痔〉

「はあ？」

〈だからね、何時間も座って音楽なんて聴いてられないし、東京に出るにしても新幹線で座ってなきゃいけないでしょ……無理なのよ〉

　どんな理由よ……私は頭が痛くなった。

「じゃあ、立って来ればいいじゃん。演奏会だって立ち見でいいよ」

〈冗談言ってる場合じゃないのよ。手術になるかもしれないんだから〉

「そんなにひどいの？　何でそんなになるまでほっといたの？」

〈我慢強い人だからねえ〉

　何、褒めてんのよ……もう。

〈それで、一応うちもウォシュレット入れることにしたのよ。今度、取り付けに来てもらうんだけどね〉お母さんはちょっと嬉《うれ》しそうに言った。

「そんなことより」私は脱線しかけた話を引き戻す。「お母さんだけでも来れないの？」

〈お母さん一人じゃ、東京に着けるかどうかも自信ないもん〉

確かに方向音痴だけど……いい大人が口にしていい理由じゃないと思う。

〈だから、ちょっと今回は勘弁して。また来年はちゃんと見に行くから〉

「来年も続けてる保証はないよ。今年で最後かもよ」

〈まあ、どっちみち、大学で弾く曲は、私たちにはちょっと難し過ぎるしね。また家に帰ってきたときに、お姉ちゃんの結婚式で弾いたやつを聴かせてくれれば十分よ。あれが最高ね〉お母さんはおどけるように言った。

「何が最高よ」私はむくれた。「みんなは家族に来てもらって、花束とかもらうんだよ。私だけ今年もなしだよ」

〈ああ、じゃあ、会場にスタンドの花を出してもらうように注文しといてあげる〉

「ちょっと、やめてよ、そんなこと」

私は、「頑張れ香恵　父母」というような札が付いた大きな花がホールの入口に立てられている絵を想像してしまい、大いに慌てた。そんなことをされたら、またみんなに、「親子して、やってくれるよ」と笑われてしまう。

〈あら、遠慮しなくてもいいわよ〉

口調からして、本気で出しかねない。

「本当、それだけはやめて。分かったよ……もう、お父さんとそっちで大人しくしててくれればいいから」

私はすっかり毒気を抜かれてしまい、そう言うしかなかった。

〈まあ、何にしろ頑張って〉お母さんは勝ち誇ったように言った。〈それから、あなたもお尻には気をつけなさいよ。辛いものばっか食べてちゃ駄目よ〉

変な気遣いをされて、電話は切れた。

はあ……私はベッドに寝転がった。

花束が消えた。

何だか、やる気がしぼんでいく。

ほかを探そうにも、適当な人は見当たらない。可奈子さんなんかも、演奏会に誘うくらいはいいかもしれないが、花束をねだるとなると言いづらい。クールに構えているし、そこまでは甘えさせてくれないようなタイプである。やはり自分の親兄弟とは違う。

それだったら学科の友達に花代を渡して、頼んだほうが早いかもしれない。お約束と割り切れば、そういうやり方だっておかしくはないはずだ。

でも、果たしてそれで嬉しいのかなという気はする。それとも、一人だけもらえないという事態にならないだけいいと思うかだ。

葉菜ちゃんに電話して、相談してみようかな……そう思って、時計を見てみたが、まだ向こうは朝早い時間だ。

ここのところ、葉菜ちゃんとの電話もご無沙汰《ぶさた》になってしまっている。石飛さんに万年筆を買ってもらった日の夜、「文具店に就職しようかな」などと浮かれた電話を私のほうからかけたのだが、葉菜ちゃんの機嫌がいまいちで、あまり盛り上がらなかった。生活時間も環境も違うから、気分を合わせづらいことこの上ない。

ちゃんと取り決めたわけではないが、通話代の兼ね合いもあって、順番にかけ合うのが暗黙の了解のはずだった。しかしあれから、次は葉菜ちゃんの番だと思って待っていても、一向にかかってこない。メールもこっちにいたときのようには弾まないから、送ることもまれになってしまった。

考えてみたら、私って、話をしたいときに話ができたり、甘えたいときに甘えられたりする友達は少ないんだな……今さらのように、そんなことに気づく。いつも葉菜ちゃんがそばにいたから、そんなことは思いもしなかった。その葉菜ちゃんは、あと一年経たないと帰ってこないのだ。

「元気でいるか……街には慣れたか……友達出来たか……」

できてないじゃん。

上京して一年半にもなるのに……。

何だか、急に寂しくなってしまった。

携帯電話を開いて、高校時代の友達にかけてみた。しかし、つながって聞こえてきたのは、ざわざわした雑音ばかりだった。「もしもーし」をお互いに繰り返して、向こうが居酒屋にいることがようやく分かった。

「じゃあいいや……特に用事があったわけじゃないから」

〈悪いね。またメールして〉

「はいはい」

私は電話を切って、一段と空しくなるのを感じた。別に騒々しいところなど好きでもないのに、そういうところにいる友達が羨《うらや》ましく思えてくる。

携帯電話を枕元に転がして、私はゆっくりとため息をついた。

自分が動きを止めると、この部屋はしんとしている。

東京って、けっこう静かなんだよなと思う。近所の主婦たちが笑いながら世間話をしていたりとか、中高生が奇声を上げて騒いだりとか、バイクや車がエンジンをばんばんふかしたりとか、そういう耳障りな音が田舎の町よりも少ない。みんな黙々と歩いていて、子供は家の中に引っ込んでいる。普段は穏やかでいいなと思っているのだが、それがひやりと冷たく感じるときもある。

人恋しい気分って厄介だな……そんな寂しがり屋のつもりはなかったのに。

夜だから。

秋だから。

そして、私が完全に一人ぼっちだから……。

ん……？

しんみりと孤独感に浸ろうとして、私は首を捻《ひね》る。

そうでもないかな……。

完全に一人ぼっちというには、何か違和感がある気がする。

誰かが近くにいる。

ああ、そうだ……。

伊吹さんだ。

私は原因を突き止めて、一人で苦笑いする。

伊吹さんがこの部屋の片隅に居座っているから、孤独に浸り切れないのだ。あるいは、寂し過ぎるあまりに伊吹さんの存在がクローズアップされてきたのか……まあ、そんなことはどうでもいい。

よし、どうせやることはないし、こうなったら今日こそは正体を明かしてもらおう……そう決意して、私は身体を起こした。いつまでも甘い顔はしてやれない。取りに来ないほうが悪いのだ。もし大した居候じゃなかったら、さっさとゴミの日に追い出して、すっきりしてやる。

私はクローゼットの左側を開けると、伊吹さんの手紙挿しをフックから外した。そして、それを無造作に床の上へ置いた。やっぱり他人のノートなんて見てもしょうがないかな……そんな気持ちが浮かびかけたものの、次の瞬間にはどこかへ消えていた。ノートと一緒に手紙挿しの中に入っていたグリーティングカードらしき束が、滑るようにしてこぼれ出てきたのが見えたからだった。

私は床のクッションに腰を落とした。

グリーティングカードといっても、よく見ると、画用紙を二つ折りにしただけのものだった。表には人の顔など、いかにも子供の手によるものと思われる拙《つたな》い絵が色鉛筆で描き込まれている。

《伊吹先生へ　相川知美より》

《先生へ　4の2中島浩伸》

《真野伊吹先生へ　村田政樹（マサキチ）》

《先生ありがとう　4の2井上一志より》

《山田里奈から伊吹先生へ》

大きさ、色、縦書き横書き、一つとして同じ書き方はない個性的な字が絵の上に躍っている。絵は人の笑顔のほかにも、ハート、リボン、花、ドラえもん、キティちゃんと様々だ。折り紙をくっつけたり、自分の顔のプリクラシールを貼ったりしたものもある。

うわぁ……私は気持ちが浮き立つのを感じた。素朴でありながら、とても華やかだった。伊吹さんはどうやら小学校の先生らしい。うちの大学の先輩かな……その可能性は十分ある。

私はカードを適当に取って、開いてみた。他人のものを覗《のぞ》く後ろめたさはなくなっていた。閉じたカードの中にある楽しげな雰囲気を直感的に感じていて、ただ単純に、それを見てみたかった。

《伊吹先生、一年間ありがとう。先生は私に心の力を教えてくれました。私は心に力なんてあるのかなと思いましたが、今ではあると信じています。毎日毎日いろんなことがありましたね。私はケーキパーティーが一番楽しかったです。学級会で意見が出たときは何だか夢みたいな話に思えたけれど、先生が「やってみたら」と言ってくれたから本当にできてしまいました。あんな楽しいことをしたのは4の2だけだと思います。私は4の2が大好きです。そして先生も大好きです。でも、もうお別れですね。先生、私のことをおぼえててくださいね。ぜったいだよ。》

ああ、学年末のお別れのメッセージカードなんだ……丁寧に書いた字が連なる文章には、明るさと切なさが混ざり合った、何とも言えない温《ぬく》もりが感じられる。

裏書きには「伊吹先生」とのタイトルが付いて、ニコニコ顔の髪の長い女の人の絵が描かれている。伊吹先生は若いのかな……絵を見るとそんな感じだ。

《先生、一年おせわになりました。先生はやさしいけど、わすれ物をするとこわいです。一度じゅぎょうがなくなってから、ぼくも前の日に点けんをして、わすれ物に気をつけるようになりました。わすれ物がない日はきもちいいです。でもときどき点けんをわすれてしまうので、やっぱりわすれ物をしてしまいます。そんなときは先生がきげんがいいといいなあと思います。しかたないなあという顔をしておこらないと、少しほっとします。そして今度はわすれないぞと思います。こんなぼくでも、一週間わすれ物がなくて伊吹賞をもらえたことはわすれません。先生もわすれ物ばかりのぼくのことはわすれて、伊吹賞をとったぼくのことはわすれないでください。》

ふふふ、この子、いい味出してるなぁ。伊吹先生は怒ると怖いのか……ちょっと笑える。裏には、「先生の好きな食べ物」とのタイトルが付いて、プリンの絵がでかでかと描いてある。伊吹先生はプリンが好きらしい。

《四年生になって新しいクラスになったとき、真野伊吹先生ってどんな先生なんだろうとドキドキしました。先生は、「みんな元気がいいね。これから一年も太陽のように明るく、太陽の子を目ざしてね」と言いました。だから学級目標も「太陽の子」になりました。私も三年生のときより元気になったと思います。じゅ業中に手をあげたり、学級会で意見を言ったりできるようになりました。手をあげて先生に当てられると、「よし」と思います。意見を言って、先生が笑ったり、拍手をしてくれたりすると、「やった」と思います。私たちは太陽の子で、先生の笑顔が太陽なんだと思いました。》

太陽の子かぁ……伊吹先生は灰谷健次郎の本が好きだと見える。それにしても、「先生の笑顔が太陽」だなんて、可愛いことを言ってくれる子供だなぁ。

後ろに描かれている絵はやはり、伊吹先生らしき女の人の笑顔だ……子供の絵って見ているだけで心が和む。

《先生はよく、「4の2は家族だからね」って言ってましたね。わたしも「いい家族だったなあ」と思います。ずいぶん変わった子たちが多いへんな家族だけど、いつも「今日はなにがあるのかなあ」とわくわくして一日がはじまります。そして、本当にいろんなことがおこるんです。こんなへんてこな家族みんなの仲がいいのも、先生がニコニコと見守ってくれたおかげ。先生は美人?だし、点をつけるなら百二十点!だけど、だいじな連絡をまちがえたりして、たまにおっちょこちょいだったりするから百点。うちのおかあさんも「いい先生に出会ってよかったね」って言ってます。先生、若小に来てくれてありがとう。本当に楽しい一年でした。》

美人にクエスチョンマークなんて付けなくてもいいのに……読んだ伊吹先生の心中を察するとおかしい。

《先生、一年間おせわになりました。先生に勉強を教えてもらって、国語や算数が好きになりました。本を読むのも好きになって、夏休みの読書感想文で賞状をもらうことができました。あと、ぼくは写生大会で入選もしたけど、一番うれしかったことは、伊吹賞をいっぱいもらったことです。帰りの会で先生は、「今日の伊吹賞は」と言ってからじらすので、ぼくは「だれだろう?」とすごくきんちょうしてしまいます。そして、先生が「雄一君」とぼくをよんで、あっと思ったら、「落とし物だよ」と言ってものさしを返してくれただけだったので、みんなゲラゲラ笑いました。そんなこともあったけど、先生はぼくたちのことをよく見てるんだなあと思うこともいっぱいありました。伊吹賞のシール十八まいはぼくの自まんです。》

伊吹賞でそんなに盛り上がるんだぁ……子供って健気《けなげ》で前向きで微笑ましい。

《先生、いままでありがとう。先生もこんな変なクラスを教えたのは初めてじゃないかな。だって、学校のキャベツ畑にいた青虫をとってきてクラスで飼ったなんて、4の2だけだし（ぶじチョウチョになってよかった！）、それになんと言ってもこのあいだのケーキパーティー。スポンジケーキを作ってくる係になってお母さんに言ったら、「そんなパーティーやるなんて、めずらしいクラスだね」とびっくりしてました。でも、お母さんも楽しそうに作ってくれました。みんなでまぜたホイップクリーム、最後は先生がまぜてくれて、先生がほかの班に行ったあと、みんなでつまみぐいしたらおいしかった。ケーキもうまく作れたし、最高のパーティーでした。大きくなったらケーキ屋さんになりたいな。》

みんなケーキパーティーのこと書いているし、よっぽど楽しかったみたいだ。

《先生、一年ありがとうございました。よくしかられたけど、先生にはやればできるということを学びました。4の2の一人一人はあんまりしっかりしてないけれど、合唱コンクールで優勝できたのは、みんなの心の力が合わさったからだと思います。それから先生は、心の力を出したくてもスランプで出せない子もいるんだということを教えてくれました。

ぼくもなぜか元気が出ないことがあるので、よくわかりました。先生は「太陽の子通信」を書いて印刷して、ほかのプリントも遅くまで残って印刷してすごいと思います。毎週、先生の「太陽の子通信」を読むのが楽しみでした。ぜんそくをなおして、いつも元気でいてくださいね。それでは、さようなら。》

やっぱり学校の先生っていうのはハードワークなんだろうなと思う。喘息《ぜんそく》持ちなら、なおさら大変そうだ。

《ぼくたちはちょうちょがたん生するところを見た。
きれいな羽を広げて、まどの外に飛んでいった。
あのちょうちょたち、今はどうしているのかな。
たぶん、空を飛びながら、ぼくたちのことを見ているんだね。
ぼくたちも4の2のクラスから飛び立つよ。まるであのちょうちょたちのようだね。
来年になったら伊吹先生が、
あの子たち、今はどうしているのかなと
ぼくたちを思い出す。
ぼくたちは飛んでいきます。》

この子は詩人だなぁ……ちょっと得意気な顔が想像できてしまう。

《わたしは伊吹先生のような学校の先生になりたいです。先生はわたしたちと目が合うとにこっとしてくれたり、ときには変顔とかもしてくれて、とってもチャーミングです。それに、だれが男子の何君を好きだとか、そんなうわさをしていると先生は聞きたがりになるので、まるで友だちみたいな気になります。けれど、先生に恋人のことを聞くと、てれたようににげていくのでおもしろいです。五組の島田先生がけっこんすると聞いて、もしかしたら相手は伊吹先生?とおもったけれど、ちがったので少しがっかりしました。伊吹先生も早く幸せになってくださいね。伊吹先生に子どもができたら、私が教えたいな。》

ふふふ、おしゃまだな……でも、確かに四年生くらいから好きな子の話で盛り上がるんだよねえ……私にも憶《おぼ》えがある。

ああ、面白いなぁ……。

私はしみじみとそう思い、感動の吐息すら洩《も》らしていた。お別れのメッセージ一つ一つにその子その子の個性が出ているし、それこそみんなチャーミングで可愛げがあるのだ。

そしてそのメッセージによって、私が会ったこともない伊吹先生の人となりが何となく分かってくるところが実に面白い。

それからまた私は、ニヤニヤしつつ何枚かを読んだ。この部屋の居候さんは子供たちにかなり慕われている先生らしい。若くて、ちょっとした美人で、ニコニコしていて、たまにおっちょこちょいで、でも忘れ物をすると怖くて……私が学校の先生になったら、もしかしたらこんな感じかなぁなんて、ずうずうしくも思ってしまう。私ならもう少し、おっちょこちょいの声が増えそうだ。

気づくと夜も深まって、葉菜ちゃんが電話に出られるはずの時間になっていた。私は誰でもいいから話をしたいような、愉快な気分になっていたから、ベッドに上がって携帯電話を手にした。

電話がつながると、私は葉菜ちゃんの眠たそうな声を聞き流して喋《しゃべ》りかけた。

「ねえねえ、私、やっぱり小学校の先生になりたいなぁ」

〈いきなり何よ……?〉

葉菜ちゃんの不機嫌な声にかぶせるようにして、私は声を躍らせる。「だってさぁ、学校の先生って、子供たちからめちゃめちゃ素敵な手紙とかもらえるんだよ。『先生ありがとう』とか『先生大好き』とか『先生のことは忘れません』とか……それも本当、素直っていうか純真っていうか、可愛いこと言ってくれるよって感じなの。私、ちょっと感動しちゃったよ」

〈それ、何の話?〉葉菜ちゃんは訝《いぶか》しげに訊《き》く。

「伊吹先生のノートがうちにあったじゃん。それと一緒にさぁ、子供たちから伊吹先生へのお別れのメッセージカードが入ってたのよ」

〈伊吹先生って誰?〉

「真野伊吹先生。4の2の担任。『伊吹先生』『伊吹先生』って子供たちにすっごく慕われててさぁ、人気者なんだよ。子供たちが『ケーキパーティーやりたい』って言ったら、『やってみたら』なんて言うんだって。まだ若くて、なかなかの美人の先生らしいよ。このマンションって、うちの学校の人多いみたいだし、もしかしたらOBかも……ていうか、同じ部屋を借りるくらいだから、やっぱり私と似た感じの人かなぁって気がするよ」

〈ああ……〉葉菜ちゃんが低い声を出す。〈クローゼットの中にあったノートのこと?〉

「そうそう。来ないから見ちゃった。ノートはまだだけど」

〈それを先に話してよ。全然話が見えないから、何を言い出したのかと思ったよ〉

「ごめんごめん」私は笑って言う。「何か感動しちゃってさぁ。学校の先生とは思わなかったよ。学級目標が『太陽の子』なんだって。灰谷健次郎だよね。で、毎週、『太陽の子通信』ってのを書いて、クラスの子に配ってるの。何かいいよねえ。私もそういうの頑張ってやりたいなぁ」

〈ふーん〉葉菜ちゃんは微妙な相槌《あいづち》を打った。〈ていうか、私ちょっと予習で寝てなくて、

これからまだ今日の準備があるんだよね〉

「あ、ごめん、一方的に話しちゃって」

〈ううん〉

思ったように葉菜ちゃんが食いついてくれず、ちょっと寂しい気はしたが、味わったばかりの感動を口にできたことで、すっきりした感はあった。

「えっと、じゃあ、またね」

何だか間の悪い挨拶《あいさつ》をして私が電話を切ろうとすると、葉菜ちゃんから〈あのさ……〉と呼び止めるような声がかかった。

「何……?」

〈あのあと……〉葉菜ちゃんが、ためらうような口調で続ける。〈鹿島さんって香恵の店に来た?〉

「ううん、来てないけど」

〈電話とかは?〉

「ううん……」

実際には何回か、同じ電話番号での着信があった。鹿島さんかなという直感は働いたが、知らない番号だから取らなかったという言い訳も立つし、取らないほうがいいような気がして取らなかった。

〈そうなんだ……〉葉菜ちゃんは浮かない声で言う。

「あんまり連絡つかないの？」

〈うん……まあ、別にいいけど……〉どこか投げやりな口調だった。〈私もけっこう忙しいし〉

「そう……」

葉菜ちゃん、テンション低いなぁ……私は少々困惑気分で電話を切った。

私をお子ちゃま扱いしていても、葉菜ちゃんだって子供っぽいところがあるし……環境ががらっと変わってストレスを溜《た》め込んでいるように思える。

鹿島さんがまめに勇気づけてあげればいいのに……そちらのほうも、相変わらず現実の距離を埋め切れていないようだ。

私は携帯電話を充電器に挿して、再び床のクッションに座り込んだ。今日はこれを読んでいるのが一番楽しい。二、三枚のメッセージカードに目を通すと、たちまち愉快な気分に戻った。

いきなり全部を読んでしまうのはもったいないな……そんな気がして、私は「伊吹's note」のほうに手を伸ばした。

ノートの表紙をそっとめくってみる。

中は、罫線《けいせん》に沿って、びっしりと書き込みがされていた。

薄暗いクローゼットの中でちらりと見たときには分からなかったが、文字は赤紫系のインクで書かれている。

万年筆だ……。

さすが伊吹先生……私は感心しながら、万年筆を特集したムックを書棚から取り出した。各社のインクサンプルを載せたページを開く。

比べてみると、色調はモンブランかカルティエのボルドーに近い。インクと万年筆が一緒のメーカーとは限らないが、伊吹先生の万年筆はモンブランのスターウォーカーかな、それともカルティエのディアボロかな、などと想像してみる。

字は端正で読みやすい。こんな字で板書したら、それだけで子供の心を摑《つか》めそうな気がする。

《四月三日

始業式前日。

いよいよ明日からだ。若小四年二組三十六人の名簿を見ながら、どんな子たちとの出会いが待っているんだろうと緊張が高まる。楽しみが半分、不安が半分。感覚としては、小学生の頃の始業式前日と変わらないのかもしれない。それにプラス、三十六人を率いる責任感をひしひしと感じる。

明日は三十六人を前にして何を話そうかと、ずっと考えてきた。

助け合い、思いやり、努力、友情、感謝……これからの一年でみんなに覚えてもらいたいそんなことを分かりやすく目標づけるにはどんな話をすればいいか。そして何より、クラス仲よく、明るく、前向きに、一年間いろんな勉強や行事を頑張るには初日の明日、どんな話をすればいいか。

キーワードを二つ決めた。

まずは「家族」。四年二組は一つの家族のつもりで助け合っていこう、仲よくしていこうということだ。例えば、もしおならをしたら……なんて話が面白いかもしれない。みんな教室でおならをすると、一斉に誰がしたんだって犯人探しをするけど、家では誰だって平気ですするでしょ。別に、どんどんおならをしましょうって言ってるわけじゃないわよ。でも、何か失敗したとき、恥ずかしいことをしてしまったとき、やった本人は正直に打ち明けたりとか、やった人を許してあげたりとか、家族ってそういう優しさがあるでしょ。四年二組もそんな温かい雰囲気を作って、一年間、仲よく頑張っていこうね……そんな話だ。

それからもう一つは、「太陽の子」。灰谷健次郎の小説から取った言葉だけど、その言葉だけで子供たちにもイメージが伝わりやすいと思う。言ってしまえば、生き物みんなが太陽のもとで生まれ、太陽のもとで育つ、太陽の子なのだ……そんなところから始めてみようか。四年二組のみんなも太陽のもとで走り回るのが似合うような、そんな子供になってほしい。それだけでなく、心にもきらきらとした太陽を持って、自然と笑みがこぼれるような子供でいてほしい……そんな話だ。

よし。今日は早く寝て、明日に備えよう。

寝れるかな。》

《四月四日

始業式。

とうとう始まった。体育館での始業式のとき、四組担任の松岡先生と目が合ったら、「緊張するね」って感じで笑いかけてくれた。年も近いし、頼りになりそう。松岡先生の話だと、去年の三年生は今度五組を担任する島田先生と他校転任の今泉先生のクラスが非常にまとまっていて、評判もよかったのだとか。そのクラス出身の子供たちは四年二組にも入ってくるから、去年のほうがよかったなんて言われないようにしなければ。

始業式を終えてから、校庭でのクラス替え。三年時のクラスとお別れして、新しいクラスで整列したときは、みんなまだ戸惑ってるように目が泳いでいた。でも、教室に入る頃には笑顔もちらほら。この学年になると三年生までの友達や顔見知りも増えていて、まったく未知の集団に入るという緊張感はないのかもしれない。

「はじめまして。これから一年間、このクラスの担任となる真野伊吹です」私は黒板に自分の名前を書く。これがなかなか照れくさい。「前の学校では真野先生が私のほかにもう一人いたので、私は伊吹先生と呼ばれていました。それに慣れてるから、みんなも伊吹先生って呼んでくれればいいよ」最初にちゃっかり言っておいた。私は伊吹先生と呼ばれたいのだ。伊吹は伊吹山の伊吹。伊吹山にドライブに行ったときに、私のお父さんがお母さんにプロポーズしたから。それが富士山だったら、たぶん真野富士子だった。飛騨《ひだ》山脈の野口五郎岳だったら、真野野口五郎なんて名前だったかも……野口五郎は知ってる子も知らない子もいたけれど、何となくおかしいのは分かるのだろう、けっこう笑ってくれた。

それから、「4の2は家族」「みんなは太陽の子」なんだという話。家族と言う以上、みんなのことも基本的に下の名前で呼んでいくつもりだ。おならのたとえも予想以上に受けてくれた。一番初めにおならの話なんて、変な先生だと思われたかな。

みんなの自己紹介もスムーズだった。名前と得意科目、今興味を持ってることや好きなことを言ってもらうようにしたけれど、ほとんどの子がちゃんと考えて言ってくれた。得意科目、好きなこと、ともに特になしは宮田直志君、水原君代ちゃん。好きなことが特になしは佐藤光伸君、長岡誠三君、横山美佳ちゃん。好きなことがないというより、はっきりと口にするのには、まだ照れがあるのでは。君代ちゃんは声も小さかったからちょっと気になったかな。

でも、クラス全体の雰囲気はすごくいい。私はとりあえず、みんなの顔と名前を覚えなければ。頑張るぞ。

よろしくね、4の2の太陽の子たち。》

私はまた、感嘆のため息をついた。

いいなぁ、伊吹先生……。

日記を読むと、なるほど子供たちに好かれる人なんだろうなと思える。教師の仕事が楽しそうだ。私は伊吹先生になりたい……こんなふうに、自分のクラスの可愛い子供たちを前にして自己紹介してみたい……物語の主人公に感情移入するように、そんな気にさえなってくる。

4

それからの私は、連日、大学から帰ってきて、食事や入浴を済ませると、あるときはベッドに寝転びながら、あるときは床のクッションにあぐらをかきながら、読みかけの小説をひもとくように、伊吹先生のノートや子供たちのメッセージカードを開いた。

ノートには日記のほか、授業についてのアイデアや面白そうな話のネタ、「太陽の子通信」の草稿なども加わって、各ページぎっしりと文字が埋まっている。私は4の2の学級風景を想像しながら、その一ページ一ページをじっくりと時間をかけて読んだ。もしかしたら、伊吹先生が明日にでもこのノートを取りに来るかもしれない……そんなことを考えて焦りを感じながら、しかし、じっくりと味わわずにはいられない……これが何とも言えないスリルをかもし出して、大学に行っている間もこのノートのことが気になるほどだった。

四月の最初の頃、伊吹先生はまず、子供たちに対して自分をアピールすることに一生懸命だったようだ。

《今はとにかく、私のことを知ってもらうのが第一。子供の頃の話でも趣味の話でもいい。毎日一つは必ず、自分のことを楽しげに話してみる。何もなかったら歌でも歌おう。踊りでも踊ろう。太陽の子を育てるなら、私も明るく。担任は存在感がないといけない。将来みんなが振り返ったときに、「そう言えば、あの先生」と思い出せるキャラがないといけない。それがあれば、みんなに、「この先生についていってもいいかな。信頼してもいいかな」と思ってもらえると思う。頑張るぞ。》

伊吹先生、最初が肝心とでもいうように気合が入っている。今までは副担任や産休の代理としての担任しか経験がなく、一年を通した担任は初めてらしい。だから逆に、夢叶《かな》ったときはこうしたいという希望が積もっていたのかもしれない。

伊吹先生の十八番は「アルプスの少女ハイジ」や「ふしぎな島のフローネ」など、世界名作劇場の話である。今の子供たちもたいていは見ているようだ。伊吹先生は調子に乗ると、「くちぶえはなぜ～」と歌まで披露する。

世界名作劇場なら、子供の頃に〝フローネごっこ〟で遊んでいた私にだって任せてほしいぞと思う。私も先生になったら、フローネの話で子供たちと盛り上がりたい……そんな日のことを考えて、伊吹先生の日記を見ながら一人でニヤニヤしてしまう。可奈子さんに訊《き》かれたときも、トム・ソーヤじゃなくて、フローネにしとくんだった……作家名はやっぱり出てこないけれど。

伊吹先生は明るく振る舞うだけではなく、押さえるところは押さえる決意も見せている。

《忘れ物に関しては厳しくしようと思う。何度でも口をすっぱくして言い続ける。誰でも気をつけていれば防げることだからだ。宿題を済ませて、ほっとしたあげくに机の上に置きっぱなしにして忘れてしまうとか、叱るにはかわいそうなこともあるかもしれない。けれど、そのうっかり一つで授業一時間が台なしになってしまうのだから、理由はどうあれ、私は心を鬼にするつもりだ。》

このあたり、私だったら、なあなあになりそうだ。そんなことでいちいち叱っていたらきりがないし、自分もけっこう忘れ物が多いし……でも裏を返せば、それは無責任だということである。私と伊吹先生では多少、人間の出来が違うらしい。

でも、同じ部屋を借りた者同士、やはり考え方が似ているところもある。というか、これを読んでいると、私は伊吹先生の感じたことや考えていることに、たびたび「そうか」「そうだよね」と膝《ひざ》を打ってしまうのだ。

《今日、渡り廊下を歩きながら、風に揺れる校庭の木をぼんやりと見ていた。風って目に見えないけれど、すごい力を持っている。そんなこと今さらって気もするけど、よくよく考えると、子供たちに教えなきゃいけないことっていうのも、目に見えない力だとか、物事の本当の仕組みってことなんだと思う。

そんなことを考えてたら、見えない力と同様に、数量に換算できない力っていうのもあるよなと思った。例えば精神力とか。心は数字では計れない。でも強弱はあるはず。そこで私はふと、「心の力」って言葉を思いついた。精神力だと意味が限定的だけど、「心の力」は言葉が簡単なだけ、いろんな意味に取れる。何かをするのに頑張ったり、最後までくじけなかったりする意志の強さとか我慢強さというようなことから、相手を思いやること、お互いに信頼し合うこと、励まし合うこと……といったことまで、この「心の力」という言葉が使えると思う。こころのちから、ココロノチカラ、パワーオブマインド、心の力……いいかもしれない。一人一人の心が持っている力は、とても強く、いろんなことを可能にするんだということをこれからみんなに話していきたい。》

子供たちがメッセージカードにも書いていた「心の力」はこうして生まれたのだ。私も将来、学校の先生になったら、使わせてもらおう。

《4の1では学級会の時間でみんなに意見を求めるとき、「誰々君の意見と同じです」という言い方をする子供が多いらしい。「4の2はどうですか?」と唐沢先生に聞かれたから、「うちもそうですよ」と答えた。唐沢先生は、子供たちに「同じ意見禁止」を言い渡したのだとか。もっと一生懸命考えて、安易に他人に同調しないようにさせたいということのようだ。

でも、それは少し強引な気もする。その子の言い方にもよるけれど、「同じ意見」が安易だとは、一概に決めつけられないんじゃないだろうか。自分の意見を主張するのと同様に、「同じ意見」だと思う感性も大事にしてあげたいと思う。

私は小説や映画の主人公の喜びや悲しみに共感するし、先人の言葉で琴線に触れるものは自分の言葉のように思っている。世の中にはいろんな才能を持った人たちがいっぱいいて、私はその人たちに敬意や憧《あこが》れを抱いている。そういう人たちの意見や考えを自分の中に取り込んで、私という人間の心は豊かになっている。自分だけの意見を言うなんて、育ててあげたい力の一部でしかない。それを無理に強いるのはつまらない。クラスメートに「同じ意見です」と言われた子は、ちょっと嬉《うれ》しいかもしれないじゃないか。特に仲がよくなくても、そのことで二人の距離が少し縮まったりすることだってあると思う。》

これなど、私は自分のことを認められた気がして、本当に感激してしまった。そうなのだ。私がちゃっかり他人の意見に乗っかるのは、決して人間的な土台ができていないとかそういうことではない。私は他人の考えに共感できる豊かな心を持っているのだ……と、そこまで自賛しなくてもいいが、とにかく、伊吹先生はそういう感性も大切だと言ってくれている。

伊吹先生は普段から教え子のいいところを見つけるのが好きだ。特に、あまり目立たないタイプの子の長所を見つけたときは、とても嬉しそうである。

《国語の時間に知彦君の才能を発見！　何気に朗読がうまいのだ。詰まったりしないし、嚙《か》んだりもしない。リズムがよくて、会話文なんかほんのりと感情がこもっていて、とてもいい感じだ。特に国語の成績がいいわけじゃないからびっくりした。びっくりしたけど、今日は一ページだけだったし、あえて触れなかった。また今度確かめてみよう。もっと自信を持たせて声が大きくなれば、かなり聞かせる朗読をしてくれそうだ。朗読コンテストとかクラスでやったら、面白いかもしれない。あとは学習発表会にナレーションを任せてみるとか。ちょっとこれは温めておこう。》

《今日のテスト、早く終わった人は裏に絵を描いていいよって言ってみた。こういうって図工の時間よりみんなの絵心が分かる気がする。いつも教科書に落書きをしている啓人君あたりを意識して言ってみたけど、一番立派な絵を描いたのは春美ちゃんだった。ちゃんとダックスフントだって分かる犬の絵。「ロビン」って書いてあるから、春美ちゃんちのペットかも。けっこう堂々としてて、あんまり女の子っぽくない絵だったから感心してしまった。表のテストはいまいちだったけど……裏は百点って言ってあげようかな。》

ほかにも、掃除のときに窓の桟まで拭《ふ》いている女の子や学級文庫の本をよく読んでいる男の子を発掘しては、伊吹賞で表彰している。みんなを笑わせるひょうきんな子にも、クラスを明るくしているからということで、座布団一枚とばかりに伊吹賞をあげたりしている。

だからということなのか、4の2はとても活気がある。伊吹先生の日記から、それが伝わってくる。だいたい、小学生の学校生活はイベントが盛りだくさんである。学級会、お楽しみ会、席替え、社会見学、テスト、遠足、球技大会、写生大会、授業参観……毎週の「太陽の子通信」にも話題は事欠かない。けれど一方で、これだけの行事をこなしながら、学級を切り盛りしていくのは本当に大変だろうなとも思う。日記を読んでいるだけで頭が下がる。

伊吹先生は頑張っているが、それでも三十人以上の子供たちとの毎日は順調なことばかりではない。

《君代《きみよ》ちゃんが一昨日に続いて、今日も欠席。今日はお母さんからの連絡も遅く、どこか歯切れが悪かったから心配になった。昨日、学校に出てきたときは、熱もないみたいだったし、せきも出ていなかった。大丈夫だなと思ったけど、返事にまったく元気がなかったことが引っかかってはいた。気になる。》

五月の終わりになって、一人の女の子が突然、休みがちとなった。

《今日は三時間目から君代ちゃんが出てきた。朝、お母さんから、遅れるけれど学校に送るという連絡があって、私は待ち受けていた。お母さんと一緒に登校した君代ちゃんは、すっかり目がうつろで、私の顔も見てくれない。そのままお母さんを職員室に招いて、事情を聞く。やはりどうも、学校に行くのを嫌がっているようで、昨日は無理に行かせようとしたら泣いて拒んだとのこと。これといった原因は分からないらしい。お母さんもショックを受けているようだ。「やっぱり、こういう場合は無理して行かせても逆効果にしかならないですよね」と言われ、私も「そうですね」とうなずくしかなかった。授業中もずっとうつむいたまま。教科書も開けてくれない。困った。》

その翌日から、君代ちゃんの不登校が本格的に始まってしまう。

《クラスの子に普段の君代ちゃんの様子を聞こうにも、誰に聞いたらいいか分からない。親しい友達はいないと思う。たぶんそれが、学校に行きたくない一番の理由だろう。クラスの雰囲気になじめなかったということかもしれない。先週の遠足、みんな楽しそうだっただけに、君代ちゃんにはつらかったか。私も喘息《ぜんそく》の発作にやられて、子供たち一人一人にまで気を回せなかった。

クラスの中で、君代ちゃんをマイナスの形で目立たせてしまうのはかわいそうだ。でも、彼女が元気を取り戻して学校に行こうと思ったとき、クラスの子たちには、さりげなく、温かく迎えてほしい。機会を見つけて、みんなにも考える場を作ってあげたい。》

《夕方、君代ちゃんのお母さんと電話で少し話した。五月に入ったあたりから、朝起きると、ぐずるようになっていたらしい。お母さんが学校のことを口にすると、君代ちゃんはとても嫌な顔をするのだとか。お母さん自身、会社勤めでなかなか自由な時間が作れないのがつらいということ。今は近くに住むお姑《しゅうとめ》さんに出てきてもらって、君代ちゃんのお昼ご飯を作ってもらっている。君代ちゃんはたいてい学校が始まるくらいの時間まではベッドの中から動こうとせず、それからゆっくりと起きて、テレビゲームをやったり漫画を読んだりして一日を過ごしている。お姉ちゃんの淳美《あつみ》ちゃんは六年生、弟の広重《ひろしげ》君は一年生で、こちらは普通に通学しているとのこと。兄弟仲は悪くないが、君代ちゃんが広重君をうっとうしがることもときどきあるそうだ。家庭では笑うこともよくあるし、学校ほど口数が少ないということはないらしい。》

このあと、伊吹先生は君代ちゃんのお母さんと手紙のやり取りを始めたらしく、ノートにはそのコピーが貼られている。成り行きが気になった私は、それだけを飛ばし読みした。

《その後いかがでしょうか。一週間、君代ちゃんのことばかり考えていました。こうなる前に担任として君代ちゃんの心の内を察してあげられなかったことを思うと、本当に心苦しい気持ちです。また、君代ちゃんとご家族に対して今現在、何もすることができないことも悔しく思っています。

私はよくクラスの子供たちに、「心の力」という話をしています。今の君代ちゃんは、学校に行こうとする心の力がスランプで出なくなっているということなのだろうと思っています。また私自身、もっと勉強してみて、スクールカウンセラーや大学の心理学研究室などに相談してみることも考えております。

おうちに伺って、君代ちゃんの顔を見たい思いなのですが、教師という立場から、どうしても彼女にとって緊張してしまう相手であることを自覚しており、私がじかに会って声をかけるのは、もう少し様子を見てからのほうがいいかもしれないと考えています。君代ちゃんの様子をお知らせください。こちらからもまた、淳美ちゃんにお願いして手紙を届けてもらうことにしたいと思います。》

そして、お母さんから。

《先生にはご心配をおかけしまして申し訳ありません。心の力がスランプで出ないというお話、まさにそうなのだろうなと思いました。今まで私などが気づかなかっただけで、君代は君代なりに頑張っていたのだと思います。それがここに来て疲れてしまい、ふとどうでもよくなった、あきらめてしまった……そんな感じではないかと思います。

もう今は学校が嫌になってしまった理由をあれこれ本人からしつこく聞くのは控えてい

ますが、少し前に君代がぽつりと洩《も》らした言葉も「もういい」「何していいか分からない」というようなことでした。おそらくいじめであるとか、クラスの友達とけんかをしたとか、そういう具体的な原因があるのではなく、もっと漠然とした、学校そのものに適応できないようなつまずきを抱えてしまっているように感じます。思えば、三年生の頃から学校の出来事について家で話すことが少なくなり、特定の友達の名前を口にすることもなくなっていました。四年生に上がってからしばらくは新しいクラスの話などもしてくれて、表情が明るくなったように思っていたのですが、少しするとやはり溶け込めなかったのか、元に戻ってしまい、そして、今のような状態に至ってしまっています。

私も今は仕事を辞めて、君代と向き合う日々を送っています。一日一緒に過ごしてみると、テレビを見たり、折り紙やパズルゲームで遊んだりと比較的元気で、そうやって過ごしている分には反抗することもなく、その意味では希望を失わずにいられる気がしています。父親と部屋の中でどたばたとじゃれ合うこともあります。

ただ、学校に行かなくなったのと同時に、公文《くもん》やお習字には出なくなり、買い物についていくことも嫌がります。学校の友達と出会ったときに気まずいと考えているのではないかと思います。

子供が三人いても、それぞれに性格が違い、同じような子育てではうまく行くはずがないのだということを痛感しています。長女の淳美は一番目ということで試行錯誤して、下の広重も初めての男の子だったために上の二人とは勝手が違う苦労がありました。君代は良くも悪くも淳美の経験でこうだろうと決めつけるように育てたところがあり、それが君代の個性を押さえ込んでしまったのではないかというように思えてなりません。今さらながら、子供の気持ちの繊細さに気づいて、私も戸惑っています。

来週、児童相談所の先生との面談を予定しています。そのことについては改めてご報告させていただきます。》

そして、伊吹先生。

《面談の件についてはご報告をお待ちしております。また、教務主任の田中先生に君代ちゃんの出席状況についての説明を求められましたので、今の様子などお話しさせていただきました。それから、できれば、児童相談所の面会後に、学校のほうへお越し願いたいとのことです。ただ、来校日はご家族のほうで、君代ちゃんの様子を見ながら決めていただいてけっこうかと思います。君代ちゃんが一緒でなくても構いません。

私が集めています児童書を一冊、同封しておきます。君代ちゃんは本が好きなようですし、絵がきれいで夢のある話なので、物語の世界で遊んでくれればと思います。私からとは言わないでください。君代ちゃんの心の負担になるといけませんので。》

児童相談所に行ったお母さん。

《今日、児童相談所に行ってまいりました。君代も誘ってみましたが、「行きたくない」という反応でしたので、今回は私だけで面接を受けることになりました。

相手をしてくださいましたのは、児童福祉司の宮本《みやもと》先生でした。私から、君代が不登校にいたった経緯や家庭での生活ぶり、幼児期の様子など真野先生にもお伝えしていることを中心にお話しさせていただきました。

その話を受けての、宮本先生の見解や助言ですが、一つには、君代が引っ込み思案な性質を持っているために、自分をよく知らない人に自分の気持ちや考えを伝えることに対しての苦手意識があり、周囲との関係が築けないジレンマがストレスを生む結果になっているのではないかということでした。それに関しては、まず本人がありのままに振る舞えるような環境をどこかに用意することが大事だということなのですが、特別なことではなく、要は家庭の中で本人が自然でいられるように家族が接してあげることが大切だということでした。我がままなども一つ一つ受け止めてやることによって、本人に自分を表現することが自分を解放することになるんだということを知ってもらうのが前進につながるのだとのお話でした。

それから、子供が学校に行くことを勝手に期待しないこと。学校が悪い、子供が悪い、親が悪いなどと、問題を何かに求める考えもやめること。前進もあれば後退もあるので、毎日の子供の様子に一喜一憂しないこと。緊張を避けて、気持ちを楽にさせてあげること。そして、本人の気持ちに余裕ができたら、徐々に家庭から外へ意識を向けてあげられるように……などのアドバイスをいただきました。

この手紙をまとめることで、今日の宮本先生のお話を改めて心に留めることができました。

田中先生のほうへは、後日ご連絡させていただきます。君代のことで真野先生のお立場を悪くされていないか心配です。いろいろご迷惑をおかけして申し訳ありません。》

伊吹先生。

《田中先生に、「学校に来ていただくように」と言われたときは悩みました。淳美ちゃんが下校するまでに書かなければと思いながら、ペンが進みませんでした。児童相談所での面談のことを読ませていただいて、学校に来ていただかなくてもいいように田中先生にお話しするつもりでしたが、すでに田中先生のほうと面談のお約束をされたようですね。

私がこんなことを言うのも何ですが、教師一人一人にも、いろんな考え方、立場の方がいらっしゃいます。すべての方に現状を理解してもらうのは、決して平坦《へいたん》ではないとも思います。私からはご家庭の意思を尊重する方向で事情を話してありますが、お母さんからも、ご自身で考えていらっしゃる通りのことをそのままお話しされれば、それで十分かと思います。また、このことで私の立場などをご心配いただくのは無用ですので、まったく気になさらないでください。

君代ちゃんとの出会いで、私も、教育についてもう一度考える機会に恵まれたと思っています。公教育ということだけでなく、ほかの道の可能性も含めて、本当の教育について考えていきたいです。》

お母さん。

《今日、学校にお邪魔して、田中先生にお話ししてきました。今後の方向性ということより、とりあえず、しばらくは休ませていただきたいということをお伝えしました。田中先生も、こちらの立場は理解してくださったものと思います。また、これまでを振り返ってみて、自分は子供に対して責任を持たないまま子育てをしていた母親だったなということを改めて感じました。

真野先生には学級を抱えて大変な立場の上に、本当にご迷惑をおかけしております。今しばらくお時間をください。君代から離れたところであれこれ解決策を考えるのでなく、寄り添ったところで何かを生み出すことが大事だと考えています。》

伊吹先生。

《お手紙のやり取りが、かえってご家族の気を重くさせているのではとも思いましたが、またお便りさせていただきます。

今日、同封した告知にあります不登校問題の集いに参加しました。毎月一回、月例会を開いているということです。グループ相談会では、ある子の事例をもとにして、そのお母さんと先生が話をするという形のものでした。ほかの参加者はそれを聞きながら、自分の対応を考えているという様子でした。

私もその中で、教師としての自分のあり方について考えていました。私はこれまで、子供たちを教育することや子供たちとうまく接することに神経を費やしてきたのかもしれません。しかしこれからは、それ以上の、心でつながっている関係になるかどうかということを真剣に考えたいし、それに向かって努力したいと思いました。

今、ご家族が君代ちゃんと寄り添いながら心のふれあいを大事にしていこうとされている姿勢はとても大切なことだと思います。これでいいんだという自信を持って、君代ちゃんを見守っていただけたらと思います。

今日は私の手元にありましたパステル色鉛筆を入れておきます。何本か使ったものは新しいものに替えてあります。パステル色鉛筆は柔らかくて、手荒に使うとすぐに折れてしまいますが、やさしく使えば、本当にきれいな色が出ます。その繊細さが君代ちゃんに通じるような気もして、クローゼットから出してみました。

また、私からとは言わずに、君代ちゃんにあげてください。》

お母さん。


《きれいな色鉛筆、どうもありがとうございました。こんな色もあるのかという、本当に子供の可能性と重ね合わせた新鮮な発見がありました。

今日、私のほうも児童相談所で紹介された不登校児童の集まりの一つ、「日だまり会」に行ってまいりました。今回は君代を連れての出席となりました。児童心理学の先生や教員を退職された方、かつて自分も不登校児だったというボランティアの学生さんらが迎えてくださいました。中学生もまじえた、十組ほどの不登校児童とそのお母さん方が来られていて、一人で出席している中学生の男の子もいました。

不登校期間が一年以上と長いお子さんが多かったのですが、それぞれのお話を聞いて印象的だったのは、ご本人、お母さんともに、慌てたり、悩み過ぎたりはしていないように感じられたことでした。ボランティアの学生さんにも、学校での閉塞《へいそく》感から不登校に至った体験と、その後、高検、大検を受けて志望校に進み、やりたい勉強をしている現状を語っていただき、そして世の中には自分に合う居場所があって、そのうちきっと見つかるはずだとの、勇気づけられる言葉を送っていただきました。

君代もじっと皆さんの話を聞いていました。自分自身のことについても、いろいろ考えていたと思います。ゲームなどで遊ぶ時間もありましたが、慣れない集まりでしたので、帰りは少々疲れた顔をしておりました。それでも、久しぶりに外の方々と触れ合ったのは、いい意味での刺激になったのではという気がしています。》

伊吹先生。

《君代ちゃん、自分と似た立場のお兄ちゃん、お姉ちゃんに会ったことで、自分が特別なのではないということを感じてくれていればいいなと思います。一緒に出席してくれたということは、自分でも何とかしたいけれど、いい方法がまだ分からないということなのかもしれないという気がしました。

先が決まっている話ではないので、ご家族ともども肩の力を抜いて、今の状態を冷静に受け止めるということは大事なことだと思います。君代ちゃんのことが心配であると同時に、お母さんの心労がたまっていくことも心配しております。

今は何もできず、私も心苦しいのですが、どうか、君代ちゃんのことは、問題ととらえるより機会ととらえて、気を楽にして向き合っていかれることを祈っています。君代ちゃんの家庭での様子は淳美ちゃんからも聞いておりますので、お手紙の返信も負担にならない範囲でけっこうです。》

お母さん。


《真野先生のおっしゃる通り、私自身、かなり今回のことで神経をすり減らしていることを自覚していました。自分に対して自信をなくしたまま君代のことをケアしなければならず、明るい顔をしているつもりでも、そうなってはいないようなことも多かったと思います。

また、「日だまり会」に君代を連れて顔を出してきました。今回はほかの子たちとの遊びを、行くときから楽しみにしていたような素振りでした。ゲームに勝ったときは、自然な笑顔も見せていました。やはり帰りには疲れたようでしたが、帰り道に買った「小学四年生」の問題を家に帰ってから一人で解いたりして、勉強への興味も覗《のぞ》かせています。

休み始めてから一月半が経ってしまい、もう夏休みも見えてきてしまいました。一度、真野先生にお会いして、じかにお話をさせていただかなければと思っております。》

これを受けて、日記の中に、「家庭訪問」の記述が見える。

そののちの、伊吹先生。

《今日は久しぶりに君代ちゃんの顔を見ることができて、感無量でした。会えないかもしれないけれど、もし会えたら、何て声をかけようか……そんなことを昨日からずっと考えていました。でも、実際、顔を合わせたときは、何の気の利いた言葉もかけることができませんでした。ただ、君代ちゃんの顔を見てほっとしました。一人でじんとしてしまいました。

「心の力なんてないもん」と君代ちゃんが言っていたという話は、本当に胸が痛みました。「そんなことないよ」と言ってあげたい。でも、それより君代ちゃん自身が「あるかもしれない」と気づいてくれることが必要なんだと思います。今日はあいさつだけしか声をかけられなかったけれど、君代ちゃんに一歩だけ近づけた気がしました。》

お母さん。

《昨日はお忙しいところをありがとうございました。真野先生がお見えになることを伝えたとき、もしかしたら君代が緊張してしまうのではないかと心配しましたが、そんなことはありませんでした。上の淳美がすっかり先生のファンになっていて、先生の人柄を家の中でも話題にしているので、そんな影響があるのかもしれません。先生が君代に向けてくれた笑顔、「髪の毛、伸びたね」というさりげない言葉、本当に貴重だと思います。君代にもその意味は伝わっていると思います。先生がお帰りになってから、君代はいただいた「太陽の子通信」を読んでいました。言葉では自分を否定したりしていますが、君代の気持ち自身は徐々に和らいできている気がして、私自身も勇気が出る思いです。七夕の笹もありがとうございました。》

伊吹先生。もう夏休み前だ。

《その後、いかがお過ごしでしょうか。終業式の日ですが、学校終了後、少し寄らせていただいてもよろしいでしょうか。六月、七月の給食費の返金と通知表をお届けしたいと思います。それから「太陽の子通信」にのせてあるので、読んでいれば君代ちゃんも知っていると思いますが、この一学期で4の2から松井優子ちゃんと野沢琢己君が引っ越しのため、学級を去ることになっています。二人から君代ちゃんあてのメッセージカードを預かっているので、それもお渡ししたいと思います。

今度の夏休みは一つのチャンスではないかなと考えています。私も学校の看板を下ろして、教師のよろいを脱いで、個人として、君代ちゃんに接する機会を作らなければと思っていました。何日か、淳美ちゃんや広重君とも一緒に遊べたらなと思います。これはまた、淳美ちゃんのプール日を利用して連絡させていただきます。》

夏休みに入って、お母さん。


《先日はわざわざご足労ありがとうございました。あれから君代に、引っ越してしまうお友達へのカードの返事をすすめてみたところ、何やら書いていたみたいです。

夏休みに入って、自分だけが学校を休んでいるという後ろめたさがないのか、君代の表情が明るくなっているように感じます。家族そろっての買い物にもついてきています。「日だまり会」のサマースクールにも参加する予定で、野外学習など本人も楽しみにしているようです。

お忙しいところ、また先生にいらしていただけるのなら、嬉《うれ》しい限りです。淳美も喜んでおりますし、ぜひともよろしくお願いいたします。》

そして、伊吹先生は七月の終わりの夕方、ジーンズとTシャツ姿で遊びに行った。持っていったケーキをみんなと食べ、子供たち三人とゲームをしたり折り紙を折ったりして遊んだ。そんな記述が日記にある。

夏休みといっても、先生たちまで子供たちと同じように休めるわけではない。私も先生の夢を適当に見ていた頃は、夏休みはプールの監視当番があるくらいだろうと思っていたが、会議や研修会への出席、行事の下準備などで、いろいろやらなければならないことが多いらしいのだ。その中で伊吹先生は時間を見つけて、君代ちゃんに会いに行ったのである。

その日のあとの伊吹先生。

《昨日はすっかり長々とお邪魔してしまいました。君代ちゃんの笑顔を見ることができて、本当に行ってよかったと思いました。優子ちゃんと琢己君へのメッセージカード、とてもよくできていて、びっくりでした。パステル色鉛筆で描かれた線や模様……その几帳面《きちようめん》さとデザインセンスに君代ちゃんの可能性を見た気がします。

一緒に遊んだ時間はあっという間に思えました。大声で笑ったり、騒いだり……私自身が一番楽しんでいました。そして、子供たちのよそ行きでない顔、学校外の自然な姿が見られるのは素晴らしいことだと思いました。

日が暮れて、みんなに手を振ってさよならするときは、何だか寂しくなってしまいました。先生と生徒というより、お姉さんになった気持ちでした。》

伊吹先生の整った文字を目で追いながら、私は自分の胸が熱くなるのを感じた。

《先生と生徒というより、お姉さんになった気持ちでした。》

何気ない言葉だけれど……。

何て温《ぬく》もりがあって、愛情がこもっている言葉なのだろうか。

《先生と生徒というより、お姉さんになった気持ちでした。》

きっと伊吹先生の人間性が自然とにじみ出ているからだ。

ああ……。

伊吹先生の言葉が、爽《さわ》やかな風となって私の心に吹き込んでくる。

透明な水となって私の心に流れ込み、暖かい光となって私の心に差し込む。

私は会ったこともない人の日記や手紙を読んでいるうちに、とうとう涙をこぼしてしまった。

この先がどうなったのかは、もう読まなくても分かる気がする。

夏休みが明けたところで、また手紙のコピーが貼ってある。

君代ちゃんのお母さんから。

《夏休みは何度も足を運んでいただいて、本当にありがとうございました。今日、明日の始業式に備えて、君代と一緒に学校へ持っていく物をそろえました。とりあえず夏休みの宿題もやり終えることができて、君代もほっとした顔をしていました。あとは明日の朝、君代が元気に家を出てくれるのを願うばかり……私のほうがドキドキしています。
淳美に消しゴムを持たせます。4の2のお友達に、心配をかけてごめんね、そして、またよろしくね、という気持ちですので、みんなに渡してください。》

伊吹先生から。

《君代ちゃん、久しぶりのクラスにも、何もなかったみたいになじんでいたように見えました。宿題を提出するとき、目が合った私に、何だか照れくさそうな笑顔を見せてくれました。優子ちゃんと琢己君がいなくなって少し寂しくなった4の2の教室ですが、君代ちゃんが戻ってきて、これからはこの三十四人でやっていこうという雰囲気になったと思います。
今日一日頑張る。明日は明日。そして明日になって行けると思ったら、また一日頑張ってみる。そんな気持ちで君代ちゃんには一歩一歩進んでほしいなと思います。

消しゴム、ありがとうございました。みんなから「ありがとう」の声をかけられて、君代ちゃんはまた少し、照れくさそうでした。

朝、お母さんからのお手紙と消しゴムを持ってきた淳美ちゃんが、私にピースサインをしてくれました。帰りは君代ちゃんの様子を見に来てくれるそうなので、私もピースサインをして、この手紙を渡そうと思います。》

5

「今日はどうだった？」

日曜日の閉店間際、休みを取っていた可奈子さんがひょっこりと万年筆売り場に顔を出した。

彼女の問いかけに、私はにこりと笑ってピースサインをした。

「何、そのピースは？」可奈子さんが反応に困ったように苦笑する。

「へへへ、ちょっとしたマイブームなんですよ」

「変なの」彼女は私の相手もそこそこに、レジから売り上げデータを出した。

「へえ、ドルチェ・ミニの万年筆とボールペンが出たんだ」

「三十歳くらいのちょっと落ち着いたOL風の人が買っていきましたよ。私のドルチェをチェックして」

「この看板娘ぇ」可奈子さんが私の胸元をつついてからかった。

閉店の音楽が流れる。

「さて、じゃあ、片づけ手伝うよ」可奈子さんは淡々とした口調に戻った。

「いいですよ、休みなのに」

「いいから、表やってきて」

そう言われて、私は表のスタンド看板を仕舞う作業をこなした。

いつかの日のように見ても、石飛さんの折り畳み自転車は、そこにはなかった。私が店に出る日も少ないので、この頃は顔を見かけることもなくなってしまった。

私は万年筆売り場に戻ってから、可奈子さんにそれとなく訊《き》いてみた。

「あの、スイーツの試作品買ったお客さん、あれから、ここに来たりしてます?」

「上には来てるみたいだけどね。ここには来てないかな」

「そうですか……いや、使い勝手はどうなのかなと思って」

訊かれもしないことを言ったのが余計だったのか、可奈子さんにちらりと見られてしまった。

それからふっと彼女が笑ったので、私は何を言われるかと身構えた。

「ガウディを買ってった人なら、何回か来てるよ」

「ああ……」鹿島さんだ。

「日曜日ならたぶんいると思いますよって言っといたけど」

「あ、そうですか」私はありがた迷惑な気分をちょっとだけ口調に乗せて応《こた》えた。

可奈子さんがもう一度、私をちらりと見て、意地悪そうに笑った。


「おっとっと、間に合ったぁ」

可奈子さんたちにお疲れ様の挨拶《あいさつ》をして店を出たところで、まるで待ち伏せをしていたような鹿島さんに捕まった。夕闇に浮き上がるような白のタイトパンツを穿《は》いて、カジュアルな服も爽やかな着こなしである。

「あ……お久しぶりです」

「いやいや、久しぶりっていうか、何、どうしたの？　話があるのに携帯つながんないし」

彼は私の機嫌を窺《うかが》うような笑みを浮かべながら、そう話しかけてきた。

「え……かけてくれたんですか？」私はすっとぼけた。

「何回もかけてるよ」

「あ、ごめんなさい。いたずら電話が嫌だから、登録してない番号には出ないことにしてるんです」

「何だ、だったら、俺だけ訊いても駄目じゃん」鹿島さんは引きつり気味の笑みとともに私を見る。「じゃあ、これ、登録しといて」そう言って、彼はその場で私の携帯電話を鳴らした。

それにしても、何でこの人、こんなに馴《な》れ馴れしいんだろう……そう思いながら、私は仕方なく携帯電話を出して、着信履歴の番号に鹿島さんの名前を登録した。

「じゃあさ、車そこに置いてあるから、軽く飯でも行こうよ」鹿島さんは当たり前の話をしているような何気ない顔をして言った。

「え、そんな……急に言われても」

遠慮なく距離を詰めてくるので、私はほとんど反射神経で尻込《しりご》みした。

勝手に歩き始めていた鹿島さんは、立ち止まってから、私以上に困惑したような表情を浮かべてみせた。

「ほら、この前も言ったけどさ」彼は弱ったような声を出した。「葉菜ちゃんとのことで、いろいろ話を聞いてほしいんだよ」

そう言われると、私は拒む言葉を思いつかなくなってしまう。この前の電話で葉菜ちゃんと話した感じからしても、彼女と鹿島さんの遠距離恋愛がいきなりつまずいているのは確かなようである。私が間に入るしかないのなら、葉菜ちゃんのために一肌脱がなければならないかなとも思う。

「じゃあ、駅前のファミレスで」

いきなり彼の車に乗るのも何だか抵抗があるので、私は先回りして、店を指定した。

「いや、いいとこ知ってんだけど……」

「でも、そんなにお腹空いてないですし」

「そう？」

どうでもいいと思ったのか、鹿島さんは肩をすくめて折れた。

とにかく話は決まってしまったので、私は彼と並んで駅前通りに出た。

「もうすぐ演奏会があるんだよね？　十一月の初めだっけ？」

通りを歩きながら、彼はそんな話を向けてきた。

「ああ、はい」

「練習ははかどってる？」

「まあ、出たとこ勝負ですね」

私が適当に答えると、彼は声を立てて笑った。「出たとこ勝負か……いいね、香恵ちゃんは」そんなふうにおかしがっている。

「弾く真似だけはうまいんで、いざとなったらそれで」

「ははは、香恵ちゃんらしいねえ」

らしいねって……鹿島さんとはまだそんなに会っていないのに、もう私のキャラができてしまっているらしい。葉菜ちゃんに面白おかしく言われているのかもしれない。

「いやあ、でも楽しみだね」鹿島さんはさらりと言った。

「……？」私はその言葉の意味を確かめるように彼を見た。

「俺もちゃんと見に行くからさ」

「あ、そうなんですか……ありがとうございます」

口ではお礼を言ったが、葉菜ちゃんがいないのに来るのかという違和感が強かった。

「マンドリンは好きなんですか？」

「まあ、好きも嫌いもないけど」

「けっこう退屈ですよ。うちの親なんか去年、演奏中にグーグー寝てましたし」

「そうなんだ」彼は手を叩《たた》いて笑う。「じゃあ、俺も寝てていいってことだね」

「最初から寝に来る人はいませんよ」

「ははは、冗談、冗談」

彼は白い歯を見せ、私の肩をポンポンと叩いた。

駅前のファミリーレストランに入って、私はエビドリアのセットを頼んだ。鹿島さんはミックスフライのセットだった。奥の席で高校生のグループが騒がしかったが、私の席の周辺は割と静かに食べているカップルや家族連れが占めていた。

鹿島さんの趣味はゴルフらしい。注文してから料理が出てきて、そしてそれをおおかた食べ終えるまで、彼はゴルフがどれだけ面白いかということを熱っぽく語り、私はただそれを聞いているだけだった。「ゴルフは人生の縮図だ」とか「やればやるほどうまくなる」とかの、よく聞くような話から始まって、レッスンを受けたらフォームのどこどこを矯正されて、結果、球がどう飛ぶようになったというような専門的な話も続いた。

「本当、ゴルフって面白いよ。香恵ちゃんもやってみなよ。絶対はまるから」

そう言われても、体育実習のあと二、三日は筋肉痛で動けず、ボウリングのスコアも六〇を超えたためしがない私である。残念ながら、これっぽっちも魅力を感じない。

「移動に使うカートとかは乗ってみたいですね。あれで競争とかしたら面白いかも」

代わりにそう言うと、鹿島さんは口を半開きにして私を見てから、吹き出した。

「香恵ちゃんは独特だねえ」

ぎりぎり話を合わせたつもりだったのに、外れていたらしい。

というか、そんなことはどうでもいいのだ。

「あの……」私は改まって鹿島さんに呼びかけた。

「ん？」

「葉菜ちゃんの話がちっとも出てこないんですけど」

「うん」鹿島さんは分かっているというように頷《うなず》いた。「それは食べ終わってからと思って」

そう言ってから、彼はサラダを口に運び、またにこりと笑った。

「それより、どう？　まずは打ちっぱなしに行ってみない？　道具とかはまだ考えなくていいからさ」

私は口を閉じて鹿島さんを見る。睨《にら》むようにして見たものの、あまり迫力はないらしく、彼は問いかけるように眉《まゆ》を動かしている。

「私は葉菜ちゃんのことが心配なんです」茶化されても困るので、真面目な顔をして言った。「声聞いても元気がないし……ここんとこは、電話自体かかってこなくなっちゃったし」

鹿島さんは表情を変えず、鼻から息を抜いた。

「留学って、想像するほど楽しいもんじゃないからね。覚えなきゃいけないことや慣れなきゃいけないことばっかりで大変なんだよ。現実、これから一年と思うと、自信がなくなっちゃう時期なんだと思うよ」

「それも確かにあるかもしれませんけど、問題はそれじゃないと思うんですよ」

「というと？」

「あれからまだ、鹿島さん、葉菜ちゃんと連絡取ってないんですか？」

「俺もけっこう忙しくてねえ」

彼は実感のこもった口調で言った。でも、さっきは私をゴルフに誘っていたじゃないかとも思う。

「メールとか、返してます？」

鹿島さんは唸《うな》る。「まあ、返すときもあるけど、いつもというわけにはいかないよね。それに最近は俺のほうにも電話やメールは来なくなってきてるし」

「そりゃ、つながらなかったらかけにくくなるし、返ってこなかったら送りにくくなりますよ。一度、鹿島さんのほうから電話してあげてくださいよ。こっちの深夜だったらつながる時間ありますから」

「うん……そうだね」彼は言葉を濁すような言い方で相槌《あいづち》を打った。

「今夜にでも電話してあげてください」私は念を押すように言葉を足した。

「友達思いなんだね」鹿島さんは上目遣いに私を見て言う。

「あれだけ張り切ってた葉菜ちゃんが一気にしゅんとなっちゃって可哀想じゃないですか。元はと言えば、鹿島さんに触発されて留学決めたんだと思うし、前に会ったときは鹿島さんも応援してましたよね。行ったらあとは自力でっていう考え方もありかもしれないけど、こういうときには励ましてあげるのが鹿島さんの役目だと思いますよ」

「うーん」煮え切らない反応である。

「年上の人にこんなこと言って失礼なのかもしれませんけど……」

「いやいや、別にそんなことは思ってないよ」

「でも、葉菜ちゃんと同い年の私から見て、それが必要だと思うんです。葉菜ちゃんは私よりよっぽどしっかりしてるけど、一月半も彼氏と満足に連絡取れなかったら、誰だって落ち込みますよ」

「うん……もちろん、香恵ちゃんの言いたいことは分かるし、俺が悪いってことは認めるよ」

「何かあったんですか?」

「葉菜ちゃんから留学したいって言われたときは本気で応援したし、向こうに行って困ったことがあっても、その都度相談に乗ってやると思ってたし、そのうち時間を空けて会いに行ってやろうとも思ってたし……」

「じゃあ、どうして……」

「でも、そのまますんなり今に至ってってわけでもなくて……」

「何かあったんですか?」私は繰り返して訊《き》いた。

「香恵ちゃんと出会った」

彼はそう言ってから、何かを確かめるように私の顔を見た。

「え……?」

私は反射的に笑おうとしたが、鹿島さんが、「本当だよ」と言葉を継いだので、口元が引きつったままになってしまった。

「もちろん、今でも葉菜ちゃんのことは可愛いと思うし、頑張ってほしいと思う。でもそれは、正直に言うと、かなり冷静な感情なんだよね。気づいたら、俺の目はもう葉菜ちゃんには向いてなかった。その隣に向いてたんだよ」

私はどんな表情をしたらいいのか分からず、鹿島さんの顔も見られなかった。何かをごまかすようにドリアの残りを口に運ぼうとして、スプーンを持つ手が震えていることに気づいた。

どうして葉菜ちゃんの親友である私にこんなことを言うんだろうか……そんな憤りにも似た感情があった。しかし、一方では、もし鹿島さんがそれだけ本気だとするなら、簡単に一蹴《いっしゅう》してはいけないのではないかという戸惑いもあった。私は自分の気持ちを言い表せる言葉を何も思いつけないことに動揺していた。

「葉菜ちゃんには葉菜ちゃんなりの魅力があると思うけどさ」鹿島さんが続ける。「何ていうか、すべてに背伸びしてるようなところが、見てて痛々しいんだよね。できないことはできないって言ってほしいっていうのかな……俺は誰かに後押しされなくても、やることはやる人間だからさ、一緒に頑張ろうみたいなのは別にいらないんだよね。最初はよくても、相手が無理してるのが分かるから、そのうちこっちが疲れちゃうんだよ。そんなときに、『私は無理』なんてあっさり言っちゃう子がいると、何だかほっとするっていうか……そう、和むんだな」

「私は無理」なんていうのはよく使う言葉だから、自分がいつ言ったのかは憶《おぼ》えていないけれど、たぶん、「君は留学とか考えてないの？」などと訊かれたときにそう答えたのだろう。

「あの……」私はやっと声を出した。

「おっと、今は、『私は無理』なんて言わないでよ」

先に言われてしまった。

「私は葉菜ちゃんと友達ですから」

「もちろん、分かってるよ」彼は片頬で笑った。「もし友達じゃなかったら？」

「考えたこともありません」

確かに鹿島さんは服装もおしゃれだし、きりっとした顔をしたスポーツマンタイプで、欠点がなさ過ぎて少し嫌味っぽく感じるのが欠点だと思えるくらいの人だ。ユーモアのセンスには首を傾げるときもあるけれど、快活な人であることには疑いがない。

しかし、そうだとしても、私は葉菜ちゃんから彼氏だということで紹介されている。最初からそういう目で見ているから、別の感情は何もない。

「今すぐとは言わないから、考えてみてくれないかな」

「考えるも何も、私と葉菜ちゃんが友達であることは変わらないんですから」

「だから、それは考えなくてもいいってことだよ。気にしなくていいんだ。香恵ちゃんから俺をどうこうしたって話じゃないんだから、こじれたりはしないよ」

あからさまに断るのは気が引けるから言っているのに、まったく聞いてくれない。

「こういうのってさ、いろいろ経験すれば分かってくると思うけど、ちゃんと何とかなるんだよ。自分の気持ちに素直になれば、自然と時間が解決してくれるんだ。例えば、不治の病を宣告された人でも、最初はそれを否定して、孤独感にさいなまれて、いろいろ葛藤《かっとう》しながら落ち込んでいく……そういう心理プロセスを踏むわけだけど、最後はその事実を受け入れるんだよ。ましてや恋は不治の病じゃない。男は引きずるけど、女は引きずらない。葉菜ちゃんみたいな前向きな子ならなおさらだよ」

熱心に口説かれても、私としては、葉菜ちゃんが不憫《ふびん》だなという感想しか持てない。彼女は今、葛藤して落ち込んでいるのだろうか。そしてそのうち、自分の恋は終わったと、受け入れてしまうのだろうか。

「でも、それは冷たいと思います。鹿島さんにその気がないなら、ちゃんと言ってあげないと、あの子も無駄に悩まなきゃいけなくなるんだし」

「そうかな。俺はそのほうが優しいと思ってるんだけどね。そんなに冷たい男じゃないのは、付き合ってみれば分かると思うよ」

「ていうか、私、鹿島さんをそんな目で見てないし、そんなふうに言われても困ります」

実際、嬉《うれ》しいという気持ちはこれっぽっちもなく、面倒なことに巻き込まないでほしいという思いが強かった。葉菜ちゃんと三角関係になるなんてごめんだ。

私がはっきり言ったのが鹿島さんにはそれなりにショックだったらしく、彼は小さなため息をついた。それから一つ頷《うなず》いて口を開いた。

「そう思うのは当然だよね。だから、今日は答えはいらない。今日はただ、香恵ちゃんに俺のほうへ振り向いてほしかっただけだよ。それでたぶん、今まで見えてなかったものが見えてくると思う」

真剣な顔をして言われると、本当に反応に困る。こちらがため息をつきたい気分だ。

「こういうのって、別に珍しくはないよ。俺の友達で俺の元カノと付き合ってるやつもいるしね。それだって、何のわだかまりもないよ。出会う順番が違ってただけなんだよ」

さらりと言ってくれるが、何だかドロドロした相関図しか浮かばないし、やはり他人事《ひとごと》にしか感じられない。私は遠慮したい。

「別にうぬぼれじゃなくて、男としての自信がそれなりにはあるから言うよ……香恵ちゃんの人生の中で、友達のしがらみがあるからって俺を見送って、果たして後悔しないかどうか、それをよく考えてほしいんだ」

同級生の男の子あたりからは出てこない台詞《せりふ》だよなと思う。でも、くどい料理に胸焼けするように、その大人くささが今の私には合わない。

今まで多少なりとも興味を惹《ひ》いた男の子たちは、一緒に遊んだりご飯を食べたりすると、私が何か違うなと感じたのと同じように、向こうも相性が合わないのを感じ取って自然と離れてくれたから、閉口するような問題が起こることもなかった。

それに比べると鹿島さんは私の気持ちに関係なく、しっかりした意思を持って、こちらに向かってきているようで、私はどう逃げたらいいのか分からない。

押しが強いというのか……。

やっぱり、こういうタイプは苦手だ。

「別に葉菜ちゃんに話しても構わないよ。こそこそしたいわけじゃないし」

ファミリーレストランで食事をしたあとの別れ際、鹿島さんは私にそんな台詞を残していった。

でも……。

ねえ、葉菜ちゃん、実は私さぁ、鹿島さんに告《こく》られちゃったよ……なんて、そんなこと言えるわけないじゃないか。それを言ったあとの気まずい空気を想像すると、ぞっとする。

言えないことを見越して、あんなふうに余裕を見せたんじゃないか……そう思えてきて、マンションに帰ってきた頃には嫌な気分が増していた。

当然、葉菜ちゃんには電話できなかったし、かかってもこなかった。

去年もそうだったが、今の時期、私の頭の中には定期演奏会で演奏する曲の音階がひっきりなしに回っている。楽譜にびっしりと記された旋律を、ほとんど詰め込み勉強のように、指に覚えさせなければならないから大変である。わずかな余地で花束のこととかアルバイトのこととかを考えていたのだが、そこに鹿島さんがずかずかと割り込んできたからたまらない。

ああ、とにかく一度全部、頭から追い出そう……演奏曲の楽譜を目で追いながら運指を確かめていた私は、マンドリンを床に置いて、ベッドに寝転がった。

気分転換。気分転換。

私はクローゼットから伊吹先生のノートを取り出した。

これが私の一番の楽しみだ。

ノートを開けると、たちまち伊吹学級の一員になることができる。

伊吹先生は前向きだけれど、子供が相手だからか、肩肘《かたひじ》を張ったところがない。不登校児童のことや授業カリキュラムの消化スピードのこと、レクリエーションの企画がモノマネ大会など馬鹿馬鹿しかったりすることなどで、教務主任からお小言をもらったりもする。あまり要領がいいほうではないようだ。

それでも、4の2はいつも明るくて楽しい。日記からそれが伝わってくる。

学級会でいいアイデアが出ると、みんながどっと沸いて、拍手喝采《かっさい》が起こる。伊吹先生は「いいね、いいね」とそれを煽《あお》る。大人しい子がアイデア一つでみんなに注目され、その日の伊吹賞をもらったりする。モノマネ大会のようなふざけ気味のアイデアでも、みんなの反応がよかったら、伊吹先生は、「やってみれば」と後押しする。先生も楽しんで、歌を歌ったりして参加する。盛り上げてくれた子や裏方で頑張った子にはまた伊吹賞。だから、次第に学級会自体がイベントのようになってきて、ほとんど毎日がお祭りのようである。

下手な学校物のテレビドラマより、よほど毎日いろんなことがある。私は伊吹先生の日記から想像をふくらまし、ときには自分の小学生時代と重ね合わせ、またときには自分も伊吹先生のような先生になって……と夢を描きながら、4の2の日々を追っていく。

君代ちゃんのくだりで涙腺《るいせん》が緩んだせいか、今日も読んでいるうちに涙ぐんでしまった。初夏の頃、季節の変わり目で喘息《ぜんそく》を抱えていた伊吹先生は、前夜に発作に見舞われて寝不足の状態で遠足に参加し、当日も途中で発作を起こして、そのまま病院に運ばれてしまった。翌々日、何とか体調を整えて学校に出た伊吹先生は、せっかくの遠足を台なしにしてごめんねとみんなに謝った。その日の帰りの会では、みんなからのプレゼントが待っていた。一人一羽の折鶴……クラスの女の子の一人が発案して、昼休みのうちにみんなで折ったらしい。

4の2の子供たちもなかなか憎いことをやってくれる。私はその光景を想像しながら微笑ましく思い、そしてほろりとした。

七月のある日には、クラスのしっかり者、松井優子ちゃんから一学期いっぱいで引っ越しすることを告げられる。このクラスから離れたくないというような気持ちがひしひしとこもった優子ちゃんの涙目を見て、伊吹先生も彼女の頭を撫《な》でてやることしかできなかった。

クラスの誰かが引っ越しでいなくなったりするのは、先生にとっても寂しいんだな……そんなことに気づかされる。子供の頃には考えもしなかった。

忘れていたけれど、学校って本当にいろんなことがあるんだなと思う。生徒一人一人にいろんなことがあるから、それを見守っている先生にとってはなおさらの感覚だろう。

一学期の最後は、君代ちゃんを心配しながら、学校では優子ちゃんと琢己君のお別れ会、夏休みの過ごし方の指導、宿題の説明、通知表の作成など、忙しさにも拍車がかかっている。

疲労が重なると、喘息にもよくないらしい。学校は人がばたばたと動き回るから埃《ほこり》が舞い上がるし、チョークの粉も喉《のど》や気管支には優しくないだろう。昼はよくても夜になると発作が起きやすいというのも喘息の特徴だそうだ。吸入薬や飲み薬で発作が何とか治まったとしても、睡眠は削られ、疲労はさらに蓄積される。そうなると、学校帰りに病院に寄って、点滴を受けてから帰宅する日が続いたりする。

一気に読むのはもったいないなと思いつつも、私はもう一学期の終わりに差しかかる、そんな日々の日記を読んでいた。


《今日は体調がいつにも増して最悪だった。喘息の薬が効き過ぎていて、授業をしている間中、心臓がバクバク、足元にも力が入らない。寝不足と貧血が加わっているから、頭痛もひどいし、立ち続けていると本当に気分が悪くなってくる。

国語の時間、教科書を読んでいるときに、それがひどくなって、あとは知彦君に交代、私はたまらず椅子に座った。それからどっと冷や汗が出てきて、気を失うような睡魔に襲われた。みんなの笑い声ではっとした。本当にうとうとしてしまったらしい。

昼休みには保健室で横になったが、気休め程度。帰りにまた点滴してもらおうと、病院に寄った。

と、その待合室でびっくり。何と隆に会った。》

隆……タカシ……？

誰だろう？　クラスの子に隆司君という名前の子がいるが、その子ではなさそうだ。

伊吹先生の弟かな……ふと、頭に浮かんだのはそれくらいだった。

《私は頭が痛くてふらふらだった。だから最初は、ずいぶん似ている人がいるなとぼんやり見ていた。向こうもこちらを見ていた。それなのに私は、まだ人違いだと思い込んでいた。かなり間抜けだ。こっちに引っ越してきてから、隆が住まいを変えていなかったら町でばったり会うかもなんて頭のどこかで思っていたのに、いざ遭遇してみると、何だか嘘みたいなのだ。

向こうの口が「伊吹」と動いてるのに気づいて、やっと隆なんだと分かった。隆が立ち上がってこっちに来るから、私も立ち上がったら、めまいに襲われて、よろけてしまった。あとで隆に冗談半分で訊《き》かれたけど、断じて演技ではないよ。

でも、それを隆に抱きとめられて、私はうまく頭が回らないままに、本当にドラマの一シーンというか夢みたいなことが起こってるんだなって思った。》

うわっ……私は急にドキドキしてきた。名前も呼び捨てだし、この人、伊吹先生の元カレだろうか……どうもそんな感じだ。

《病院で会ってるのに、お互い、「元気？」なんてあいさつして、二人で笑ってしまった。隆も胃腸風邪らしくて青い顔をしている。元気のない者同士、近況報告をぽつりぽつり。隆と最後に話したのっていつだろう。大学時代の最後のほうは、顔を見ても言葉を交わすことはなくなってたから、本当に久しぶりだ。でも、それにしては、自然な感じで話せた気がする。隆が先に呼ばれて、「じゃあ」って感じで淡々と別れた。私は点滴を受けて時間がかかったし、帰りは会わなかった。家に帰ってきて、あれは現実だったのかなと思えてきた。こんなこともあるんだ。》

大学時代の恋人かな……気になる。

伊吹先生の日記は学校の出来事やそれについて考えていることを綴《つづ》っているのが中心で、プライベートの出来事はほとんど出てこない。たまに、先生仲間と会食したりとか、実家のお母さんから電話がかかってきたりとか、あるいは病院に行って診察を受けたりだとか、そういうことをさらりと書き留めている箇所がある程度だ。たぶんそれだけ、学校の仕事に忙殺されているということなのだろうが、その中にあってこの日のノートはかなり異質で目を惹《ひ》く。伊吹先生にとっても、よほどインパクトのある出来事だったのだろう。

この日きりの話なのかどうか気になる……。

と、次の日の記述からも、「隆」という文字が目に入ってきた。

いよいよ覗《のぞ》き見趣味的になってきたかも……そんな自覚がなくもない。今、伊吹先生が訪ねてきたら、かなり慌ててしまいそうだ。

でも、開き直って言ってしまえば、ここでノートを閉じることは、もう私にはできない。

下世話な好奇心とは違うぞ。

私は伊吹先生に会ったことはない。しかし、この日記を通して、そのまめやかであり大胆である仕事ぶりを知っている。子供たちを包む温《ぬく》もりに私自身も触れさせてもらっている感覚がある。心の力を分けてもらっている。私は伊吹先生に憧《あこが》れ、もはや彼女の生き様を他人事《ひとごと》とは思えなくなっているのだ。

そんな伊吹先生が、どんな恋をしているのか……知りたい。見るなと言われても見たい。


《どうしても昨日のことを思い出してしまう。不意に訪れた隆との再会……体調が何とか戻った今でも、昨日のことは何だか夢のような気がしている。夢の中で、昔の友達と昨日会ったばかりのように話している……そんな感覚だ。たぶん、もともと変なわだかまりを持っていたのは私だけで、隆は何も気にしてはいなかったのかもしれない。思えば、何もかも私が一方的にぶつかって、気まずくなって、そして離れていっただけだし……隆とその周りは何も変わらなかった。「最近、伊吹は付き合いが悪いな」ってみんなに言われて、私はそれを適当にごまかして……本当に苦い思い出だよ……でも、じゃあ、隆とは友達でって割り切りはできなかった。

今なら、友達になれるかな……分からない。でも、あの頃とは、私の気持ちも違うことは確かだ。あの頃は、ただただ、私を見て、私を受け止めてっていう一心だった。そ

れが隆には通じなくて、私は一人で勝手に疲れてしまった。あれから私も少しは成長したと思うよ。》

恋人だったわけじゃないのかな……これを読むと、どうもそんな感じである。

伊吹先生の学生時代に仲よしのグループかサークルかがあって、伊吹先生はその中にいた隆さんに恋をしてしまった。「隆」「伊吹」と呼び合う仲だから、それまでも気の置けない友達という関係だったのだろうが、伊吹先生はそこから一歩踏み込んでアプローチした。しかし、隆さんは、それに応《こた》えてはくれなかった。そして伊吹先生は恋破れて、そのグループにもいづらくなり、静かに離れていくことしかできなかった……そんないきさつのようだ。

切ないなぁ……気まずさを抱えてしまったのが、伊吹先生だけらしいというのが、どうにも切ない。うちのマンドリンクラブにも、ちょっと前には周囲公認のカップルがいた。女の子は私たちと同級生で、彼は今の四年生。そして、今年の夏を前にして、女の子のほうが突然クラブを辞めてしまった。どうやら別れたらしいという噂が立った。彼はマンドロンセロのパートマスターで、サークルの中心メンバーだ。今も、何もなかったかのように活動を続けている。

だから近場で相手を見繕うのは怖いんだよなと思う。私の場合、幸か不幸かサークル内でのドロドロした関係に巻き込まれる気配は一向にないからいいけれど……。

《夜、隆に電話してみようかなんて、ちょっと考えたけど、やっぱりできなかった。》

次の日に書いてある隆さんについての文章はこの一文だけだ。

再会が引き金だと思うが、伊吹先生、けっこう引きずっている。そんなにいい男なのだろうか。

ためらっていないで、電話すればいいのにと思う。あれから具合どう？　とか、そんな話でいいじゃないか。その場にいたら、背中を押してあげたい。でも、やっぱり、本人にしたら、そんな簡単なことではないのだろう。私もその立場だったら、向こうから電話が来ないかなと待っているだけかもしれない。

それから数日分の日記の中には、隆さんの名前は出てこなかった。学校も夏休みに入って、伊吹先生は相変わらず校務で忙しいながらも子供たちとはいっとき離れ、日記に綴られる日々の出来事も比較的単調になった。私はそこでノートを閉じた。

そのまましばらくノートを開ける暇もなくなった。いよいよ定期演奏会が迫ってきて、練習は毎日続き、しかも日がとっぷり暮れるまで押しに押した。コンサートマスターを始めとする上級生たちが怖い眼をして絶えずハッパをかけてくるから、ムードもピリピリしている。ミスなく弾くというレベルは超えて、曲の感情とか演奏の切れとか難解な要求を突きつけられるので、パニックになった一年生が練習室の外でべそをかくという光景も目につくようになった。

本番を翌週に控えた日曜日、市民ホールの小さなイベント室を借り、プロ指揮者の瀬戸先生指導のもとでの全体練習が行われた。朝早くからの練習は昼を過ぎたところでいったん終わったが、午後からはパート別の練習が続いた。部屋の使用時間が三時までだったので、それが過ぎたところで、ようやく解放された。

帰りにモスバーガーあたりに寄っていこうかと同級生の誰かが言ったが、私は乗らなかった。二年生全員が行くとなれば、ついていかないと損なような気もするが、そうでないなら無理して付き合うこともない。ここのところみんなとは毎日顔を合わせているし、少なくとも今日は、さっさと帰って午後ティーでもあおっていたほうが、心からくつろげる気がする。

陽射しのぽかぽかとした秋晴れの日だった。出がけに干した洗濯物もすっかり乾いているに違いない。ついでに布団も干しておけばよかったと思う。

私はみんなと別れてから、コンビニに寄ってチョコレート菓子や午後ティーを買い、そのままマンションに帰った。多少時間が残っているとはいえ、アルバイトに行く気も起こらない。今月は夏休みに貯めたお金を取り崩さないといけないかもしれないが仕方ない。

部屋に帰ってくると、とりあえずすべてがどうでもよくなり、手にした荷物を適当に放り出してクッションの上に座り込んだ。それから、コンビニの袋だけを手元に手繰り寄せ、午後ティーの二リットルのペットボトルをぐびぐびとラッパ飲みした。葉菜ちゃんらが遊びに来ると、いかにもコップで飲んでいるというふうに装っているが、一人のときはこんなものである。

一息ついて手と顔だけを洗いに行き、それからまた戻ってきて、お菓子をつまんだ。頭の中をメキシコ組曲が流れている。知り合いの誰が見に来るわけでもないのに、こんなに練習してる私って健気《けなげ》……誰も褒めてくれないから、自分で自分を褒めてやる。

私に伊吹賞をくれないかな……冗談混じりに思いつき、本当に欲しいなと思ってしまった。今、伊吹先生が現れたら、私は教育大でマンドリンクラブに入っている学生ですなんて自己紹介をするだろう。そして、今度の日曜日に定期演奏会があるから、よかったら見に来てくださいと誘ってしまうかもしれない。伊吹先生はたぶん快く見に来てくれる。そして、花束なんかもくれたりして、笑顔で拍手してくれるに違いない。伊吹先生によく頑張ったねと褒められたら、照れてしまうくらい嬉《うれ》しいと思う。4の2の子供たちと肩を並べるのは格好悪いけれど、私もすっかり伊吹チルドレンである。

クローゼットから久しぶりに伊吹先生のノートを出してみる。クッションを胸に当て、うつぶせに寝転んでノートを広げた。

《郁美《いくみ》が夏休みを取って彼氏と東京に出てくるということで、夜、一緒にご飯を食べることになった。待ち合わせの時間になって駅に行くと、春和《はるかず》君とその家族（たぶん）が改札前にいた。思わずおっとっとと背中を向けて隅っこでちっちゃくなってるところに、郁美が「そんなとこで待っててても見つけにくいよ」と言いながら現れた。見ると春和君たちの姿はもうなかったので、笑ってごまかしておいた。》

郁美さんは田舎の友達だ。彼氏をプロ野球のナイター観戦に送って、伊吹先生と二人、居酒屋で食事をしながら昔話に花を咲かせたようだ。

春和君は4の2の生徒である。普段は「4の2は家族だよ」と言って子供たちとの間に隔てがない伊吹先生でも、プライベートの時間に生徒と出くわすのは妙に気恥ずかしいものがあるらしい。伊吹先生はスクーターで通勤しているし、それほど遠くはないにしても、このあたりは校区外なのだろう。そこで生徒とばったり遭えば、先生のほうがうろたえるというわけか……想像すると何だかおかしい。向こうはお父さんやお母さんがいて、顔を合わせるとお互いに気を遣ってしまうからという気配りもあると思うが、そのへんの普通っぽさが何とも可愛くて、私はいっそう、伊吹先生に親しみを感じてしまう。

《実家に帰省。コタローがきょとんとして私をすっかり忘れてる。でも、匂いをかいだらすぐに思い出したらしく、何度も飛びついて歓迎してくれた。早速散歩に連れていってあげたけど、まだ暑かったからか、コタローもばて気味。ちょっとおじいちゃんになっちゃったかな。
夜は久しぶりのお母さんの手料理。カレイの煮つけがおいしかった。お父さんもお母さんも元気で何より。すいかもおいしかった。授業参観にまぎれて私の仕事ぶりを見に行きたいって、お母さん、半分本気で言ってそうで怖いよ。子供の頃、授業参観のときには毎回パーマをかけて、気合入れて来てたね。ほかの子のお母さんと比べて若くはなかったけど、十分目立ってたよ。席から後ろを振り返ると、おめかししたお母さんがウインク……今でも記憶に残ってる。》
何だか癒《いや》されるなぁ……私は頬杖《ほおづえ》をつきながら、ニヤニヤして眼を閉じた。
授業参観のときの子供の心理も独特なんだよねえ……私は昔味わった、何とも言えない甘酸っぱさを思い出す。ちょうど先生が街で教え子の家族に出遭うというケースとは逆の気恥ずかしさが、子供のほうにあるかもしれない。親が来るのはちょっと恥ずかしいけれど、来なければ来ないで寂しいものがある……そんな感覚だった気がする。それとも学年が進むにつれて、そういう気持ちも微妙に変化していっただろうか。今となってはよく思い出せない。

うちのお母さんもイベントはきっちり押さえる人だったけれど、授業参観でどんな格好をしてきたかなんていう記憶はあまりない。遠足のとき、バスが出発する寸前に忘れ物の水筒を届けてくれたり、運動会のときにお弁当をさっと手渡してくれたりしたのは、それなりにありがたかったのだろう、ちゃんと記憶に残っている。

そんな活躍を見せてきたお母さんなのに、今度ばかりは使えないんだよなぁ……なんて、また愚痴っぽくなってしまった。まあ、都合のいいときだけ頼る私も私だけれど……伊吹先生のように、親に対しても優しい気持ちを向けるには、もう少し私も大人にならないと駄目だ。

伊吹先生はお盆の三日間を実家で過ごしてから、このマンションに戻ってきた。

そして……。

《今日、隆とまた出会った。》

何と……。

私は頬杖を外して、目を凝らした。

何だか急に心臓が高鳴ってきた。

《いや、正確に言うと、私は彼を見ていないのだけれど……。》

ん……？　どういう意味だ……ふくらんだ期待がしぼんでいく。

《夕方、不登校問題の本を探すために本屋に行こうとして駅ビルに入ったら、ハンドバッグの携帯にメールの着信が入った。「また会ったね」という短い文に音符の絵文字。隆の携帯番号は登録から消していたし、最初は誰だか分からなかった。間違って届いたのかとも思った。本屋に入ったあとも誰からだろうと考えてるうち、もしかして……と思った。昔も隆からはそんなにメールがもらえたわけじゃなかったけれど、機嫌がいいときは音符の絵文字がついてた気がする。場所が場所だし、また会ったという文も隆なら当てはまる。私は返信で、「どこにいるの？」と送ってみた。そしたらまた返ってきた。「ホーム。ちょっと急いでて」

病院で隆に会って以来、またどこかでひょっこり会えるんじゃないかと思って、町に出るときは、かなり気をつけていたつもりだった。隆と同じ年格好の人を見たら、無意識に目で追うようになっていた。こちらに越してきたときは、隆に会うんじゃないかという期待と同時に、会ってもどうしたらいいか分からないという逆の怖さもあって、隆のマンションがある付近には近づかないようにしていた。でも、あの日からはそういう縛りもなくした。さすがにマンションの前まで行くのは抵抗があって無理だけれど……。

とにかくそんな感じで、心のどこかで隆の姿をいつも探していたから、町ですれ違ったときに最初に気づくのは私のほうだというくらいの自信はあった。でも、今日は、君代ちゃんのことを考えながら歩いていたから、周りが見えていなかった。夕方で駅も混んでいた。

しまったと悔やみながら、しばらく本屋で立ち尽くした。本当に隆なのかなという疑問で気持ちをごまかそうとした。でも、考えれば考えるほど隆に違いないのだ。チャンスは本当に気まぐれ……顔を向けてくれるのはほんの一瞬だ。その前髪をつかまなければ、そっぽを向かれてしまう。後ろ髪はない。そっぽを向かれたらもう終わりなのだ。

でも、本当にそっぽを向かれたのか。まだ間に合うんじゃないか。そう思ったら、自然に身体が動いて、本屋を出ていた。焦りながら適当に切符を買って、改札を通った。隆はどこに行くのだろうか。病院で会ったとき、生活費の足しに塾の先生をやってると言っていた。それなら上りホーム。階段が左右にある。勘で右。電車を降りた人たちが階段を上がってくる。それを縫って下りる。ホームに出たら、ちょうど電車のドアが閉まってしま

ってこなかった。》

やっぱりそっぽを向かれたのだ。肩を落として、「残念」とだけメールした。返事は戻った。見回したけど、隆は見つからなかった。

何だよ、隆……意地悪だなぁ。これじゃあ必死に彼の影を追った伊吹先生が可哀想過ぎる。見かけたら声くらいかけてあげればいいのに。ただの気まぐれな風が通り過ぎていったみたいで、伊吹先生もやるせないじゃないか。まったく、人の気も知らないで……私まで悔しくなってくる。

でも、まあ、そう簡単にはいかない距離が二人にはあるのかなという気もする。伊吹先生は隆さんの番号を携帯電話の登録から消していて、隆さんは伊吹先生のそれを残したままだったということか。隆さんにも未練があったと思いたいところだが、そう甘くはないだろう。たぶん、向こうが無頓着《むとんちゃく》なだけなのだ。

隆さんは塾の先生をやっているらしい。生活の足しというから副業かもしれない。あるいは普段は適当に遊んでいて、本当に食べる分だけ稼いでいるのかも。何だか、純粋な伊吹先生が悪い男に振り回されているように見えなくもなくて、そのへんも心配になる。伊吹先生が好きになった人なのだから、いい男なのだと思いたい。

次の日……隆さんについてのくだりはない。次の日も、その次の日も……私はほとんど流し読みで、八月の日記を追っていく。

そして見つけた。

君代ちゃんの家に行き、君代ちゃんや淳美ちゃん、広重君らとしりとりやパズル、折り紙などで遊び、すいかを食べてさよならをした夕方、その帰り……。

《手を振って別れた帰り道、けっこう疲労感はあったのに、それが逆に気持ちいいと思えるくらい、すがすがしい気分だった。君代ちゃんのはにかんだ笑顔が嬉《うれ》しかった。スクーターに乗りながら、ずっとニヤニヤしていた。風がさわやかだった。途中、家に帰るのが惜しくなって、町の中をグルグルと乗り回した。夕暮れの川べりに出て、足を広げてかっとばしてみたりした。そして気づくと、隆のマンションの近くに……気づくとだなんて言い訳がましいけど、ついつい調子に乗って行ってしまった。

隆の部屋が見えるところで、スクーターを停めた。窓から明かりが洩《も》れていた。いるんだ……そう思ったけれど、さすがに押しかけるほどには自分を忘れていない。かといって、そのまま立ち去るほど冷静でもなかった。子供たちと遊んで、自分も童心に帰ったみたいな気分になっていた。いたずら心が働いて、その場から隆にメールを打ってみた。「あ、UFOが飛んでる！」

メールを送信して、隆の部屋の窓をじっと見た。早く隆が窓を開けないかな。空を見上げてきょとんとして、それから私に気づくんだ……そんなふうに考えながら、ドキドキして窓が開くのを待っていた。

でも、窓は一向に開かなかった。何の変化もない現実を前にして、私のいたずら心もあっさりと消え失せた。メールの返信もない。たぶん着信に気づいてないんだろうな、なんて自分をなぐさめて、スクーターを走らせた。

けれどまた、すぐに小さな公園の横で停まった。滑り台の上に昇って、一生懸命夕空を見上げている人影があったのだ。コンビニ袋を提げて……隆だった。隆は公園の入口に停まった私に気づいて、きょとんとしている。私はもう子供みたいにゲラゲラと笑ってしまい、そして笑いながら走り去ってしまった。

自分のマンションに戻ってきたら、隆から「おまえな～」というメールが入っていた。それから、からかい合うような返信を何回かして、「今日、嬉しいことがあったから、調子に乗っちゃったんだ。ごめん」そうメールしたら、嬉しいことって何なのか隆が聞いてきた。メールじゃ書き切れないから、「久しぶりにグレバリにでも行く？」って、調子に乗りついでに誘ってみたら、あっさり「いいよ」の返事。

シャワーを浴びて化粧を直してからグレバリの前で待ち合わせた。久しぶりといっても、隆と二人きりなのは初めて。どうなることかと思ったけど、話が弾んで楽しかった。純たちとは今でも連絡を取り合ってるらしい。みんなが今どうしているか、何でも知っててびっくり。大学にいた頃から、そんなに付き合いがいいわけでもないのに、別に盛り上げるタイプでもないのに、ふと姿を見せるとみんなの輪の中央に収まっているのが隆だった。つかみどころがないけど、そばにいるとなぜか安心できて、誰からも慕われていた。隆……あの頃と変わってないね。

今日は隆にとっては、旧友と昔話をしながらご飯を食べたってことだったと思う。私もあの頃よりは冷静だった。でもやっぱり……隆っていいなって思ったよ。

今日はいろんなことがありました。元気をくれた君代ちゃんに感謝しなきゃ。》

やったね、伊吹先生……私はノートに向かって思わず拍手をしてしまった。せっかくまた再会したのに、いったんは笑って走り去ってしまうところが憎い。この前のお返しとばかりに今度は隆さんを振り回して、とても痛快だ。

そして、チャンスの前髪もしっかり摑《つか》んで、二人での食事。グレバリこと〔グレート・バリア・リーフ〕は駅前の小さなシーフードレストランだ。私は入り慣れたファミレスに足が向いてしまうのだけれど、美味《おい》しいという評判は聞いたことがある。評判そのものよりも、伊吹先生の日記に出てくると、一度入ってみたい気になってくる。

二人の距離も確実に縮まった気がする。もうこれからは何気ないことでもメールし合える仲になったわけだし、同じ町だから食事も誘いやすいだろう。隆さんも学生時代にはそんなに意識していなかったとしても、この日は伊吹先生のチャーミングな一面を再発見したんじゃないかと思う。

先をもっと読みたい気もあったが、ご馳走様《ちそう》とでも言いたくなるような幸せの満腹感を得られてしまったので、今日はここまでとノートを閉じた。

仰向《あおむ》けになって、伸びをする。

「UFOが飛んでる!」だなんて、伊吹先生も可愛いなぁ……日記を思い返して、くすぐったい気分になる。子供っぽい遊び心があって、親しみを感じるのだ。努力家なところは自分との差を認めざるを得ないけれど、性格やセンスなんかは、やっぱり私に似たところがあるのかなという気がしてしまう。

UFO、飛んでないかなぁ……。

私はそんな馬鹿なことを思いながら、立ち上がった。もちろん、本当に飛んでいるのを期待したわけではなく、洗濯物を取り込もうと思ったのだ。

軽やかな気分で、勢いよく窓を開けた。

陽が傾きつつも、気持ちのいい秋晴れの空はまだまだ澄んでいた。

UFOが飛んでいないのを一応確認しようかと思ったのだが、私は人の気配を感じて、前の通りに目を落とした。

私が視線を向けたのとは逆に、さりげなく顔を背けて、自転車を漕《こ》ぎ始める人影があった。

「あの……」

私は慌てて呼び止めたが、自分自身びっくりしてしまっていて、裏返ったような声しか出てこなかった。

「石飛さん！」

今度ははっきりとした声が出た。名前を呼ばれた彼は、はっとしたように立ち止まって、こちらを見上げた。

「あれ……」石飛さんは私を見て、眼を丸くした。「えっと……」そんなふうに彼の口が動いて、そのまま止まった。

「文具店の……」

身を乗り出してそう言うと、彼は、それは憶《おぼ》えているけど……というように頷《うなず》いた。その私がここにいることが驚きらしい。

「そこに住んでるの？」彼が訊《き》く。

「はい」

石飛さんは何やら、どこかへ意識が飛んでしまったような顔を見せた。待っていても、次の言葉がなかなか出てこない。

代わりにこちらから、何を見ていたのか訊こうとも思ったが、何となく嫌らしい気がして訊けなかった。今日はブラジャーも飛び出してはいないから、それではないのだろう。もちろん、鷺草《さぎそう》もとっくに散ってしまっている。

「お散歩ですか？」

私はそう訊いてみた。自転車に乗るのも散歩と言うのかは知らないが、サイクリングと言うのはもっと違うだろう。

「うん……まあ」彼は曖昧《あいまい》に答えた。

「ここがお散歩コースなんですか？」

「うん……たまにね」

私もそうだが、彼も不意に出会ってしまって明らかに戸惑っている。私から何か言わないと、そのまま走り去ってしまいそうだった。

「前にも見たことありますよ」

言ってから、口を滑らせたかなと思った。けれど、石飛さんは、決まり悪そうな苦笑いを浮かべただけだった。

「そうなんだ……」

「そうなんです、実は」

私はおどけるように言った。ちょっと気分が落ち着いた気がした。

「あの万年筆、どうですか？」

「うん……いい感じだよ」

ようやく、秋の日曜日に相応《ふさわ》しい、ゆったりとした時間が二人の間に流れ込んできた。

その心地よさに浸りかけたとき、石飛さんは何かを思案するような表情になった。

そして私を見る。「ねえ」

「はい?」私は視界をさえぎる洗濯物を取り込みながら、聞き耳を立てた。

「よかったら、その部屋、見せてくれないかな?」

「え……?」予想もしていなかった言葉に、私は顔の筋肉が固まってしまった。「部屋……ですか?」

「駄目……?」彼は、何も他意はないような顔をして訊く。

「駄目っていうか……」

部屋を見せるってことは部屋に入れるってことだよなと、自分に確認してみる。いきなりそんなことを軽く提案されても困るのだけれど……。

「私の部屋なんて、何にもないですし……」

私は苦し紛れにそう答えた。

石飛さんはそれでも何か続きの言葉を求めるように私を見ていたが、私の返事がそれだけだということを知って、寂しそうに微笑んだ。

「ごめん……変なこと言って」さばさばと言う。

じゃあ……彼は口をそう動かすと、そのまま顔を戻し、ペダルにゆっくりと足を乗せた。

あ……行ってしまう。

私はチャンスの前髪を摑み損ねたような気になって焦った。

「あの！」とにかく呼び止めた。

石飛さんが振り返る。

「部屋が見たいんですね？」

そんなことを念押ししてどうするのかという気もしたが、自分を納得させる意味も込めて訊いてみた。

石飛さんは、ちょっと気圧《けお》されたように私を見て、小さく頷いた。

「部屋の内装とか、そういうのですね？」

「う……うん」石飛さんはもう一つこくりと頷いた。

「じゃあ……いいですよ」

「そう……？」

「はい」

「ありがと……」

ぎこちない相槌《あいづち》を交わし合うと、石飛さんはマンションの前に自転車を停めた。それからもう一度私を見上げ、エントランスに消えていった。

わっ……来る。

とりあえず窓は開けておいたほうが健康的だろうと、そのままにしておいた。雑誌や小物など床に散らばっているものをローテーブルに上げ、空いた床に猛然とコロコロを転がした。髪の毛やスナック菓子の食べかすが付いたそれはベッドの下に隠した。伊吹先生のノートも、他人のノートを愛読している事情など訊かれても説明しづらいので、クローゼットの手紙挿しに戻した。午後ティーをキッチンの冷蔵庫に入れ、三角コーナーの生ゴミを可燃物用のゴミ袋に移したところでチャイムが鳴った。

「はいはい」

シンクをスポンジでざっと洗い、手を拭《ふ》きながら、最後に改めて部屋の中を見回した。変なものが出ていないか指差し確認をする。たぶん大丈夫。そして、一つ深呼吸をしてから、ゆっくりとドアを開けた。そこに立っていた石飛さんは、目の前の私を見て、はにかむように笑った。

「ごめんね、無理言って」

「いえ……どうぞ」

ものすごく間近だった。ショーケースを挿《はさ》んでいるときとは距離感が違う。

石飛さんが少し硬い足取りで、沓脱《くつぬ》ぎに足を踏み入れた。

私は後ろに退《さ》がろうとして、自分の部屋だというのに、上がりかまちに足を引っかけてしまった。

「わっ」

「おっと」

石飛さんが手を出してくれたが、私はそれを摑《つか》むことができなかった。摑もうとする手だけを伸ばした情けない格好で、後ろによろけて尻餅《しりもち》をついた。

「大丈夫？」

「ぜ、全然、大丈夫です」

彼の手をさっと摑んでいれば、伊吹先生ではないけれど、ドラマのワンシーンみたいなことになっていたかもしれないのに……そのへんが、のほほんと生きている私の限界でもある。悔しいし恥ずかしい。

私はいそいそと立ち上がって、気持ちを立て直した。何でもないという意味で、取り澄ました笑顔を作った。

私のパンプスの横に石飛さんのレザースニーカーがそろえられる。何だかとても新鮮ではっとさせられる光景である。

「どうぞ……」

私は足をもつれさせながら、石飛さんを招き入れた。

石飛さんはゆっくりと歩を進めて、まるで貴重な遺跡の中にでも入ったかのようにキッチンを眺め回した。それから奥の部屋に入ったあたりで立ち止まり、私がクッションを差し出す間もなく、膝《ひざ》をついて座ってしまった。

放心した顔をして、部屋を見回している。

深い吐息が私の耳にも届いた。

「冷たい紅茶……でいいですかね？」

顔色を窺《うかが》うように訊《き》いてみたが反応がなく、私の独り言になってしまった。

私は石飛さんの脇を通ってキッチンに戻り、午後ティーをコップに注いだ。ラッパ飲みの残りで申し訳ないが、これしかないのだ。

コップを手にして振り返り、私は石飛さんの背中を目にした。

そのとき、不意に……。

ああ……そうだったのか……。

私は、こんなに石飛さんがこの部屋をいとおしげに眺めている理由に思い当たってしまった。

考えてみれば、それしかないのだ。

「石飛さん、もしかして……」

私の声に、石飛さんが少しだけ横顔を向けた。

「この部屋……狙ってました？」

石飛さんはかすかに首を傾げるようにして私を見た。

「私……この部屋を見に来たとき、不動産屋さんに、ほかにもこの部屋を気に入ってるお客さんがいるって言われたから、もう即決で契約しちゃったんです。だから、この部屋を借り損ねた人がいるはずなんですけど、それってもしかして……？」

そう言うと、石飛さんは苦笑いのような笑みを見せて、また私に背中を向けた。

「どうしようかって思ったけど、決められなかった……」彼は呟《つぶや》くように言った。

やっぱり、そうなんだ……いや、微妙な反応だから、私に鼻の差でこの部屋をかっさらわれてしまったその人かどうかは分からないが、石飛さんもこの部屋を借りようかどうしようか考えていたことは間違いないらしい。

「ごめんなさいね」私は部屋に入って、石飛さんの前にコップを置きながら、軽い口調で謝った。

「香恵ちゃんが住んでるなら、この部屋も本望でしょ」石飛さんが冗談を返すように言う。名前を憶《おぼ》えてくれていることだけでも嬉《うれ》しかったが、その上、〝香恵ちゃん〟だなんて呼ばれてしまい、私は顔がほころぶのを抑えられなかった。

そのまま彼は午後ティーをすすりながら、しみじみと部屋を鑑賞していた。ときにはじっと眼を閉じたりして、鑑賞というよりは、居心地を楽しんでいるという感じだった。私はベッドのそばの、いつも座っているクッションに腰を下ろして、彼の様子を見守っていた。

しばらくして、石飛さんは気が済んだのか、焦点の定まった眼に戻って、私の脇を見た。

「それは……？」

マンドリンケースが目に入ったらしい。

「マンドリンです」私をそれを手元に引き寄せて答えた。

「ああ……」

「トレモロの……」いつかした話を憶えてますかというように私が目で問いかけてみると、彼は小さく笑って頷《うなず》いた。

「どんな楽器なの？」

そう訊かれて、私はマンドリンケースから出してみせた。

「へえ」

石飛さんは珍しいものを見るような眼をしている。楽器にはうといのかもしれない。

「音はどんなふうなの？」

1弦から4弦まで、開放弦を適当に弾いてみせると、石飛さんはそれだけで感心したような声を洩《も》らした。

「何か弾ける？」茶目っ気を覗《のぞ》かせて、石飛さんが言う。

私は軽く応じてピックを手にし、マンドリンを右膝の上に載せた。そして、「サンタールチーアー」と曲のサビだけをトレモロで弾いてみせた。

「おぉ……」

石飛さんは大喜びで拍手をしてくれた。私はちょっと得意気になって、胸を反らせたりなどしてみる。

「それから……?」

石飛さんは眼を輝かせて私を見た。

「あ、えっと……」

今のでは満足しなかったらしい。

「じゃあ、一曲……」

彼の顔を窺いながら、そう口にすると、反応よく笑顔が返ってきた。やはりもっと本格的な演奏を期待していたようだ。

では、何を弾こうか。演奏会用に練習している曲のワンパートなど聴かせても面白くないだろうし……とりあえず暗譜でぎりぎり弾ける曲と言ったら、お姉ちゃんの結婚披露宴で弾いた「ともしび」ぐらいか。あれはメインパートとサブパートを合わせて重音で弾けるように練習したから、ソロでも格好はつくと思う。今でもちゃんと弾けるかは分からないけれど……。

私は音が逃げないように窓を閉めてから、クッションに座り直して、かしこまった。

「ロシア民謡の『ともしび』っていう曲です」

ともしび……と、石飛さんの口が動く。その反応からして、知った曲ではないらしい。

「今年の六月にお姉ちゃんの結婚披露宴で弾いた曲なんです」

「へえ」石飛さんは眼を細めた。

「どういう曲かっていうとですね、戦場に向かう男の人が、いよいよ出かけるぞっていうときに、外から自分の家を振り返って、その窓から洩れるともしびを見ながら、家に残していく最愛の人のことを想うっていう……そんな曲です」

演奏に自信がないので、とりあえず先に魂を込めておいた。私のつたない説明が胸に響いたかどうかは分からなかったが、石飛さんの表情には、曲の意味が持つ物悲しさを切なく噛《か》み締めるような影が落ち、手応《てごた》えとしては悪くなかった。

「歌詞を付けると時代がかった感じになっちゃうんですけど、メロディーはなかなかいいんですよ。テレサ・テンの曲に似てるっていうか……まあ、テレサ・テンの曲が『ともしび』に似てるんでしょうけど……」

徐々にあがり始めてきて、自分でも何を言っているのか分からなくなった。これはもう、もったいぶらずにさっさと弾いたほうがいいなと思った。

「じゃあ、弾きますね」

私は一呼吸置いてから、ちょっとテンポを落とし気味にした「ともしび」を弾き始めた。

練習を終えたあとだけに、指はよく動いた。やや低音の落ち着いた出だしから、徐々に音調を上げ、同時に指にも気持ちを込めていく。私の手元から、空気が震えるようなトレモロの音色が生まれる。マンドリン特有の高く繊細な弦の響きが、ロシア民謡の哀愁ある曲調に乗って、この部屋に染み込んでいく。そして、その調べを奏でている私の心にも染み込み、身体を緩やかに揺さぶる。

私は自分の演奏に酔うと、よく無意識に眼を閉じ、メロディーに合わせて身体を揺らしてしまう。クラブのみんなからは、「あれ、やめてよ。隣で弾いてて笑っちゃいそうになるから」とか、「本当、格好だけは一流だよね」とか言われたりするのだけれど……でも、そういうときは乗っている証拠でもある。

いい曲も暗譜で弾けるようになるまで練習すると、曲そのものに飽きてしまう。「ともしび」もお姉ちゃんの結婚披露宴の頃にはたいがい飽きてしまっていて、失敗なく弾ければそれでいいという義務的な感覚しか残っていなかった。今はどうかというと、あれからずいぶん時間が経っている分、改めて感じる新鮮な思いもある。間違いなく弾けるかどうかという緊張感も含めて、弾いていることがちょっと楽しい。

終わりが見えてきた。

フレットの押さえ方が悪くてきれいな音が出なかったところがいくつかあったが、音を外してしまうようなミスはない。

むしろ、お姉ちゃんの結婚披露宴のときより出来がいいんじゃないだろうか……開放弦を鳴らすだけで喜んでくれていたのだから、けっこう石飛さんを酔わせてしまったんじゃないだろうか……調子に乗って、そんなことを思ったりもする。

どうかな……。

残り数小節、もうあとは勝手に指が弾いてくれるのを確信し、私は視線を上げて、石飛さんの表情をちらりと盗み見た。

石飛さんは呆然《ぼうぜん》と聴いていた。

その瞳《ひとみ》はどこに向いているのか分からない。

ただそれは、厚い潤みで揺れていた。

充血した切れ長の眼から、今にも涙がこぼれ落ちてしまいそうだった。

本当に涙がこぼれてしまいそうで……。

何だか私は、それを見てはいけないような気がして、思わず顔を伏せた。

視界の隅で、石飛さんが袖口《そでぐち》を眼のあたりに持っていくのが見えた。

最後はトレモロが引っかかり、かなり怪しい終わり方になってしまった。

でも、そんなことはどうでもいい……。

石飛さんを泣かせてしまった。

うちのお姉ちゃんでも泣かなかったのに……。

私の演奏にそんな力があったとは思わなかった。しゃれの拍手でももらえるのがせいぜいだと思っていた。マンドリンを弾いてみせるだけで、彼の心の琴線に触れることができるだなんて、考えてもいなかった。その事実に、私自身も感動してしまった。

ナイーブな人なんだな……そう思う。

私よりずっと年上だし、喋《しゃべ》り方も穏やかだから、気さくではあるけれどクールであっさりとした人なんだろうと勝手に思っていた。でも、それは間違っていた。不意に見せる放心したような顔や、憂いのこもった吐息、そして今の涙……彼は時折、繊細な心の内をそんな形で覗かせてくれるのだ。

私はまた、それに惹《ひ》かれてしまう。

彼の涙が、私の心までもしっとりと潤わせる。

「こんな感じです……」

私は取り繕うように言って、ゆっくりと顔を上げた。まだ瞳に潤みの残っている石飛さんと目が合った。彼はにこりと笑って、拍手してくれた。

私は首をすくめて恐縮する。

彼もちょっと照れたように目を伏せ、そのまま、まだ余韻を味わっているようにじっとしていた。それから本当に小さな声で、「いいね……」と呟《つぶや》いた。

「ありがとうございます……」私も消え入るような声になってしまった。

私がマンドリンをケースに仕舞っている間、石飛さんの顔は部屋の窓に向けられていた。

「ともしびか……」彼はまた呟く。

私は彼の感動を邪魔しない程度に、相槌《あいづち》として頷《うなず》いておいた。すると彼はしばらくしてから、ふと何かを思いついたように私を見た。

「ねえ」そう呼んでから、また視線を窓のほうに移す。「リクエストばかりで悪いんだけど……」

「はい……？」

「よかったら、ちょっと、モデルを頼まれてくれないかな？」

私は首を傾げて石飛さんを見る。

「モデルって、絵のモデルですか？」

「うん……写真を撮らせてくれればいいんだけどね。そこの窓から外を見下ろす姿を下の通りから撮りたいんだ」

「はあ……私なんか絵になりますかね」

描いてもらえるのは嬉《うれ》しいが、絵になるようなモデルが務まるかどうかの自信はない。

「個展に出す絵を考えてるんだけど……」彼は訥々《とつとつ》と説明を付け足す。「今の曲を聞いて、そういう絵が描きたくなったんだ」

「ともしび……ですか？」

窓辺に立つ自分の姿を〝ともしび〟と見立てられては断れない。逆に顔がほころんできた。


「うん……」

「私でよければ、喜んで」

石飛さんも、それに呼応するように笑顔を見せた。

「ありがと。じゃあ、うちからちょっとデジカメ取ってくるよ」

「あ……デジカメならありますよ」私は本棚の上に置いてある薄型のデジタルカメラを手に取った。「性能はそんなによくないかもしれませんけど」

「あ、いいよ。じゃあ、借りていい？」

「はい」

私はデジタルカメラの操作方法を簡単に教えて、それを手渡した。

「じゃあ、撮らせてね」

石飛さんは、こうなったらじっとしていられないというような勢いで、さっさと立ち上がって出ていこうとする。

「あの……私の服とかはどうすればいいんですか？」

「それでいいよ」

あまり重要な問題ではないらしい。私が着ているのは首回りがゆったりと開いたオレンジのニットで、大した服ではない。もっとおしゃれな勝負服だってあるのに……デジカメを取りに行ってもらって、その間に着替えればよかった。ちょっと悔しい。

「それ可愛いし」

石飛さんはそう言い足してから、いたずらっぽく笑って部屋を出ていった。

可愛いだって……私は一人でにやけてしまう。じゃあ、服はこれでいいか。

姿見の前に立つ。髪にまとまりがない。前髪の流し方も気に入らない。その前に化粧はどうしよう。

「ちょっとだけ、待ってくださいね」

窓を開けて、下に出てきた石飛さんに断りを入れた。取って返して、化粧品入れを手元に寄せる。全部やっている時間はないから、眉尻《まゆじり》とアイラインだけ軽く引き、あとはリップグロスを塗った。グロスを置いた手で今度はくしを摑《つか》み、手鏡を上下左右に動かしながら、髪の毛をまとまりよくとかした。

手鏡片手に窓際まで寄り、寸前までチェックしてから、下の石飛さんに笑顔を向けた。

「お待たせしました」

石飛さんは待ちかねていたように手を上げた。

「じゃあ、柵《さく》に手をかけて、その上から顔を出すような感じで下を見てくれる？」

そんなイメージができているらしい。

私は窓辺に片膝《かたひざ》を載せるような形で身を乗り出し、彼に言われたままのポーズを取った。

「撮るね」

彼はそう言って、液晶画面を見ながらシャッターを切った。立ち位置を変えて、また撮る。

「今度はそこに座って、こっちを見てくれる？」

窓辺に腰かけ、身体をひねり気味にして外を見るようなポーズに直した。それをまた石飛さんが何枚か撮った。

彼が上がってきたので、私はデジカメの液晶画面に撮り終わった画像を出してみた。窓や外壁の雰囲気がバランスよく収まっている。私がメインというより、人がいる風景を撮ったという感じである。

「うん、いいね」

私のアップが少ないのでちょっと複雑な気分だが、石飛さんは満足そうである。

「じゃあこれ、プリントするから、メモリーカード借りていい？」

「あ、いや……」

メモリーカードにはサークルの夏季合宿やカラオケで遊んでいるときに撮った、お馬鹿な画像が残っている。

「私がプリントしておきますよ」

「そう？　じゃあ、頼もうかな……」石飛さんは戸惑いがちに言った。

「はいはい。任せてください」

「うん……何かのついででいいから」

石飛さんは、とりあえずと言って、千円札を三枚、私に渡してくれた。それから、連絡のために、お互いの携帯電話の番号を交換した。

「じゃあ、よろしく。マンドリンありがとうね」

今日はこれで帰るらしい。

「お気をつけて」

私はドアのところで彼を見送った。

石飛さんは手を振って、階段を下りていく。

ドアを閉めて、私は息をつく。もう、いくら顔がにやけても大丈夫だ。

何だかいろんなことが一気に起きた気がした。現実が音を立てて動き、石飛さんがぐっとそばに来た。半分は自分が引き寄せたようなものだけれど……でも、こうなるとは思わなかった。しばらく幸福感に浸りたい。

と、私はもう一つ思い出して部屋に戻り、窓辺に駆け寄った。

「あの……石飛さん！」

すでに自転車で走り出していた彼が、ブレーキをかけて振り返った。

「来週の日曜日に、市民ホールで定期演奏会があるんです！　もし、もしお暇だったら……二時から、無料ですから！」

石飛さんはにこりとして頷いた。そして、行こうとする。

でも、私にはまだ続きがある。その背中に声を送る。

「で、ステージで渡す花束なんか持ってくる人もいるみたいですけど、私には、そういう気は遣わなくていいですから！」

石飛さんの足が止まった。

「私、まだ二年生なんで、あんまり大きい花束だと目立ち過ぎてよくないし……本当、そういうの、無理に考えなくていいですから！」

石飛さんがまた振り返る。笑っていた。右手の親指を立てて私に向けてくれた。

「さようなら……」

その声までは、たぶん彼に届かなかった。

彼の背中が消えていくのを見送ったあとも、私はしばらく夕暮れの町角を眺めていた。

6

十一月に入り、定期演奏会の当日がやってきた。天気はあいにくの空模様で、朝から冷たい秋雨がアスファルトを濡《ぬ》らしていた。ただ、行楽日和ではないから近くの人たちが暇《ひま》潰《つぶ》しに来てくれるのではないかという期待もあり、みんなのモチベーションが下がることはなかった。

市民ホールの控室にメンバーがそろうと、午前中はそこで通し練習を行った。そして、早めの昼食をとったあとはステージ衣装に着替え、会場となる第一ホールでステージリハーサルが行われた。受付や運営を手伝ってくれるOBたちも見守る中、曲の出だしの音合わせを集中的に繰り返した。

昨日の私はなかなか眠れず、夜中は思いついたようにベッドから出て、E線などの細い弦を張り替えたりしていた。本番前の緊張ということもあるが、それ以上に演奏終了後、石飛さんから花束をもらう自分という絵を想像しては、込み上げてくるわくわく感を抑えられないのだった。

少し気恥ずかしそうにステージ前に出てきた石飛さんから花束を受け取る私。控室に戻って、「あの男の人は誰なの？」なんてみんなから質問攻めに遭う私。「ちょっとね」と涼しげな微笑みを浮かべるだけで、みんなを煙《けむ》に巻く私……そんな空想ばかりがふくらんで、弦を張り替えているときも、顔はにやけてばかりいたのだった。

まさか、私の言葉を真に受けて、本当に何も持ってこないなんてことはないだろうな……そのへんに一抹の不安がなくはない。でも、親指を立てて「了解」の合図を送ってくれたし、私の真意は分かってくれていると思う。贅沢《ぜいたく》は言わない。バラの花一輪だけでいい。それだけで私は舞い上がれる。石飛さんが来てくれると思ったとたん、この一週間の私は別人のように、練習に身が入ったのだ。

一時半にリハーサルが終了し、同時に開場となった。私たちはいったん控室に戻り、調弦などをしつつ、出番までの落ち着かない時間を過ごした。

「けっこう入ってきてるよ」

会場の様子を覗《のぞ》いてきたOBが緊張感を煽《あお》るようなことを言う。

うちのマンドリンクラブは、それほど規模が大きいわけでもなく、ほかと比べてハイレベルな演奏ができるというわけでもない。ただ、周辺の大学にマンドリンクラブが少ない上、市民ホールの定期演奏会も恒例となっていて、割と楽しみにして来てくれる人も多い。OBのやっている会社が後援となっているから、無料で開催できるのも強みだ。去年も六百人収容できるホールの八割方は埋まった。今年もそれくらいの客入りはあるだろうと見込まれている。

いよいよ開演時間が近づいたところで、コンサートマスターを中心にして輪を作り、みんなでかけ声を合わせた。

演奏会の曲目は三部に分かれている。第一部はクラシックの「G線上のアリア」と「メキシコ組曲」。一年生の一部と二年生、三年生、四年生が演奏する。第二部は三年生と四年生だけ、十五人ほどで軽やかに奏でるポピュラーの「北の国から」「ゴッドファーザー愛のテーマ」「心の愛」「ラストクリスマス」「涙《なだ》そうそう」。この第二部は実に楽しそうなのだが、一、二年生にはやらせてくれない。参加したければ三年まで頑張れ、曲を選びたかったら四年まで頑張れというわけである。

第三部は再びクラシックに戻り、部員全員で「マンドリンの群れ」と「バグダッドの太守」を弾く。このあと拍手に応《こた》えて立ち上がり、もらえる人は花束をもらったりする。以前は指揮者とコンサートマスターだけが形式的に花束をもらい、あとは受付で対応していたようだが、もっと華やかに演出してもいいのではという声が出て、今のようになったらしい。

それが滞りなく済めば、あとはアンコールに「威風堂々」を披露して終わりとなる。全曲に参加する三、四年生ほどではないが、二年生も主力としての活躍が期待されている。

ＯＢによる、開演を告げるアナウンスが流れた。

第一部に出演するメンバーそろって、ステージに移動する。客席を埋める人の頭がわっと目に入り、逆に何も見えなくなる。ＯＢが言っていた通りの客入りだということだけは分かった。拍手が追い打ちをかけて、あまりに非日常的過ぎる雰囲気に現実感さえ薄らいでくる。

ファーストマンドリンのパートが固まっているところの前列が私の座り場所である。席に着くと楽譜を楽譜台に立てて広げ、足台を使って高くした右膝《みぎひざ》にマンドリンを載せた。指揮者に身体を向けるから、観客の視線は顔の横に感じる。

曲紹介のアナウンスとともに、第一部と第三部の指揮を担当する瀬戸先生が登場した。客席に一礼し、早速オーケストラにタクトを向ける。

始まる。

我々の呼吸を摑《つか》むような数秒を置いてから、瀬戸先生のタクトが動いた。

出だしは合った……と思う。指は暗譜でほとんど勝手に動いていく。焦って早く動こうとするのを意識的に落ち着かせて、身体でリズムを確認する。座に加わっていると、自分が演奏している感覚がなくなるほど、堂々とした音に包まれる。自分のマンドリンがアンサンブルに溶け込んでいるのを感じながら、曲の感情を指先に委《ゆだ》ね、ピックでトレモロを奏でていく。

とにかく、音を見失って演奏を止めてしまうのだけは避けないといけない。前列だけに目立つことこの上ないから、冗談ではなく、弾き真似をしてごまかさなければならなくなる。

私にしては目いっぱいの集中力を注いで、「G線上のアリア」を終了。目立ったミスもなく、拍手の大きさからして、演奏は成功したと見てよかった。

続く「メキシコ組曲」も問題はなかった。後ろの一年生らしき奏者の音が最初、はやり気味に出てしまったが、全体がそれで狂うことはなく、まあご愛敬《あいきょう》として許せるものだった。私自身、やるときはやるもんだなと、自分を褒めてやりたいような合格点の出来だった。

「これより十分間の調弦休憩に入ります」

第一部が終わり、私はほっとしながら、束の間の余裕を客席への視線に乗せた。といっても、奥まではとても見通せない。せいぜいが前から五、六列ほどだ。

石飛さんは……そこには見当たらなかった。

目についたのは、最前列で盛んに拍手をしていた鹿島さんだった。

鹿島さんが最前列にいるのは、彼らしい気もする。とすれば、石飛さんはさりげなく後ろのほうの席に座っているのかもしれない。そうだろうと思いたい。

第二部の間は控室で待機する身である。第一部に参加した二年生の経験者組は、「緊張したよ～」とハイテンション気味に騒いでいる。残りの未経験者組は第三部からの参加で、しかも実質的にはこの定期演奏会がデビューの場となるわけだから、一足先に舞台を踏んだ仲間を迎える笑顔もまだ硬いままだ。二年生同士はお互い顔を見合わせながら、ほっと息をついて苦笑い……という感じである。

間もなく第二部が終わり、十分間の調弦休憩を経たあと、私たちはまたステージに移動した。第三部の私のパートはセカンドマンドリンなので、扇形を描いているオーケストラの真ん中あたりに座ることになる。階段状の客席から見れば、どこに座っていようと同じかもしれないが、心なしか気楽には感じる。

拍手の中、演奏態勢が整う間、私はちょっと頭を動かして場内を見渡してみた。最前列にいた鹿島さんの姿が消えている。帰ったのだろうか。飽きたのか相変わらず用事があって忙しいのかは分からないが、私は何となくほっとする思いだった。

石飛さんの姿は、やはり見つからない。

瀬戸先生が登場して、演奏が始まる。

総勢三十八人のアンサンブルが嚙《か》み合うと、その音色にも高級感あるふくらみが生まれる。高音になるほど魅力を増して旋律を盛り上げるマンドリン、中低音で落ち着きと深みを加えるマンドラテノールやマンドロンセロ、甘く柔らかい伴奏で曲に表情を与えるギター、重みのある響きでリズムを築くコントラバス……この日を迎えるまでは大変だったけれど、人前で努力の成果を披露するのっていいなと思う。学生が趣味でやっているにしては贅沢なほど立派な発表の場が与えられていて、頑張りがいがあるのは確かだ。

トレモロが織り成す気品あるメロディーに自分の音を重ね合わせていく。あとでテープを聴けば粗も見つかるかもしれないが、まずまず上々の出来ではないだろうか。

第三部の二曲が終わった。瀬戸先生がタクトを下ろして、満足げにこくりと頷《うなず》く。

拍手に包まれ、我々の顔にも笑みが咲く。瀬戸先生が観客席に向いたのを合図に、一斉に立ち上がって拍手に応える。

瀬戸先生とその横に立つコンサートマスターに対して、ＯＢから花束が贈られる。観客の拍手が一段と大きくなった。

客席からも花束を持った人たちが出てきた。一人、二人と出てきてからは、続々と立ち上がって、ステージ前に集まってくる。

ステージに立つ部員たちが、自分の知り合いや家族を見つけて、それを受け取る。私の同級生たちもそれぞれ自分に向けられた花束をもらい、ちょっと照れくさそうな顔をして席に戻ってきた。

拍手がそれらの光景を優しく包み込む。

私は石飛さんの姿を探していた。

ステージ前に見当たらず、後ろのほうから出てくる人影を待った。

けれど、石飛さんは出てこなかった。

祈るように待っていても、現れてはくれなかった。

私はあっけなく夢から醒《さ》めた。

現実はこうだった。

私の心から色が失せていく。

いつまでも鳴り続く拍手が、私の肌を刺す。

ステージ脇から出てきたOBがみんなの花束を回収していく。周りが軽やかに動いている中で、私はただ突っ立っているだけだった。

そりゃ、私の願いがずうずうし過ぎたのかもしれないけれど……。

でも、だったら、了解したような素ぶりを見せなくてもいいじゃないか……。

私は無邪気に期待してしまっていた。

馬鹿みたいだ。

瀬戸先生がコンサートマスターに目配せし、私たちは座り直した。楽器を構えると拍手がようやくやんだ。

そして、アンコール曲の演奏が始まった。

しかし、私の手には力が入らなかった。弦を撫《な》でるようにピックを動かすだけ。自分のマンドリンの音が聞こえない。それで別に構わないという投げやりな気持ちになっていた。

勇壮な曲が終わった。

拍手が鳴り響き、私たちは再び立ち上がってそれに応《こた》える。

「本日はご来場ありがとうございました。一年の練習の成果を披露する晴れの舞台である定期演奏会が、今年も素晴らしい聴衆のみなさまに受け入れられて成功したことを心から感謝し、お礼を申し上げたいと思います。

四年生は今日の舞台を最後に引退いたしますが、我がマンドリンクラブはこれからも地道な練習に努め、来年はまたいっそうアンサンブルに磨きをかけて、このホールに戻ってきたいと思います。本日はご来場、ご静聴、そしてたくさんの拍手をありがとうございました」

全部終わった。

早く帰りたかった。

ステージ脇に近い列から部員が退場していく。

私も早くステージから下りたい……そう思いながら、先走るように動きかけた、そのとき……。

花束を抱えて、客席の中央通路を駆け下りてくる人影が目に入った。

びっくりするような大きな花束で、私のところからは持っている人の顔がなかなか見えない。その花の大きさに、客席からは軽いどよめきが起こっている。はやし立てるように拍手の勢いが増した。

その人影がステージ前までたどり着いて、花束を持ち替えたことで、その人の顔が私にも見えた。

鹿島さんだ。

私と目が合うと、彼は満面の笑みを浮かべて、その大きな花束を掲げてみせた。

第一部で最前列にいたときは、こんな花束を持ってはいなかった。

周囲に花束を持っている人がいるのに気づいて、今まで演奏もそっちのけで買いに行っていたらしい。

それにしても、この花束……ほかの誰がもらったものより巨大で派手派手しい。

「香恵ちゃん！」鹿島さんが微笑みながら呼ぶ。

私に渡すつもりなのだ……いや、それはたぶんそうなんだろうと分かってはいたのだが、私は動けなかった。

「香恵ちゃん！」取りに来てと鹿島さんが繰り返し呼ぶ。

「堀井さん、呼んでるよ」上級生が私のほうを振り返って、受け取るように促す。

周囲のみんなが私を見ている。

妙な間が空いて、場内がざわつき始めた。

どうしても私が受け取らなければならないのか。どうやらそうしないと、この場は収まりそうにないらしい。

けれど、どう考えても、私は鹿島さんから花束をもらうべきではないと思う。欲しいとも思わない。

どうしたらいいのか分からない。

どうしよう。もうやだ……脂汗が出てきた。まるで針のむしろだ。早くここから逃げ出したい。

鹿島さんが徐々に顔から笑みを消して、困ったように周囲を気にする。そしてまた私を見つめる。彼もまた焦っている。

「香恵ちゃん！」

彼の声が一段と大きくなり、訴えるように響いた。

「葉菜ちゃんから。葉菜ちゃんからだから」

彼は臆面《おくめん》もなくそう言って私を急《せ》かした。

それが本当なのかどうか、疑う余地はいくらでもあったのだが、まともに追及する気はなくなっていた。それならいいいんじゃないか。それで手を打とうじゃないか。私はこの場を早くやり過ごしたいがために妥協した。

小走りに前に進み出て、鹿島さんから花束を受け取った。

会場全体から、この日一番の拍手喝采《かっさい》が沸き上がった。それに応えるように、鹿島さんが客席を振り返って手を振った。さらに場内が盛り上がる。

何だ、これは……悪い冗談にもほどがある。

カサブランカだろうか……抱えた花束の強い匂いが鼻をつく。

私は何だか息苦しくなり、身を縮ませるようにしてステージから退場した。

今秋最大のイベントが終わって、私は数日間、ふぬけとなった。

定期演奏会の打ち上げは一次会で帰ってしまい、週が明けてからの、学園祭に出店するお餅《もちや》屋さんについての打ち合わせにも顔を出さなかった。

何かをやり遂げたあとの充実感や解放感というものは持てなかった。本当は手にしていたはずなのに、最後の最後で気持ちがねじれてしまい、私はそれらを掴《つか》み損ねてしまっていた。

定期演奏会の日、終了後に石飛さんからのメールが私の携帯電話に入っていた。〈お疲れさま。間に合わなくてごめんね。〉というメッセージ。一応行ったのだけれど、演奏中に間に合わなかったと言いたいのだろうか。たかだか電車で一駅、歩きを含めても三十分とかからないところに間に合わないなんて……そういう言い訳をタイミングよく届けてくるあたり、実ははなから行く気などなく、話だけを合わせているような匂いがプンプンとして、私は余計に気分が悪くなった。返事も出さなかった。

鹿島さんからは定期演奏会の次の日に電話をもらった。

〈いやあ、あのときは受け取ってくんなかったらどうしようって焦ったよ〉彼は快活に言った。

「あんまり大きな花だし、鹿島さんからもらえるとは思ってなかったから、びっくりして……」私はみんなから冷やかされた前夜の打ち上げを苦く思い出しながら、言葉を返した。

〈ちょっと大きかったかな〉彼は笑う。〈俺もあそこまでは考えてなかったんだけど、花屋が気合入れて作っちゃってさ〉

「お前はコンミスかって、からかわれました」

〈コンミス?〉

「コンサートミストレス。男だったらコンサートマスター……オーケストラのリーダーです。コンマスはOBから大きな花束をもらえるんですけど、私のはそれより大きかったから」

〈ははは、からかわれたんだ。でも実際、香恵ちゃん、目立ってたもんね。オーケストラで目立ってたって言ってもおかしいかもしんないけど、やっぱり、音がすべてでもないしね。演奏する姿で目を惹《ひ》くのも大事だよ〉

最後にああいう結末が待っているとは思わなかった私は、昨日もいい気になって身体を揺らしながら演奏していた。本当に馬鹿だ。

〈衣装も清楚《せいそ》な感じで、香恵ちゃん、普段よりおしとやかに見えて、俺も見とれちゃったよ〉

そんなに褒められても、どう返事をしたらいいのか分からない。

「葉菜ちゃんに花束ありがとうって言っておいてください。もちろん、私のとこに連絡が来たら、自分で言っておきますけど」私はやんわりとブレーキをかけた。

〈まあ、あれは、葉菜ちゃんの気持ちを俺が勝手に表現したんだから、気にしなくていいよ〉鹿島さんは悪びれることもなく、爽《さわ》やかに言ってのけた。

私は、恋人の葉菜ちゃんがアメリカに行っているのをいいことに、その友達である私に色目を使おうとする鹿島さんを受け入れるつもりなどないのだ。彼の笑顔や褒め言葉、花を持ってくるようなパフォーマンスをあっさりと撥《は》ね返してしまいたい。しかし、それらの一つ一つは、私に尖《とが》った反発心を起こさせながら、同時にその反発心を丸め込んでしまう。憎らしいことに、鹿島さんの私へのアプローチは、石飛さんが満たしてくれない私の心の隙間に嵌《は》まろうとするのだ。

おかげで私は誰からも祝福されていないとか、誰にも注目されていないという孤独感からは離れていられる。しかし一方で、理想からねじれていくばかりの現実に対する居心地の悪さというのも強烈に感じている。

そして定期演奏会から数日が過ぎた夜、とうとう葉菜ちゃんからの電話が久方ぶりにかかってきた。向こうはまだ夜が明けていないような、いつもより早い時間の電話だった。

〈久しぶり。元気だった?〉という挨拶《あいさつ》に特別の感慨が混じらず、何となく醒《さ》めたような上滑り感があるのは気のせいではないようだった。

〈演奏会、どうだった？　緊張した？〉

葉菜ちゃんは自分の近況は適当に片づけて、その話題を振ってきた。

「うん、まあね。でも、何とか形になったよ」

私の受け答えもあまり冴《さ》えない。

〈お客さん、いっぱいだったって？〉

誰かから、もう話を聞いているのかな……私が一番の仲よしではあるけれど、ほかの子たちとも仲は普通にいいから、連絡を取っていても不思議ではない。

「去年と同じくらいは入ったね。去年よりも多かったかも」

〈香恵んとこは、お母さんたち見に来たの？〉

「来なかったよ。お父さんの都合で来れないって聞いてたけどね」

〈そうなんだ〉

葉菜ちゃんが相槌《あいづち》を打って、嫌な沈黙ができた。お互いの口が重いのだ。

〈ねえねえ、ちょっと聞いたんだけどさ〉葉菜ちゃんが続ける。

「ん……？」

〈香恵、その日一番の花束を誰かからもらったんだって？〉

妙に高く作った声で訊《き》かれた。

「その日一番てことはないけど……」私は無理に苦笑する。

〈前に言ってた、バイト先のお客さん？〉葉菜ちゃんの探るような口調が続く。

「ううん……そうじゃないけど」私は口ごもるようにして言う。「ていうか、葉菜ちゃん、聞いてないかな……？」

〈鹿島さん……？〉

ああ、やっぱり薄々分かっていたんだなと思う。

「……うん」

〈そうなんだ〉そう言う葉菜ちゃんの声に感情はなかった。

「何か急に来て、私もびっくりしたんだけどね」

取り繕うように言ったものの、また嫌な沈黙ができてしまった。「葉菜ちゃんから」という名目で花束をもらったことを言おうかとも思ったのだが、この電話の空気からしても、鹿島さんの言葉通りであるわけはなさそうだ。そんなことを安易に言い訳に使っては、葉菜ちゃんの神経を逆撫《さかな》でしてしまうかもしれないし、葉菜ちゃんと鹿島さんとの間に取り返しのつかない亀裂《きれつ》を生んでしまうかもしれない。下手に口にするのははばかられる。

ただ、私がそれをためらっているうちに、葉菜ちゃんの話は先に進んでしまうだろう……それは予感として分かることだった。

〈ねえ……ちょっと訊くけど〉

葉菜ちゃんは完璧《かんぺき》なほど冷静な声を出した。

〈今、香恵って、鹿島さんと付き合ってるの？〉

笑って一蹴《いっしゅう》できる空気ではなかった。葉菜ちゃんとは共有したことのない初めての重さを感じる。

「そんなことあるわけないじゃん」

真面目に答えてから、もしかしたら一笑に付したほうがよかったのかなとも思えてきた。一言で誤解を解く自信はなかった。けれど、何を付け足していいのか分からない。今の葉菜ちゃんは、ひびの入ったガラスのようだ。そのひびを前にして私に向かってくるから怖い。

〈じゃあ、何で、鹿島さんが香恵に花束持ってくの？〉

「そんなの分かんないよ……私に訊かれても」

〈正直に言ってくれていいよ。私、怒るつもりないし〉

「正直に言ってるってば」

私がそう言っても、心の曇りは晴れないらしい。葉菜ちゃんは大きなため息をついた。

〈じゃあ、あの人が一方的にやってるってこと？〉

その質問もはっきり答えていいのかどうか分からず、私は曖昧《あいまい》な相槌を打つことしかできなかった。

〈付き合ってるかどうかはともかく……香恵はどう思ってるの？〉

「どうも思ってないよ。葉菜ちゃんの彼氏なんだし、最初からそんな目で見てないから」

今度は葉菜ちゃんが、分かってくれたような分かってくれないような、曖昧な相槌を返してきた。

「私は、葉菜ちゃんたちがうまくいってないのは感じてるから、何とかまたうまくいってほしいって思ってるだけだよ」

そう言うと、多少なりとも誤解は解けたのか、葉菜ちゃんの〈そう……〉という呟《つぶや》きにも、張り詰めた色はなくなった。

〈でも、私はもう駄目だと思う〉葉菜ちゃんは暗い声で言った。

「どうして？」

〈分かるよ……彼に背中向けられてるの。声をかけても背中で返事されてるの〉

実際、私も鹿島さんの心が葉菜ちゃんから離れつつあるのを知っているだけに、無責任には励ましにくい。

〈留学なんてしなけりゃよかった……〉

あの希望に満ちあふれていた葉菜ちゃんから、そんな台詞《せりふ》を聞くことになるとは思わなかった。歳月の経過って怖いなと思う。

〈あんなに楽しいことばかりだったのに、本当に終わりなのかな……〉

彼女の声が湿り始めた。

〈私……もうあきらめなきゃ……〉

とうとう葉菜ちゃんの声に明らかな嗚咽《おえつ》が絡んできた。

「葉菜ちゃん……」

〈さっきまでずっと泣いてたんだよ……もう心の中で鹿島さんにお別れしたんだよ……でも、まだ泣けてきちゃう……何でこんなにつらいの？〉

私は葉菜ちゃんがむせび泣くのを、ただ呆然《ぼうぜん》と聞いていた。頑張り屋で気が強くて、涙なんて似合わない子なのに……そばにいたなら、肩を抱いてあげたかった。

やがて電話の向こうが少し静かになった。感情の波が過ぎたようだった。

「大丈夫？」私はそっと声をかけてみた。

〈うん……〉葉菜ちゃんは力のない涙声で答えた。〈ごめん〉

それからしばらく、強く洟《はな》をすする音がした。

〈大丈夫だよ〉

葉菜ちゃんが自分から言った。かなり落ち着きを取り戻した声になっていた。

〈さすがにもう、あきらめられるよ〉

「そんな、無理にあきらめなくても……」

〈そのほうが、つら過ぎるし〉

「そうだろうけど……」

〈ねえ……〉葉菜ちゃんが私を呼んだ。〈彼って……たぶん、香恵に気があるんだと思う〉

私は何と応《こた》えたらいいのか分からない。

〈人間の感情だから、仕方ないよ〉葉菜ちゃんは自分に言い聞かせるように言った。

「そう言われてもさぁ……」

〈でも、そうだとしたら、いい加減な気持ちじゃないと思うの。私が知ってる彼はいい加減な人じゃないから〉彼女は切実な口調で言った。〈だから、もし彼が香恵に気持ちを伝えてきたとしたら、ちゃんと考えてあげてよ。私のことは気にしないで、彼の気持ちを受け止めてあげて。それだけ私のお願い……頼んどくよ〉

何て哀しいことを言うんだろう……。

葉菜ちゃん、本当に鹿島さんのことが好きだったんだなと思う。

その言葉、そのまま受け取るべきものではないと分かっている。

でも、そこまで言う彼女の思いから何も受け取らないのも違う気がする。

心の中にいろんな風が吹き、私はそれに揺らいでしまう。

7

「よいしょっ！」

そろいのハッピを着たみんなのかけ声とともに、杵《きね》が打ち下ろされる。クラブの男の子の中では割と体格のいい佐野《さの》君がつき役をしているのだが、そこは文化系の限界で、あまり様にはなっていない。こね役もちょっと逃げ腰気味に手を出している。周囲のかけ声で無理に盛り上げている感じだ。

定期演奏会の翌週、我が大学の学園祭が行われた。土日二日間にわたっての開催である。本学の学生のみならず、周辺の中高生や行楽気分の家族連れをも呼び込んで、朝からかなりの賑《にぎ》わいを見せている。

我々マンドリンクラブも、キャンパスのあまり一等地とは言えない隅っこのほうにお餅《もち》屋《や》さんを出店している。マンドリンクラブなのだから、どこかの教室で演奏の一つでも披露したらいいのにと学科の友達などは言うのだが、定期演奏会を終えたばかりの私たちにしたら願い下げの話である。今はただ、祭りなら、ひたすら何も考えなくていいようなことをやっていたいのだ。

私はほかの女の子たちと同じく、へそ出しニットにホットパンツを穿《は》いてハッピを羽織るというコスプレまがいの格好をさせられながらも、客引きの仕事はてんで怠けていた。店の奥に座り、餅をちぎってはきな粉をまぶすという楽ちんな仕事をして、いかにも積極的に参加しているというポーズを取っていた。中にはハッピを着たままイベント広場に行ってしまい、そのまま戻ってこない子たちもいるから、私など真面目なほうだ。あちこち遊び回りたくなるほどには浮かれた気分になれていないということでもある。

「よし、じゃあ、ここらで女の子いくか⁉」

この学園祭が終われば追い出しコンパで引退となる四年生が言った。朝についた餅は売り切れ、昼前についた餅も残り少なくなっていて、本日三度目の餅つきが行われている。印象としては、ずっと「よいしょ！　よいしょ！」とやっている感じである。そういう賑やかなパフォーマンスも売りの一つだということもあるだろう。餅はそれほど大量にはつかないのに、臼《うす》と杵は堂々とした大きさのものを借りてきている。

その大きな杵を振り回していた男の子たちも、このへんでくたびれてきたようだ。

「そこ、ずっと座ってるから出てきてよ」

私たちが呼ばれてしまった。

「はい、君たち運動の時間ですよ！」

手を引っ張って、連れ出された。

客引きではないからいいか……美歩ちゃんらと顔を見合わせて、観念した。

「はい、誰？　誰？」佐野君が私たちに杵を差し出してくる。

それではということで、まず美歩ちゃんが杵を受け取った。

「美人ぞろいの当クラブ女性陣から、まずは美脚のプチフェロモン系、沢田《さわだ》美歩の登場です」

四年生のふざけた紹介を受けて、周りから拍手が沸き起こった。部員たちだけでなく、お客さんも乗っている。無理やり盛り上がっていたのが、自然な華やかさに変わった。

美歩ちゃんが杵を振り上げる。

「よいしょっ!」

おっかなびっくり振り下ろす。餅をついているというより、餅の上に置いたといった感じだ。それでもやんやの喝采《かっさい》を浴びた。演奏姿も抜群のスタイルがいい子だから、格好がつかないなりにも絵にはなっている。

「よいしょ!　よいしょ!」

美歩ちゃんは「重いよ〜」と黄色い声を上げながらも、十回くらい頑張った。そして、ちょっと足がふらついたところで、「もう駄目、交代」と降参した。

「何だ、もう終わりか!?」

野次とねぎらいの拍手が混じる。

「次!」

みんなの視線が美歩ちゃんの後ろに立っていた私に移った。私もやる気になっていたから、前に進み出た。

「お次は天然少女、堀井香恵。やるときはやる子です!」

訳の分からない紹介をされ、ひとしきり拍手を浴びた私は、満を持して杵を手に取った。

重心が先にあるから、かなり扱いづらい。ふらつかないように足場を固め、杵を振りかぶる腕に力を入れた。

このところの日々のもやもやを吹き飛ばしてしまいたい……そんな衝動もたっぷり込めて、杵を勢いよく振り下ろした。

「よいしょっ！」

と、しかし……。

余分な力を入れ過ぎたからか、杵はコントロールを失って餅から大きく外れ、臼の縁をこすって地面にゴンとぶち当たった。

「っ、痛ぁっ！」

手がびりびり痺《しび》れて、私は悲鳴を上げた。

それを見守っていた周りから、どっと笑いが起こった。

とほほ……やってしまった。

「みなさん、これ、狙ってませんから！　こういう子ですから！」

四年生が茶化して、笑い声の輪が大きくなった。

本当に受け狙いで失敗したわけではないから、私は恥ずかしくて、穴があったら入りたい気分だった。

「さあ、もう一回！」

声に促され、私は杵の先を拭《ふ》いてもらってリベンジする。

「よいしょっ！」

また当たらない。力を加減して地面こそ免れたものの、臼の縁に打ち下ろしてしまった。

また笑いが起こる。

「今のは狙いました！」四年生が解説する。

「狙ってません！」私はむっとして言う。

「ごめんなさい、これも本気だったそうです！」

私の反論が、また周囲の笑い声を誘ってしまった。

「もっと両手を離して持ったら？」

経験者の美歩ちゃんにアドバイスされて、私はその通りにした。

「しっかり腰入れて！」

お客さんのおじさんにもハッパをかけられた。

「よいしょっ！」

今度は見事に命中した。拍手が沸き起こる。

要領を摑《つか》んだ私は、名誉挽回《ばんかい》とばかりに続けざまに餅をつき始めた。ほとんど息を止めての無酸素運動である。

「よいしょっ！　よいしょっ！」

私が自分のペースで餅をつくので、こね役の男の子が「うわ、まじ、怖いんだけど」と言いながら、慌てて手を引っ込めたりしている。

それでも次第に一定のリズムができてきた。私はそれに乗って、一心不乱に杵を振る。無酸素運動はたちまち限界が来て、今度は肩で息をしながらの餅つきとなった。

私の頑張りに対して、周りの声援には感心するような唸《うな》り声も混じり始めた。

「何だか意地になってますよ！」

四年生がまたもや茶々を入れる。

「最近、何か嫌なことでもあったんでしょうか！」

余計なお世話だよ……私は杵に鬱憤《うっぷん》をぶつけて、餅をへこませる。

「よいしょっ！　よいしょっ！」

二十回、三十回を軽く超え、汗が首筋を伝うようになっても、私は手を止めなかった。だんだんと周囲のかけ声がおざなりになり、それくらいにしておけという空気が絡み始めた。私はそれにも逆らうようにして、餅をつき続けた。

腕の筋肉がぱんぱんに張ってきた。それでも構わず、杵を餅から引き剝《は》がす。こね役が餅を裏返す。私はそこに杵を振り下ろす。いつからか荒い息に顎《あご》が上がり、目の前の餅からも気持ちが離れて、いったん餅をつくと、呼吸を整えながら遠くへ視線が向くようになった。

また杵を振り上げ、そして振り下ろす。顔を上げ、視線が自分を取り巻く人影を追い越す。出店が立ち並ぶ賑《にぎ》やかな風景を漠然と眺める。そうしていると、ふと気分が解放の境地に近づき、さすがに気が済んだかなという思いが湧いてきた。

これくらいにしておこうか……。

あと一回で……。

そう思いながら、視線を戻そうとして……。

私は見つけてしまった。

何軒も先の出店の前。

人波の中に見え隠れする……。

石飛さんだ。

それこそ、文具店の奥と入口よりも離れた距離だったが、彼に間違いなさそうだった。

女の人と一緒にいる。

腕を組んでいるように見える。

私は惰性で杵を振り上げたが、力が入らなかった。手が滑り、杵が暴れて、一回目と同じように、地面に落下した。

「うわっ！」

これね役の男の子が慌ててのけぞり、引っくり返った。

私はまた、周囲の笑い声に包まれた。

「これ、最後は尻餅《しりもち》をついたっていうオチですから！」

四年生がそんなふうにまとめて、私は御役御免となった。

私は杵を次の子に手渡すと、ふらふらとした足取りでお餅屋を取り巻く輪から出た。

やはり石飛さんだ。

パーカーシャツにジーンズという出《い》で立《た》ちで、女の人と二人、焼きそば屋の前に並んでいる。

女の人は石飛さんの腕を摑んで離さず、笑顔で彼に話しかけている。彼と同い年くらいだろうか……学生風ではなく、艶《つや》のあるボリュームたっぷりの長い髪に大人の色香をにじませている。高いヒールを履いて、脚のラインもきれいだ。

遠目からでも美人であることが分かる。

時折見える石飛さんの横顔も、リラックスしているように柔らかい表情をしている。

焼きそばを買い、二人でベンチに座って食べ始めた。

何だ……そういうことなのか……。

そりゃ、花束なんて持ってきてくれるわけないよな……。

自分の期待に応《こた》えてくれなかった彼への腹立ちなど、行き場もないままに消え失せ、ただひたすら自分の思いが空回りしていただけであることに気づいて空しくなった。

何もこんなところでデートなんかしなくたっていいのに……。

私はすごすごと出店の奥に退《さ》がった。

「何、ため息ついてんの？」

きな粉餅作りの作業に戻っていた美歩ちゃんからそう言われた。

「別に……」

私は空いていたパイプ椅子に腰を下ろす。ぼんやりと、ただそこに座る。

「握力なくなっちゃったの？」仕事をしない私を気遣ってくれる子もいる。

「うん……」私は適当に頷《うなず》いておく。

石飛さんたちがお餅屋の前を通っていくのが見え、私はうつむいてやり過ごした。

「どうしたの？　急に元気なくなっちゃって」

「餅つきで力使い果たしたんでしょ」

「調子に乗るからだよ」

「ていうか、本当、大丈夫？」

みんな口々に心配してくれるが、その一つ一つに応える気力もなくなっていた。

「ずっとここにいるのもつまんないから、そのへん見てこよっか？」

そういう声にも「私はいいや」と首を振ると、さすがにもう面倒を見切れなくなったのか、一人置き去りにされてしまった。

別にいいけど……。

一年生たちが美歩ちゃんらの代わりをする横で、私は相変わらずぼんやりと座り続ける。午後も大きく時間が回り、出店が日陰に入ったため、ほんのりとした寒さが身体を包むようになった。

お汁粉がどんどん売れていく。

このままここにいても身体が冷えるだけだし、もう帰ろうかな……それで、明日は休んじゃおうかな……そう思い始めた頃になって、美歩ちゃんたちが何やらニヤニヤして戻ってきた。

「ねえねえ、この前の花束の彼、向こうに来てたよ」

「え？」

「あの大きな花束の人。たぶん、香恵を捜してるんだよ」

「もうすぐ来るよ」

鹿島さんが来ているらしい。

石飛さんは家に近いからぶらりと来たんだろうが、鹿島さんはやはり私に会いに来たんだろう。

「今日は花束、持ってなかったけどね」

恭子ちゃんが冷やかし気味に言って、美歩ちゃんらが笑う。

「でも、けっこうなイケメンだよね。どこで知り合ったの？」

「私もそれ訊《き》きたかった。この前訊こうと思ったら、香恵、いつの間にか打ち上げ帰っちゃってたし」

「どこって……」

葉菜ちゃんの彼だよ……そう言おうとして言えなかった。葉菜ちゃんと鹿島さんが別れそうだからということだけではなく、もしかしたら私と鹿島さんは付き合うことになるんじゃないか……その鹿島さんを今、葉菜ちゃんの彼だと説明したら、あとあとまた面倒くさい言い訳をしなければならなくなるんじゃないか……そんな思いがかすかに、しかし無視できない存在感を持って、私の頭をよぎったのだった。

「誰かの紹介？」

「うん……そんな感じ」

私は話を受け流して、椅子から立ち上がった。

「迎えに行くの？」

「ん……てか、ちょっと」

曖昧《あいまい》に言って、店から出る。私は迎えに行くのだろうか……自分に訊いても分からない。ただ、鹿島さんが店までやってきたとき、みんなに好奇の目で見られるのがちょっと嫌だったから、とにかく出てしまいたかったのだ。

それでも、私は美歩ちゃんたちが遊びに行っていたほうへと足を向けていた。反対側は、石飛さんが通り過ぎていったほうだからということもある。

そして、あっけなく鹿島さんと出くわした。

「いたいた」私を見つけた鹿島さんは嬉《うれ》しそうに顔をほころばせた。「ちょっと暇ができたから来てみたんだ。マンドリンクラブの店が向こうにあるっていうから、覗《のぞ》いてみようと思ってたとこなんだよ」

「そうなんですか……」

私は適当に愛想笑いを浮かべて応えた。

「お祭りっぽくていいね」

彼は私のハッピ姿を指して言う。そういう彼も、今日はジーンズにスタジャン風のブルゾンを着て、いつもよりぐっとカジュアルな装いをしている。

「今、忙しいの？」

「いえ……そうでもないですけど」

「そのへんに座って何か食べようよ」

そう誘われるのを薄々予感しながら忙しいとは言わなかったわけで、だから私はさしたる抵抗を感じることもなく、彼の言葉に従った。

私は石飛さんたちが座っていたベンチに腰かけた。鹿島さんがたこ焼きと缶コーヒーを買ってきた。

「寒くない？」

そう言って、彼は自分のブルゾンを私の膝《ひざ》にかけてくれた。少し気取った仕草にも思えたが、実際、足元が寒かったのでありがたかった。肩に羽織らせるのでなく、膝にかけてくれたのも気が利いていると思った。

「楽しそうだね」鹿島さんが出店の賑《にぎ》わいを眺めて言う。

「やってるとそうでもないですよ」私は缶コーヒーを両手で挟んですすりながら応えた。

「そうなんだ」鹿島さんは軽く笑った。「でも、こういうのを見てると学生に戻りたいって思うなぁ」

「鹿島さんはどんな学生だったんですか？」

「どうせちゃらちゃら遊んでたんじゃないかとか思ってるでしょ」

「そんなこと思ってませんよ」私はとぼけた。

「俺はけっこう頑張ってたよ」彼は本気とも冗談ともつかない口調で言った。「サークル、ＥＣＣだったしね。それがなぜか体育会系っぽくてさ、発声練習するときは大きな教室の壁伝いに立って、一人一人、『Ａ、Ｂ、Ｃ……』って声を出してくわけ。で、お腹に力が入ってるかどうか、上級生がみんなのお腹を押して回ってね。こんなの英会話の上達と何が関係あるんだって思いながらやってたよ」

「うちもかなり体育会系ですよ」私は口を尖《とが》らせる。「弦を押さえるための握力トレーニングとかやらされるし、手首や肩に負担がかかるから、みんな整体とかに通ってるんですよ。辞める理由が『体力の限界』だったりするんですから」

「ははは、プロ野球選手みたいだね」鹿島さんは愉快そうに笑った。

「本当、そうですよ」

私は言いながら、爪楊枝《つまようじ》を手にして、鹿島さんが買ってきてくれたたこ焼きに刺した……が、それを口に運ぼうとして、膝にかけたブルゾンの上にぽろりと落としてしまった。

「あっ、ごめんなさい！」

「いいよ、いいよ」

鹿島さんはさらりと言い、ブルゾンの上に転がったたこ焼きをつまんで自分の口に入れた。しかし、ブルゾンにはソースが付いてしまっている。

「やだ、本当、ごめんなさい」

慌ててハッピの袖《そで》で拭《ぬぐ》ってはみたものの、逆にソースをすり込んだようなことになり、くっきりと染みが残ってしまった。

「そんなことまでしなくていいよ」

鹿島さんはそう言って、私からブルゾンを取り上げてしまった。

「お餅《もち》のつき過ぎで、手に力が入らなくて……」

「そうなんだ」鹿島さんは笑う。「いいよ、気にしなくて」

彼は軽く言う一方で、バッグからウエットティッシュを取り出し、その染みをこすり始めた。

気にしなくていいと言う割にはけっこう必死になって取っているから、私も気まずく思えてくる。

黙々と染みを取っていた鹿島さんが、ふと我に返るように私を見た。

「いや、全然、大丈夫だから」そう言って笑顔を取り繕い、染みを取るのをやめてしまった。

私はその強がりが何だかおかしくて、不謹慎ながら笑ってしまった。鹿島さんも一緒に笑っている。

「はい」彼はもう一度、ブルゾンを私の膝にかけようとする。

「私、もうコーヒーで身体温まったし、また汚しちゃうから」

「汚さない方法があるから」彼はブルゾンを私に押しつけ、次にたこ焼きの爪楊枝を手にした。「手に力が入らないなら、俺が食べさせてあげるよ」

「いいですよ！」私はのけぞって遠慮する。

「いいから、口開けなよ」

「いいですって」

私は手を振って拒んだが、鹿島さんの冗談混じりながらの強引さに根負けし、とうとう彼の手からその一つだけを食べさせてもらう羽目になった。

鹿島さんが満足そうにほくそ笑む。私も、自分はいったい何をやってるんだろうと思いつつも、ことさら嫌な気分になったわけでもなかったので、あまり深くは考えないことにした。

「これ、中のタコ、ちっちゃいですねえ」私は口の中でこりこりした感触を確かめて言った。

「ケチって材料費浮かせてんじゃないの」

「ひどいなぁ、どこのサークルだろ」

女の子が呼び込みをやっていて、雰囲気的にはイベント系のサークルっぽい。

「そんな、学生の店に目くじら立てなくてもいいじゃん」鹿島さんがくすくすと笑って言った。

「駄目ですよ。こんなのお客さんを馬鹿にしてますよ。たこ焼きはタコが命なのに」

「そんなにタコが好きなの？」

そんなにタコが好きなのかと、あえて尋ねられても困る。変なことにこだわって、自分が子供みたいだ。

「エビやカニはもっと好きですけどね」そう答えておいた。

「シーフード系が好きなんだ？」鹿島さんは少し興味をそそられたように訊《き》いてきた。

「そうですね」本当に好きなので、私は素直に頷《うなず》いた。「イカのあぶり焼きとかエビフライとか大好き。あ、でもカキとサバはあたったことがあるから駄目ですね。それ以外だったら、あとはだいたい好きかな……変なくさみがなければ……コイとかナマズは、食べれなくはなかったけど、二度目はいいかなって感じですね」

「てか、コイやナマズはシーフードじゃないし」

「あ、そっか……ごめんなさい」

「ははは」

鹿島さんはひとしきり笑ってから、駅のほうを指差した。

「ちょうど一軒、ここの駅の近くにいい店があるの見つけたんだよ」

「あ、もしかして、〔グレート・バリア・リーフ〕ですか？」

「そうそう、何だ……やっぱ有名なんだ」

「グレバリ、評判いいですよね。でも、私はまだ入ったことがないんですよ。美味《おい》しかったですか？」

「うん、けっこう美味《うま》かったよ。入ったことないなら、ちょうどいいじゃん。もしあれだったら、今日とか……」

鹿島さんは私の顔色を窺《うかが》うようにして、言葉を切った。

「……じゃなくてもいいけど、そのうち行こうよ」

それにも私は、はっきりした相槌《あいづち》を打たなかった。

鹿島さんは私から目を逸《そ》らし、小さく首を振って苦笑した。

「誘うと退《ひ》くんだね」

私は言葉を探して顔を伏せた。それから少しして口を開いた。

「葉菜ちゃん、泣いてましたよ」

鹿島さんは私をちらりと見て、静かに息をついた。「そう……」と低い声で言い、しばらく黙ってしまった。

「俺が悪いからね」ぽつりと呟《つぶや》く。

私は頷いて言う。「ひどいです」

彼も下を向いて頷いていた。

「泣いてたんだ?」

彼の声には、少しショックを受けたような暗い色があった。

「泣いてました……そんな簡単に泣くような子じゃないのに」

「そうだね」彼は自己嫌悪を覚えたように、顔をしかめた。「何を言われても仕方ないよ……俺は」

「葉菜ちゃんは鹿島さんのことが本当に好きなんですよ……たぶん、鹿島さんも知らないくらいに」

「うん……」彼は吐息混じりに言う。「でも、それは分かってるつもりだよ。分かってて、こうなってる。だから、自分が悪いって思ってる」

この間のような開き直りの口調ではなく、彼自身も悩んでいるのが伝わってくる言い方だった。

「どうしようもないんだよね」彼は言葉を継ぐ。「自分の気持ちって、自分のことなのにコントロールできないんだ……やり方があったら教えてほしいくらいだよ」

「葉菜ちゃんも言ってました……人間の感情だから仕方がないって」

私がそれを言うと、鹿島さんは微苦笑して空を見上げ、少し疲れたような眼を見せた。

「困らせてごめん……香恵ちゃんも」

私はその言葉を受け止めて、首を振る。

「私も気持ちが揺れやすいから……人のことは言えないかも」

鹿島さんは私の顔を見つめてから、口元に弱い笑みを覗《のぞ》かせ、「今日は帰るよ」と言った。

私はお礼を言って、膝《ひざ》にかけたブルゾンを返した。

「懲りないやつって思われるかもしれないけど……また誘うよ。それはもう、俺の中で決まってるから」

彼は横顔でそう言い、ブルゾンに袖《そで》を通した。そして小さく手を上げ、染みの付いた背中を私に向けた。

鹿島さんとの距離が徐々に近づいてきている実感がある。今は困惑が勝っているけれど、それは単なる嫌な気分とは違う。会話を重ねるにつれ、以前にはあったはずのフィーリングの違和感も薄まり、彼の飾った部分以外のところからにじみ出る人のよさも感じられるようになってきた。

それでもまだ私には、好きになってはいけない人なんじゃないかという歯止めが残っていると思う。その歯止めがいつまで利き、そして消えたときに私の感情がどうなってしまうのかは、まだ分からない。

その夜、部屋でそんなことを考えながらぼんやりしていた私に、一本の電話がかかってきた。

石飛さんからだった。

連絡は定期演奏会後のメール以来のことで、電話は初めてだった。

「もしもし」私の声は知らず知らずのうちに、何かを警戒するようなトーンになっていた。

〈あ……石飛ですけど〉彼も何だか名乗りにくそうに名乗った。

「……こんばんは」私は間の悪い挨拶《あいさつ》をした。

〈えっと……〉石飛さんはちょっと気まずそうに口ごもる。〈この前はごめんね……急ぎの仕事に押されて間に合わなくなっちゃって〉それから、苦笑いの混じった声で続けた。〈そろそろ機嫌も直ってるかなと思って電話してみたんだけど〉

「機嫌だなんて……」私は不機嫌な声で言う。「こっちが一方的に言っただけの話ですし、別に気にしてませんから」

〈ならいいけど……また何か埋め合わせできることがあったらするよ〉

「特にないですし」

〈そうなんだ〉彼は困ったように笑う。

「今日、うちの学園祭でお見かけしましたよ」私はちょっと攻撃口調になって言ってみた。

〈あ、やっぱりいたんだ〉彼はさらりとした反応を返してきた。〈俺も香恵ちゃんいないか捜したんだけど、あの賑《にぎ》わいで見つかんなかったよ〉

人を捜していた様子なんか、これっぽっちもなかったじゃないか……私は呆《あき》れ気味に思う。

「私に会いに来たんですか?」意地悪く訊いてみる。

〈それもあるし、俺もOBだしね……美術科の……で、ちょうど仕事が上がったから、行ってみたんだ〉

「そうなんですか……」

美術科は美大などに通うより学費が安いから、教員志望者以外にも人気があると聞いている。

〈店、やってたの？〉

「お餅屋《もちや》にいました」

お餅屋自体が印象になかったらしく、彼は〈ふーん〉と受け流した。

「連れの人と店の前を歩いていきましたよ」

〈ああ、彼女ね〉石飛さんはうろたえることもなく言った。〈演奏会の日も、彼女にラフ案の駄目出しされて、間に合わなくなっちゃって〉

彼の仕事に口出しするほどの間柄らしい。

〈この前みたいに声かけてくれたらよかったのに……〉石飛さんは言う。〈ていっても、演奏会のあれがあったから微妙だったのかな？〉

「いえ……そういうわけじゃないですけど、あっという間に行っちゃったし」

〈そっか……〉

彼は半分くらいは納得したような口ぶりで言い、ちょっとした沈黙を挿《はさ》んでから話題を変えた。

〈えっと……この前のデジカメの写真だけどさ……あれ、どうなったかな？〉

どうやらそれが用件だったようだ。

「まだプリントしてません」

本当はとっくにプリントしてあったが、私は反射的にそう言っていた。

〈あ、そう……〉彼は弱ったふうな声を出した。〈できたら個展に間に合わせたいんだよね……〉ほとんど独り言のように言っている。

その個展に自分がモデルとなる絵が出品されるということなら、本当であれば私は舞い上がるところなのかもしれない。けれど、実際のところは、そんな気分にはなれないでいる。

「私もいろいろ忙しくて……」そんな言い方でごまかした。

〈そう……〉

「プリントしたら連絡します」

〈うん……じゃあ、頼むよ……ちゃんと何か考えるからさ〉

定期演奏会に行かなかったことをまだ気にしているらしい……というより、そのことで私がへそを曲げていると分かっているのだろう。

でも、事実来なかったのだし、それでいて自分のイベントは何とかしたいという気持ちが見え見えでは、調子が良過ぎるという気にしかならない。

私は適当に返事をして電話を切った。

学園祭が終わり、いつもの大学生活が戻ってきたその週、午前中で講義が終わった日に、私は久しぶりにアルバイトに入った。虚脱感は相変わらず続き、お局《つぼね》さんからずいぶん言われていなかった「声が小さいよ」とのお小言を頂戴《ちょうだい》したところで、運よく可奈子さんに休憩を誘われた。

「演奏会、よかったね」

「あ、可奈子さん、来てくれてたんですか？」

〔今井文具堂〕のはす向かいにあるコーヒーショップで、私はカフェ・ラテとチョコワッフルをいただいている。事務所ならせいぜい十分くらいの休憩しかできないが、ここだともう少し余分に休める。可奈子さんのやることだから、誰も何も言わない。私はたまに誘われて得をする。しかも、彼女のおごりだから、嬉々《きき》としてついていくパターンである。

「我が子を見守る思いで見てたよ」

そう言う可奈子さんは、エスプレッソとクッキーの組み合わせである。

「そうだったんだぁ」

彼女には一応、定期演奏会の日取りくらいは話しておいたのだが、たまの休みに無理させるのも心苦しくて、強くは言っていなかった。

「花束ももらえたし」可奈子さんはからかい口調で言う。「ガウディの彼に」

「まあ、もらうにはもらいましたけど……」私は口ごもる。

「私も最初、みんながもらってたときに香恵ちゃんがもらえてなかったから、焦ったんだよねえ。私があげなきゃいけなかったのかなって思ってさぁ」

「ははは……」私は乾いた笑いで返しておいた。

「でも、ガウディの彼が颯爽《さっそう》と現れたからねえ……私もほっとしたよ」

「颯爽っていうか……まあ、びっくりしましたよね」

「もう一人のほうがよかったかな？」彼女がニヤリとする。

「え？」

「ガウディの彼じゃなくて、スイーツの彼」

何と答えていいか分からず、私は苦笑いしながら首を傾げてとぼけた。

「男の子もやっぱり見栄があるんだよね。まあ、先にあんな大きな花束出されちゃうと、退《ひ》いちゃうのも分かるけどね。ガウディの彼のやつがそこそこのだったら、香恵ちゃん、まさしく両手に花だったのにね」

「それ……どういうことですか？」私は本当に首を傾げた。

「スイーツの彼も遅れて来たけど、あれ見てそのまま帰っちゃったじゃない……聞いてない？」

「え、来てたんですか？」

「私は見たわよ……後ろのほうに座ってたからね。ちょうど、ガウディの彼がステージに駆け寄ってくときにスイーツの彼も入ってきてさ。花束も手にしてたんだけど、タイミング悪かったよね」

石飛さんの言い訳通りだったとしても、間に合わなかったから来なかったのだと思っていた。来たけれど間に合わなかったのだ。

「あれ……」可奈子さんが訳知り顔になる。「来てくれなかったと思って、あっさり切っちゃった？」

「そんな……切ったとか、私、そういう立場じゃないし」

「ふーん……まあ、悩みどころだね」可奈子さんは眼で笑った。

「石飛さん……スイーツの彼はきれいな彼女がいるし、ガウディの彼だって私の友達と付き合ってるんですから」

「ふーん……ややこしいね」可奈子さんは興味深そうに言う。「でも、そんな人たちが花束持ってくるのかな……男の人が誰かに花束渡すって、けっこう抵抗あると思うけど」

「そんなの、人によりますよ」

「そうだね……ガウディの彼は割と抵抗ないかもね」彼女は自分で頷《うなず》いている。「でも、スイーツの彼も一応持ってきたんだし、まあ、どっちも脈があるのは確かだよね」

「もう、適当なこと言わないでくださいよ」私は必要以上に口を尖《とが》らせた。「そろそろ戻らないと」

可奈子さんは、そんな私の反応を楽しそうに見ていた。

その夜、見たいテレビもなく、長くなった夜を持て余していた私は、久々にクローゼットから伊吹先生のノートを出してみた。

定期演奏会の前にはあれだけ熱心に読み、そこから元気をもらっていたというのに、ここしばらくは手に取ろうという意思がさっぱり湧いてこなかったのだ。元気になりたいとも思わないほど元気がなかったというべきか。

それでも今日あたりは、元気になりたいなと思うくらいは回復してきたのかもしれない。夏休みを終えた二学期、優子ちゃんと琢己君がいなくなって、君代ちゃんが戻ってきた4の2は、水泳大会や運動会を始め、一学期以上にいろんなイベントが待っている毎日を賑《にぎ》やかに過ごしていく。それはそれで読んでいても面白いのだが、私の興味はどうやら、伊吹先生と隆さんのその後に移ってきているようだった。どうしてもそのくだりがないか、探してしまう。

学校が始まったことで、プライベートの記述は相対的に減ってしまっている。隆さんとちょくちょく電話やメールを交わしたり、ときには近くで食事をしたり……というような関係が続いているらしいと分かるのは、メモ的な書き込みや、独り言に近い文章によってである。

《今日は伸也君と絵里ちゃんが熱発で休み。季節の変わり目だし、私も気をつけないと。国語の時間、漢字しりとりゲームが盛り上がった。「日本一美男子」って幸久君が自分のことだと言わんばかりに書いたら、清香ちゃんが「史上一番美女」って、それに続いたりして笑える。一学期の頃に比べて、みんな漢字力がついてきた。学級文庫もほとんど出払っているし、習っていない字でもどんどん書ける子が増えた。

絵里ちゃんが休んだ中、日直の仕事を一人で頑張ったということで、伊吹賞は達郎君。チョークの粉の掃除とか几帳面《きちょうめん》にしてあって、男の子なのにえらい。

夕方は学年会議。運動会の教職員リレーは借り物競走に決まったらしい。ただ走るんじゃなくてよかった。けっこう楽しみかも。遠足の日程表は、私が草案作りを担当することに。参考資料をまとめて帰宅。

隆はアイスクリームを食べるのに、平べったい木のスプーンがいいらしい。私はあれ、好きになれないな。舌触りを想像するだけで背中がかゆくなってくる。》

これはたぶん、隆さんと電話でもしていて、アイスクリームを何で食べるかという話にでもなったのだろう。最近、木のスプーンを見かけなくなったとか、そんな話だったのかもしれない。「俺は昔ながらの木のスプーンがいいな」「え〜、私はいつも使ってる自分のスプーンじゃないとやだなぁ」なんて会話だったのだろうか……たわいがなくて微笑ましい。お互いに仕事が終わった夜のひとときをリラックスして楽しんでいる雰囲気が伝わってくる。

どうでもいいけど、私も伊吹先生派だ。木のスプーンのざらっとした舌触りや強引に割り込んでくる木の味が、彼女と同じように苦手なのだ。割り箸《ばし》も味噌《みそ》汁なんかで濡《ぬ》らさないと使えない。

《算数の応用問題は計算能力より設問の文章読解力が大切。まず、設問通りに実物や絵を使って目で見せる。それから、頭の中で設問のやり取りを思い浮かべられるようになればOK。教科書以外からの応用問題を口頭で繰り返して解答させるのも有効だと思う。

学級会で来週のレクリエーションについての話し合い。「フォークダンスとかどう?」って言ったらブーイングを受けた。本当はやりたいくせに。決まったのは「三十五人三十六脚」。なぜか私もやることになってる。しかも男子と女子の間、真ん中らしい。できるかな。

伊吹賞はよく手の挙がっていた健介君。平和な一日だった。

久しぶりに早く帰れたから隆をごはんに誘ってみた。北口の明洞《ミョンドン》。でも七時の待ち合わせが、隆が来たのは八時。仕事が片づいてなかったみたいで、三十分足らずで帰っていっちゃった。だったら断ればいいのに。私だって仕事してるんだぞって言っても隆には通じないのかな。気持ちは対等じゃないんだなって思った。チヂミの味もいまいち。》

また隆さんが意地悪をしたらしい。一時間待たせて三十分足らずで帰っていくのでは、文句を言いたくなるのも当然だ。伊吹先生のほうがよっぽど忙しいはずなのに……自分から惚《ほ》れた相手だけに、どうも分が悪いようだ。

隆さんに関する書き込みはその後も出てくるが、二人の仲は一進一退という感じである。

《隆はカットモデルで散髪代を浮かせているんだとか。今回は微妙な髪型らしい。何が微妙なんだろう。写メールしてって言ったら断られた。》

《隆の髪、何かバランスが悪くて、最初は笑っちゃった。ごめん。でもすぐに見慣れたよ。隆は隆だね。とんかつ屋さんのひれかつ美味《おい》しかった。隆がいると、一人じゃ抵抗あるようなとこでも入れるから嬉《うれ》しい。新しくできたところもあるから、制覇したいな。》

《今日の隆は生返事ばっかり。仕事のことで頭がいっぱいなのかな。電話するんじゃなかった。つまんない。》

《「この前言ってたDVDって何だっけ?」って隆からのメール。この前の話で私が面白かったって言ったのは「ホワイト・オランダー」だったけど、「セレンディピティ」や

「あなたが寝てる間に…」もおすすめだよって返しておいた。たまには恋愛映画も見てほしい。本当は一緒に見たいけど、今はまだ無理かな。》

《やっぱり料理くらい面倒くさがらずにやらないと駄目だよね。隆は私が料理下手だって思い込んでるからしゃく。》

《学生のときより冷静でいられるかなって思ってたけど、そんなふうにはいかないんだ。また一方通行になりそうで怖い。私から連絡取らなかったら、このままなのかな。でもそんなこと試せない。》

《隆って行動先がワンパターンらしくて、よく行くっていうグレバリの近くにあるコンビニを私も使うようにしたら、今日本当にばったり会ってしまった。ちょうど暇だったみたいで、そのまま話の流れでボウリングに行くことに。ワンゲームだけだったけど、ボールを投げてる隆の背中見てるの、何だか幸せだった。スペア取ったとき、隆に拍手してもらった。彼の祝福が私一人に向けられてるって思ったら、また幸せな気持ちになった。少しずつだよね。焦らない。》

《隆、電話も出ない。メールも返ってこない。どうしてだろ?》

《最近の隆、単発で肉体労働系のバイトを入れてるらしい。連絡つきづらい理由は分かったけど、それも心配。あんまりそういうバイト好きそうじゃなかったのに……なかなか仕事が軌道に乗らないのかな。助けようにも、私だって余裕あるわけじゃないし、助けてあ

げるって言えるほどの関係にもなれてないし。》
《夜は最悪。ドタキャンするのはいいけど、じゃあ代わりにいつにしようとか言ってほしいよ。隆ってそんなのばっか。》
《差し入れの弁当、かなりポイント高かったかも。「本当に伊吹が作ったの？」って隆に何回も聞かれたし、すぐに「おいしい」ってメールが入った。やっぱり、うまくいかないときに自分も反発してちゃ駄目なんだ。ぐっとこらえて近づいていかないとね。》

伊吹先生、いろいろ試行錯誤してて涙ぐましいなぁ。隆さんはよほどいい男なのか仕事が大事なのか知らないけれど、何をそんなにもったいぶってるんだろう……いい加減に伊吹先生の気持ちを察してほしい。

《喫茶店の子、誰だろ？　隆はあんな気の強そうな子、タイプじゃないと思うけど……でも嫌だな。》

ん……？　喫茶店の子ってウェイトレスのことかな？　それとも喫茶店で誰かが隆さんと一緒にいるところを伊吹先生が見たってことかな？　何か邪魔者が出てきたみたいだ。

《久しぶりに隆とグレバリでごはん。なのに、途中で隆の携帯に誰かからかかってきた。隆も断ればいいのに、「いいよ、いいよ」って、何かと思ったら、この前の喫茶店の子が来た。仕事関係の知り合いなんて言ってたけど、少なくとも彼女にそれ以上の気があるのは一目瞭然《りょうぜん》。私をにらんでくるし……居づらくなったから、用事があるって帰ってきた。》
《隆からのメール。さすがに気になったみたいだけど、本当に用事があったからって言い通しておいた。》
《言葉だけを真に受けるんじゃなくて、その裏に本音があるのを分かってほしい。でも、こういう気持ちだって独りよがりだね。私って、隆と付き合ってるわけじゃないもんね。》

隆さんって本当に無神経だなぁ……伊吹先生がこんなに悩んでいることに気づかないのだろうか。

《はっきりと言ったほうがいいのかな。もっと隆のことも遠慮なく聞いたほうがいいのかな。私は自分を傷つけないように考え過ぎてるのかも。思い切って飛び込んだほうがいいのかも。》
《「機」は大事だと思う。私一人で焦ってもいいことはない。学生のときに失ったと思ったものがまだ目の前にあるんだから大事にしないと。熟すまでじっと我慢。》

《ちょっと気分が落ち着いてきた。太陽の子たちのおかげ。隆と会ってたこの前の子も、本当に仕事だけの付き合いじゃないかって思えるようになってきた。不思議。》
《隆ってあの子にお金を借りてるらしい。生活や仕事のためとは言うけど、脇が甘いよ。すぐに返すからって平然としてるのも嫌。「いいとこのお嬢様なんだね」って嫌味しか言えない自分も嫌になった。》
《坂口君の結婚パーティー二次会に出席。隆は「お嬢様」と一緒。私は学生時代の印象がみんなに残ってる手前、隆とは離れてた。なのに「お嬢様」からはにらまれてしまった。けっこうあの子のほうが積極的という話をちらりと聞いた。お金とかも強引に押しつけてきたのかも……そう思うしかない。》
《隆、お金はもう返したって言ってた。大したことじゃなかったみたい。ちょっとほっとした。》
《人との競争じゃない。隆は私と彼女を比べてるわけじゃないはず。私は私。私と隆の間にしか湧かないシンパシーってあると思う。私はそれを感じてる。それを信じる。》

勇気づけられるなぁ……。

伊吹先生みたいに立派に学校の先生をやっている人でも、幸せを摑《つか》むためにはこうやってくよくよ悩んだり、ばたばたもがいたりしているんだ……その姿に私はまた親しみを募らせてしまう。

私の今の立場とも、何となく似ているところがある。

私も石飛さんのことはよく分かっていない。でも、彼と二人で話しているときに湧くシンパシーは感じている。心のどこかが響き合っている感覚……それは信じられるし、信じたい。

私って、やっぱり石飛さんがいいんだな……気持ちを確かめるまでもなく、本当は分かっていることなのだ。


次の日、私は大学からの帰り道、石飛さんの携帯電話に電話してみた。

「あの……この前の写真、プリントしましたけど」

そう言うと、彼はあきらめかけていたのか、〈本当？〉と、驚き加減の声を返してきた。

「今、学校の帰りなんで、届けに行きましょうか？」

〈ありがと。助かるよ。悪いね〉

それから私は彼の説明に従って、駅前を大学のある東側から西側のほうへ回った。商店街を抜けて住宅街の細い道に入ったところでまた電話をし、そこからは電話を耳に当てながら歩いた。

〈あと、そこの角を右に曲がって〉

「右って言われても、右には道が二本ありますけど……」

〈え……そこ、俺の言ってるとこと違うね〉

そんな感じで右往左往して、私はすっかり方向を失ってしまった。

「次はどっちですか？」

〈もうまっすぐのはずだけどね……うーん、これ、駅で待ち合わせたほうが早いかな〉

「え……私、駅までの戻り方、分かんないかも」

私が焦って言うと、彼は〈嘘、嘘〉と笑った。〈見えたから、そのまま来て〉

そして、アイボリーカラーのタイル張りマンションのエントランスから石飛さんが出てきた。眼にはいたずらっぽい笑みが覗《のぞ》いている。

「ごめんね。俺が取りに行かなきゃいけないのに」

彼はインクや絵の具で胸元や袖口《そでぐち》が汚れたコーデュロイのシャツを着ていた。

「いえ……お仕事中でしょうし」

私はトートバッグから写真とプリント代のお釣りを取り出した。

「一応、大きめにプリントしました」

「ああ、2Lサイズにしてくれたんだ。ありがと」

石飛さんはそれを受け取り、嬉しそうに眼を細めて一枚一枚を見た。

「私の分は私の分で、もらっておきました」

そう言うと、彼はくすりと笑った。

「それらしいのも撮ればよかったね……絵のことしか考えてなくて」

「いえ……アップじゃないくらいが、ちょうどいいかも」

「そんなことないよ」

石飛さんはそう言いながら、満足したように写真を重ねた。

「あの……演奏会のときはありがとうございました」私は小さく頭を下げた。「最後、来ていただいたらしいって、あとから知って……」

「いや……」彼は決まり悪そうに横を向いた。「あれは本当、最悪だよね。演奏聴いてもないのに花束渡すのも都合いいよなって思ってたら、ちょうど香恵ちゃんがほかの人からもらってるのが見えてね……」

彼は頭をかき、「で、すごすご帰ってきちゃったよ」と笑った。

「時間がなくて、花屋の店先にあったちっちゃなブーケをそのまま買ってっただけだったし……」彼は自嘲《じちょう》気味に言う。

「私、そんな方々に声をかけたわけじゃないんですけど、あんなふうになっちゃって」

「いや、俺が悪いんだよ」

彼はそう言って首を振ってから、表情を戻した。

「お茶でも出すよ。ちょうどクッキーもあるから」

「でも、お忙しいんじゃ……」

「気にしないでいいよ。別に無理にとは言わないけど……人もいるし、軽く休んでってよ」

一人の部屋に呼び入れるわけじゃないから心配しないでくれと言いたいらしいが、知らない人がいるというのも微妙な気分だ。アシスタントでもいるのだろうか。

とはいえ、本心はアトリエを覗いて、石飛さんの絵を見たいという思いが強く、気遣いの言葉を口にしたのも半分形式的なものだったから、私は、「じゃあ、お言葉に甘えて」と頷《うなず》いた。


石飛さんの部屋は三階建てマンションの三階にあった。外の階段を上がって一番手前の部屋だった。

彼がドアを開けて、私を招き入れる。

「お邪魔します……」

小さな沓脱《くつぬ》ぎのスペースにハイヒールがそろえてあった。

私はにわかに緊張して、石飛さんの身体越しに部屋の中を見た。

やはり女の人がいる。

部屋の間取りは1DKだろうか。一瞥《いちべつ》した限りではそんな感じである。手前にキッチンルームがあり、奥に部屋があるのが見通せる。私の部屋と大きさはそれほど変わらない。ただ、画材や書籍が壁際に積み上げられていて、かなり雑然とした有り様になっている。アトリエと言うよりは仕事場と言うほうが相応《ふさわ》しそうだ。男の人の部屋らしいとも言える。

奥の部屋には、壁にくっつけるようにして小さな二人がけソファがあり、そこに女の人が座っていた。

学園祭で石飛さんと一緒にいた人だ。

「ここも学生んときからだから、いつの間にか収拾がつかないことになっちゃって……もうちょっと稼いだら、それらしいとこに引っ越そうとは思ってるんだけどね」

石飛さんは言いながら、部屋に上がっていく。私も遠慮がちに、彼に続く。

ソファの彼女と目が合って、私は会釈をした。いや、最初から目は合っていたのだが、会釈に適した距離ではなかった。しかし、近づいてみても、彼女の視線は穏やかには感じられなかった。

近くで見ても、彼女は美人だった。前髪をサイドに流してボリュームたっぷりのロングレイヤーにまとめ上げた髪型は、大人の香りを濃厚に漂わせている。オレンジ色のスーツの襟は立っていて、唇には当然のように鮮やかな発色のルージュが引かれていた。

「大学の後輩……って言うより、俺がよく行く文具店の店員さんって言ったほうがいいかな」

　彼はそんなふうに、私をソファの彼女に紹介した。

「堀井です」私はちょっと気圧《けお》され気味に挨拶《あいさつ》した。

　彼女は眼をぱちぱちさせてから、ほんの少し首を傾げた。

「学生さん？」鼻にかかったような甘い声だった。

「そう。香恵ちゃんは現役」石飛さんが答える。

「へえ……」

　そんな声とともに、値踏みされるような視線を受けた。

「星美《ほしみ》ちゃんは、まあ何ていうか」今度はソファの彼女を私に紹介する。「俺の仕事のクライアントだね」

　恋人とは言わなかった。ただ、恋人だったとしても、こういう紹介では、はっきりとは言わないのかもしれないとも思った。

「付け加えるなら」彼女は私をちらりと見て不敵に笑った。「この世の中で一番、隆作君の才能を買ってる人間かしらね」そして、反応を求めるように石飛さんを見る。

「確かにね」石飛さんは肩をすくめて苦笑した。

　隆作君だなんて……ただの仕事付き合いだけとも思えない。

「編集者なんですか？」私は訊《き》いてみた。

「代理店だよ」石飛さんがキッチンでインスタントコーヒーを淹《い》れながら答える。「電広堂って知ってる？」

「あ、はい」

広告代理店の大手ということくらいは知っている。大企業の重役クラスの子息子女がコネでいっぱい入っているとも聞く。この星美さんもその一人なのだろうか……彼女が持っている雰囲気には、それを感じさせるような余裕めいたものがある。

「学生さんは、イラストレーター志望なのかしら？」

学生さんって……かなり不自然な呼び方をされている気がする。

「香恵ちゃんは美術科じゃないよ」石飛さんが私の代わりに答える。「写真のモデルになってもらったんだ」

星美さんは石飛さんが運んできたコーヒーより先に、写真を手に取った。

「うーん」彼女は冷ややかに唸《うな》った。「こういうモデルはやっぱり本職に頼まなきゃ」

「まあ、絵の参考だから」と石飛さん。「今度の個展に考えてるやつ」

「ふーん」星美さんは含みのある相槌《あいづち》を打った。

「そこに座ってよ」

石飛さんは私をファブリックの小さな椅子に座らせて、手前にコーヒーと缶に入ったクッキーを置いた。

「これ食べて」

そう勧められはしたが、同時に、星美さんの鋭い一瞥がそのクッキーに向けられるのも見えた。どうやら彼女が持ってきたものらしいと分かり、私は手が出せなくなった。

「あと、小説の挿絵に使う万年筆も彼女が選んでくれてね……」石飛さんは私の話を星美さんに続けてから、最後に付け足した。「何か、ちょっと面白い子」

何か、ちょっと面白い子って……そんなふうに認識されているのか……我ながら情けない。

「へえ……」

星美さんはコーヒーをすすりながら、興味のなさそうな声を出した。けれど、視線はちらちらと落ち着きなく飛んでくるから、私は気が休まらない。

「ここにあるのは、みんな石飛さんの絵なんですか？」私は意識をそちらに向けた。

「うん、そうだね」

部屋には、壁に立てかけられたり、乾かすためなのかクリップで留めてロープに吊《つ》るされたりした絵がいくつもあった。石飛さんの答えを裏づけるように、それぞれの絵の片隅に「Ｒｙｕ」という小さなサインが入っている。可愛いキャラクターが描かれたような絵もあれば、細かい色使いをした花の絵もある。ぼんやりしたシルエットの幻想的な人間の絵もあれば、単純な線で描かれた絵本の一ページのような絵もある。使っている画材もそれぞれ違うのだろうが、かなり幅のある作風に思えた。

「いろんな絵が描けるんですね」

そう言うと、石飛さんは私を見てから返事に困ったような顔をし、それから苦笑い気味に失笑した。

「あ、当然ですよね」

どうやら私は、また馬鹿なことを言ってしまったらしい。猫の絵を見たとき、イラストレーターの彼に向かって、「上手ですね」と言ったのと同じ真似を繰り返してしまった。

「まあ、同じ絵を描いてりゃいいって仕事じゃないからね」石飛さんが言う。「もちろん、一つの個性で売る人もいるけど、俺はそういうの飽きやすいし」

「個性を出そうって欲がないのよ」星美さんが石飛さんを横目で見て言う。

「厳しいね」石飛さんが首をすくめる。「それなりに試行錯誤はしてるんだけど」

「私は、与えられたテーマを押しのけてでも主張する隆作君のカラーを絵に出してほしいと思ってるのよ」

「合わせてるつもりはないんだけどね。ただ自分の描きたいものだけ描くっていうのは、絵を描く魅力のすべてではないよ。素材なりテーマなりが目の前にあって、それが自分から何かを引き出してくれるっていうのが、俺には十分面白いんだ」

私は石飛さんの言葉が何だかとても分かる気がして、大きく頷いていた。すると、星美さんが私を見つめ、「学生さん」と呼んだ。

「この中でどれが一番いい絵だと思うかしら？」

彼女は石飛さんの机の横にある引き出し棚から、絵を三枚ほど取り出した。どれもボードのような厚紙に描かれているが、絵の趣きは三様である。

一枚は何やら人間が犬のように小屋の中で丸くなっていたり、鳥のように羽ばたこうとしていたり、シマウマのように群れを作ったりしている姿を集めた絵だ。丸くなっている人は、寝顔がどことなく犬っぽく、羽ばたこうとしている人は髪の毛がトサカのように立っている。群れを作っている人々のスーツはシマウマを思わせるストライプ柄になっている。全体的にはかなりごちゃごちゃしたコラージュ風で、動物園っぽいとも言える。

二枚目も人の集まりだが、横顔ばかりのかなり平面的な絵である。かといって、浮世絵や、あるいは古代エジプトの壁画のようなテイストではなく、淡いタッチのモダンな感じに仕上がっている。

三枚目は日本家屋の庭先に立っているおばあさんが描かれていて、特に技法を凝らした絵には見えないのだが、そのおばあさんがいかにもそのへんにいそうなリアルさを出している。しかも、落ち葉かきもそこそこに、手にした竹ぼうきにまたがったりしている。私はそのおばあさんの、人を食ったような顔を見て、思わず吹き出してしまった。

「これ面白い～。このおばあちゃん、いい年して魔女になりたいんだぁ」

すると、石飛さんはちょっと嬉しそうに、「こういうのもあるよ」と引き出し棚から違う絵を出してきた。

それは、どこかのレストランの駐車場に停めてある改造車やバイクの絵だった。暴走族のものらしく、物騒な旗などもそこに立てかけられているのだが、そのバイクの一台に近所のおじいさんと思《おぼ》しき人が勝手にまたがっているのだった。

「あはは、面白い～。このおじいちゃん、すんごい怖いもの知らずだぁ」私は声を立てて笑い転げた。

私の笑い声が収まってから、今度は星美さんが「ふっ」と鼻で笑った。

「面白い子って言うから、どんなセンスを持ってるかと思ったら……」

「え……？」私は笑顔を引きつらせた。

「それ、イラストレーターの登竜門って言われてる『イラストマガジン』の誌上コンペで酷評されたやつよ。『作者の顔が見えない』ってね。真ん中のやつが入選で、向こうが佳作。足かけ二年の試行錯誤でこの入選作に行き着いたわけ」

「へえ……これ、面白いと思うけどなぁ……」私はおばあさんの絵を見て呟《つぶや》く。

「何の変哲もない匿名的な絵なんて、誰もいらなくてよ」

「普通っぽいからこそ、ユーモアが引き立ってるんだと思いますけどねえ」

「まあ、仕事相手がみんな、学生さんみたいな人だったら苦労ないんでしょうけどね」

よくよく聞いていると、けっこうとげのある人だなと思う。回転椅子に座った石飛さんが苦笑いしながら小さく舌を出している。彼もおばあさんやおじいさんの絵はそれほど悪くないと思っているんじゃないかという気がする。

「彼女はなかなか厳しいから」石飛さんは冗談混じりの口調で言った。「この前のときも彼女の駄目出しに泣かされてね」

定期演奏会のときのことらしい。

「それはちょっと心外だわ」星美さんは声を曇らせる。「泣かされてって、何だか私が悪いみたい」

「いや、そういうわけじゃないけど……」

「いくら自信の一本があるからって、ラフを三本って話なんだから、ほかの二本もそれなりのレベルにしてもらわないと困るわ。やっつけかそうでないかぐらいは分かるつもりよ」

「やっつけっていうか……」

「違うかしら?」

彼女がそう訊《き》くと、彼は肩をすくめて降参した。

そういうことだったのか……あの日のいきさつが分かって、私は納得した。

それにしても……。

この二人はどんな関係なんだろうか。

学園祭で見た雰囲気だとか、こうやって彼の部屋に二人でいることなどからして、親しいのは確かなのだろうが、それがどの程度なのかよく分からない。

単に仕事付き合いの延長で親しいというようにも見えるし、お互いの長所も短所も分かり合った恋人同士のようにも見える。私が入り込む余地があるようなないような、不思議な感覚である。逆に言えば、石飛さんの気持ちがどうなのか分からないから、私がこの場にいても、さしたる居心地の悪さを感じないでいられる。

またほかの絵を並べられて、鑑賞眼を問われても困るので、私は話を変えることにした。

「スイーツで描いた絵、出ましたね」

少し前から週刊誌で始まった連載小説に、石飛さんの挿絵が入っていた。「画・石飛隆作」という文字も堂々と記されていた。細かい絵ではないが、万年筆ならではの線の味わいが、よく生かされているように思えた。

「あれ、なかなか評判いいよ」石飛さんが口元を緩める。

「そうですか」私は嬉《うれ》しくなった。「そうですよね……私もあれ、すごくいいと思います」

「モノクロの仕事を褒められてもね」星美さんが言い、同意を求めるように石飛さんを見た。

「あれでも試行錯誤してるんだよ」石飛さんは軽く笑って言った。「それに、けっこう面白いしね」

彼は私に「見る？」と言いながら、机に向かった。

机はかなり大きいのだが、中央のスペースを残して、画材や筆記具の類《たぐい》がひしめき合うように置かれている。数個のマグカップにマーカーや絵筆がまとめてあるあたりに、かろうじてこれでも整頓《せいとん》がなされているのだと分かる。

石飛さんは小物で雑然としたところから、ひょいとペンを取り上げた。スイーツの試作品だ。彼が手に取るまで、そこにスイーツの試作品が転がっていることさえ分からなかった。すっかり埋もれていた。

そして、机の引き出しから鉛筆の下描きがなされた一枚の紙を取り出した。

「これは……？」

「今ちょうど描いてるやつ」

コートを着た女の人が傘を差している絵だ。足元にはタイルの模様や水たまりがあり、後ろには何かの店が描かれている。

「丁寧な下描きなんですねえ」

週刊誌に出ていた挿絵より、ずいぶん細かいタッチである。

「このまま描くわけじゃないけどね」

石飛さんは下描きの絵にもう一枚の紙を重ねて、トレース台の明かりをつけた。そして、万年筆のキャップをくるくると外して、それを軸尻《じくしり》に嵌《は》めた。

どうやら、描いてみせてくれるらしい。私はわくわくしながら、石飛さんの肩越しに彼の手元を覗《のぞ》き込んだ。

「この通りにペンを入れても、また匿名的とか言われちゃうからね」

石飛さんはいたずらっぽく言いながら、寝かせ気味に持った万年筆を紙の上に走らせた。

「こんな感じで……」

実に楽な感じでペンを動かしている。

「こんな感じ……」

多少、下描きのラインからずれても構わないらしい。せっかくきれいな下描きがあるのに、もったいない気がしないでもない。

「要は線なんだよ……この通りである必要はないんだ」

それでも、ペンを入れた部分が変な絵になっているというわけではない。絶妙に要所を押さえている。そしてやはり、線の味わいが絵を引き立てている。

「やっぱり万年筆だと、絵を描いてても、どことなく字を書いてるように見えますね」

見ているうちにそう思えてきた。節のつけ方など、文字の留めや払いを思わせる。

「そうそう」石飛さん自身もそう感じていたように相槌《あいづち》を打った。

「万年筆の線の味って、強弱じゃなくて緩急なんだろうね……微妙な緩急」

石飛さんは線を足していきながら、静かに言う。

「それでインクの濃淡とかも出るしね」

「週刊誌の印刷じゃ、きれいには出ないでしょう」後ろから星美さんが言う。

「きれいにって言われると困るけど……まあ、言うほど悪くはないよ」石飛さんが肩をすくめる。

「何だか無理に自己満足してるみたいで可哀想だわ。一生懸命描いても、万年筆を買っただけの元だって取れないでしょうに」

星美さんは大げさなほど心配そうな口調で言った。私がうまいこと言って彼に買わせたとでも思っているのだろうか。

「一年は続くんだし、そんなことないよ」石飛さんは冗談として受け止めたようだった。

「面白い仕事だしね。原稿を読んで、そこから自分なりに感じたものを絵にして起こすのって面白いよ」

「そう……」星美さんはちょっと仕方なさそうに応《こた》えた。

「個展にもいくつか出すつもりだしね」彼が言う。

「個展はいつやるんですか？」

私が訊くと、石飛さんは机の上の棚にあったクリアファイルからチラシを一枚引き抜いた。そして、それを私に渡そうとして手を止め、ふと考え込むような顔を見せた。

私は手を出したものの、それをもらうことができないから、ちょっと困ってしまった。

「あ、ごめん」

彼はそう言って、やっと私にチラシを渡してくれた。

「へえ、表参道でやるんですか」

「うん……ちょっと高いけど、場所柄って大事だしね」

十一月の終わりの土日月である。あと半月ほどだ。

「三日間だけなんですね……見逃さないようにしないと」

個展というイメージからして、一週間くらいはやるのかと思っていただけに、つい正直な感想を口走ってしまった。

「まあ、初めてだし……仕事もあるしね」

「あ、そうですよね」

よく分からないが、開催中は石飛さんもそこのギャラリーに詰めているのだろう。そうであれば、確かに長くやっていては仕事にならない。

「個展なんて、何日やるとかじゃなくて、開くことに意味があるのよ」星美さんが謎をかけるように言う。

「はあ……」

ステイタスとかそういうことだろうか。

「要は開く前が肝心なんだよね」石飛さんが言う。

「開く前？」意味が分からず、私は首を傾げる。

「俺なんかの若手クラスは、何のために個展をやるかっていうと、世間にファンを作るためじゃなくて、広告や出版業界の人たちに存在を知ってもらったり、才能を発見してもらったりっていう意味が大きいんだ」

「ああ、なるほど」

「で、だいたいどこもそうなんだけど、開催に先駆けて、業界関係者やイラストレーター仲間を呼んだお披露目パーティーをやるわけ」

「へえ……」

「まあ、そんなに大げさなもんじゃなくて、飲み物を片手に、作品を見てもらうって感じなんだけどね。普段は仕事場にこもってるイラストレーター仲間もそういう場にお互いを呼んで、人脈を作るきっかけを提供し合ったりしてるんだよ」

「そっか……個展の本番が始まる前には、イベントの半分は終わってるわけですね」

「そういうこと」石飛さんは頷《うなず》いてから、私を意味ありげに見た。「で、さあ……」ちょっと声を改めて続ける。「今、ふと思いついたことがあるんだけど……香恵ちゃんはこのパーティーをやる金曜の夕方って空いてないかな？」

「え……ていうと？」

パーティーに呼んでくれるということだろうか。私などが行っても多少場違いな感は否めないが、石飛さんが特別に声をかけてくれるのなら嬉しい話である。けれど、それよりは、作品を展示するお手伝いとか、みんなに飲み物を注ぐ係とか、そういう頼みごとであるほうが現実的な気はする。

「パーティーっていっても、どうしても華に欠けるからさぁ」彼はゆっくりとした口調で私の顔を窺《うかが》いながら言う。「できたらこの前、聴かせてくれたマンドリン……あれ、そこで披露してくれないかな？」

「えっ？」

彼は甘えるような眼を見せた。「駄目？」

「駄目っていうか……そんな大したもんじゃないし」

「いや……あれ、すごくよかったから、もう一回聴かせてほしいんだよ」

「何人くらい来るんですか？」

「たぶん、仕事に関係ない友達なんか合わせても十五人くらいだよ。そんなに大きな箱でもないし」

でも、見知らぬ十五人を前にして演奏するのは、お姉ちゃんの披露宴で演奏するよりもプレッシャーを感じてしまう気がする。

「駄目かな？　まあ、自分は香恵ちゃんの期待に背いといて、都合がいいって言われれば返す言葉はないんだけど……」

「いえ、そんなことは……」

「そんな、学生さんに無理させることないんじゃないかしら？」星美さんがその顔に笑みを湛《たた》えて口を挿《はさ》んできた。「余興なら、ちゃんとしたのを考えればいいんだし」

彼女の言葉に、私の気持ちは反発した。

「じゃあ、練習しとかないと……」

私はそう口にしていた。


「敵は代理店に勤めてるのか……それはかなり手強《てごわ》いかもね」

可奈子さんが指に付いたクッキーの粉を払いながら、興味深そうに言った。

アルバイトの日の、いつものコーヒーショップでの休憩である。

「何てったって、広告の仕事と出版の仕事は、同じ絵を描いたって、ギャラが一桁《けた》違うもんね」

「広告のほうが高いんですか？」

私は飲み頃の熱さになったカフェ・ラテを一口喉《のど》に流してから訊《き》く。

「当然」可奈子さんは即答した。

「何かすごいセレブオーラが出てるんですよ。スッチーみたいな鼻にかかった喋《しゃべ》り方するし、社長令嬢とか帰国子女とか、そんな感じなんですよ」

「社長令嬢と帰国子女って、並べるほどは似てないと思うけど」可奈子さんが笑う。

親から散々中流意識を叩《たた》き込まれている私からすれば、同じようなものである。

「『学生さん』なんて言うんですよ。『学生さんは、イラストレーター志望なのかしら？』って……『なのかしら？』ですよ」

「ははは、おかしら付きなんだ」

別に石飛さんとのいきさつすべてを話しているわけではないのだが、可奈子さんにとってはそれでも十分面白いらしく、この話をすっかりおやつの足しにされてしまっている。

「でも、男の人って、ああいう育ちのよさそうな女の人に惹《ひ》かれるんですかね？」

「まあ、その子がつんとしてれば話は別だけど、明らかに自分に好意を寄せてるってことなら、くすぐられるものはあるだろうねえ。しかも、いい仕事を持ってきてくれる立場の人間でもあるんだし」

「彼はそんな打算的なタイプじゃないと思いますけど」

「打算も何も、自分の才能を買ってくれて、目をかけてくれる人に対して、嫌な気持ちは湧かないものよ」

「まあ……そうですよね」私は仕方なく頷く。「確かに恋人同士って言われてもおかしくはない雰囲気ではあるんですよねえ」

「どっちとも取れるもんねえ。そういう仲だから、香恵ちゃんを連れてきても平気だってことか、そういう仲じゃないから平気だってことか」

「彼も、繊細なのか無神経なのか、よく分からないとこありますしね」

「でも香恵ちゃん、スイーツの彼からはとりあえず歓迎されてるんでしょ？」

「『何か、ちょっと面白い子』なんだそうです」

可奈子さんはぷっと吹き出した。「好印象じゃない」

「そうですかぁ？」私は投げやり気味に言う。

「十分、十分」彼女は冗談混じりに応じた。「で……代理店の彼女からはおじゃま虫扱いされてると」

おじゃま虫とはずいぶん情けない言われようだが、それも妙に私のキャラに合っている気がするから複雑だ。

「まあ、そんな感じで」

「じゃあ、まだまだ望みはあるんじゃないかな」

二人の態度から可奈子さんはそう判断したらしい。

「そう思います？」私は疑い半分で訊いた。

「望みがないって言ったほうがいい？」

「もう……」私はふくれっ面を作ってみせた。

可奈子さんは鋭い人ではあるが、けっこう無責任なことも言うから困る。

「当たってみようとは思ってるんだ？」彼女が確かめるように訊く。

「うん……そうしよっかなって」私はことさら素っ気なく言ってみた。「今んとこ、前に進んでみようかって気になれてるから」

伊吹先生からもらった元気がどれだけ続くかは分からないけれど、彼女のように、いろんなことがあっても、ばたばたもがいているうちに、そのうちいいことが巡ってくる気もするのだ。

可奈子さんは私の決心を後押しするように頷いたあと、不意にまた、いたずらっぽい笑みを浮かべた。

「でも、どっちに転んでも三角関係だから、香恵ちゃんも大変だね」

「どっちって……？」

「ガウディのほうも」

「ああ……」私は息をついて、口を尖《とが》らせる。「そんな楽しそうに言われても、私、そっちには転びませんから」

「それも決めたんだ？」

「決めました」私は鼻息とともに言い切った。

翌日の夜、私はガウディのほう……鹿島さんと会うことになった。

前日、家に帰った私は、重い気持ちを何とか押して、鹿島さんと連絡を取った。話したいことがあると言うと、彼はその意味を探るように沈黙したのち、「じゃあ、グレバリに行こうか」と爽《さわ》やかな声で応《こた》えた。

そして当日、帰宅ラッシュがまだ続く時間に、私は駅前で鹿島さんと待ち合わせた。足早に家路を急ぐサラリーマンやＯＬに混じって、彼は駅ビルから出てきた。晩秋の夜とはいえ、まだそれほどの寒気はやってきていないから、コートを着込んでいる人はあまり多くない。鹿島さんもコートは羽織っていなかったが、スーツの襟にマフラーを引っかけていた。

彼は私を見つけたところで、にっこり微笑みながら軽く手を上げた。シルエットを絞った細身のブラックスーツに、つま先の長い革靴。髪は整髪剤で後ろに撫《な》でつけてあり、毛先のパーマがアクセントとなっている。仕事もその格好でしていたのかどうかは分からないが、私にはこれからの時間のための装いに見えた。昨日、私が電話したときの沈黙から、今日会う意味を薄々察してくれているかと思っていたが、そんな様子は窺えなかった。

「ワインくらい飲もうと思って電車で来ちゃったよ」

鹿島さんは私がまったくの普段着であることなどは気にもしない顔をして、ただ快活にそう言った。

「混んでたんじゃないですか？」

私は彼の格好に圧倒されながら、口先だけで話を合わせた。

「やっぱりこの時間だからねえ」鹿島さんは苦笑気味に言う。「まあ、二駅だから、どうってことないけど」

それから彼は一呼吸挿み、「じゃあ、行こうか」と切り出した。

「あの……もしかして、予約取りました？」

彼は私に目を留めてから、「いや」と一回だけ首を振った。「平日だし、大丈夫かなと思って……」

「グレバリじゃなくて、そこの喫茶店にしませんか？」

「……どうして？」彼は口を小さく動かして訊く。

「ごめんなさい」私はかすれた声で謝った。「私……とにかく会ってお話ししないとって思ってたから、曖昧《あいまい》に誘って、鹿島さんに変な期待を持たせちゃったかもしれません」

鹿島さんは私をじっと見つめた。

「そんなふうに見える？」

慌しく駅ビルから吐き出される人の波をせき止めるように、私たちだけが立ち止まっていた。

「別にそんなつもりはないんだけどね」

彼は微苦笑して、駅前の風景に目をやった。

「その前置きはもうちょっとあとで聞きたかったけどな……せめて、ロブスターを食べ終わった頃に」

私は鹿島さんの無理に作った笑顔を見るのがつらくなり、頭を下げるようにして顔を伏せた。鹿島さんを気遣うつもりで言った言葉だったのだが、本当は私が楽になりたかったのだと気づいた。

「いいよ。行こうよ」

鹿島さんはそう言って歩き出したものの、数歩のところでまた立ち止まってしまった。

「香恵ちゃんがつらいか……」彼は独り言のように言い、大きな息をついた。「これ以上、俺の格好に付き合わせても仕方ないよね」

ああ……私はまた気づいた。

この人は自分で言うように、別に私の答えに期待していたわけではないのだ。

たとえ、ふられると分かっている場にも……いや、そういう場にこそ、びしっと決めてくるのが彼のスタイルなのだ……。

何だかそれはすごく格好いいなと、私は素直に思えた。巡り合わせが違っていたら、別の答えが出ていたかもしれない。一瞬だけ、そんな風が私の心に吹いた。

けれどもう、それで心の中の何かが揺らぐことはなかった。

「一応、私なりに、ちゃんと鹿島さんの気持ちを受け止めてから出した答えのつもりです」

私はそう言って、小さく頭を下げた。「ごめんなさい」

「そっか……」彼はため息を呑《の》み込んだように口を閉じてから続けた。「今日の時点ではそういう答えなんだってことで、聞いておくよ」

そういう言い方も彼のスタイルなのだろう。私は黙って、もう一度頭を下げた。

鹿島さんは腕を後ろに組んで、うつむき加減に足を動かし、革靴のソールをアスファルトにこすりつける音を立てた。

「葉菜ちゃんに泣かれたのが効いたなぁ……あれ聞いて、俺も何だか牙《きば》を抜かれた感じだよ」

彼は顔の強張《こわば》りをほぐすように瞬きしたあと、ふっと苦笑いを見せた。

「じゃあ、今日はとりあえず帰ろっかな」

彼はそう言って顔を上げた。私に小さく手を振り、少し肩の落ちた背中を向けた。そして、人波に逆らうようにして、駅ビルの中へ消えていった。

8

《隆……私がいつまでもあなたを追いかけていると思ったら大間違いだよ。大事なものは失ってから気づくんだよ……なんて、面と向かって言ってやりたいけど今は無理。このノートに書くだけで抑えておかなきゃ。》
《ここんとこ、隆からのごはんの誘いがなくなってる。電話もメールも私からばっかり。話してる分には何にも変わってない気がするんだけど……仕事が忙しいとか言われると、それ以上言えなくなる。》
《隆って、やっぱり、あの「お嬢様」の目を気にしてるのかな。何か煮え切らない返事が多い。》
《隆の気持ちが私に向いてもいないのに、私は「お嬢様」に嫉妬《しっと》してる。我ながら、その無意味さがたまらなく嫌だ。自分は自分って言い聞かせてるのに……心は落ち着いてくれない。》
《もう何か、本当に疲れてきた。体調も悪いし投げ出したい。隆に電話で気遣われても嬉《うれ》しくない。口先だけに思えてくる。近いんだから、顔色くらい見に来てよ。》
《とうとう隆を問い詰めてしまった。問い詰めたってほどでもないけど……だからだろうね、「そんなにあの子とはしょっちゅう会ってるわけじゃないよ」ってかわされてしまった。そこで私も自分にストップをかけた。もうはっきりしてってのどまで出かかったけど、それを言ったら学生時代と同じ結果になる。恋は我慢だ。》

恋は我慢か……伊吹先生、相変わらず苦戦が続いてるなぁ……。

鹿島さんと会った日から三日ほどが経った夜、私はまた伊吹先生のノートを開いていた。私の今の状況と似ていなくもない伊吹先生の心の軌跡を追いかけていると、自分の心の温度が上がっていくのが分かる。共感するからだ。伊吹先生も頑張っているんだから、私も頑張ろうと思える。

《あきらめたら終わりだよ。隆は誰かと結ばれるだけ。それが嫌なら、まだ好きだということ。好きならとことん追いかけよう。「いつか」を夢見て人生は続くんだから。》

読み続けているところで、私の携帯電話が鳴った。葉菜ちゃんの着メロだ。

〈もしもーし〉

耳に当てていきなり届いた葉菜ちゃんの声がいつになく弾んだトーンだったので、私はちょっと驚いた。

「もしもし……何?」私は戸惑いの笑い声を混ぜながら訊《き》いた。

向こうも〈え?〉と言いつつ、私に合わせて笑っている。

〈何って、別に何でもないいんだけど……〉

「何よ?」

二人でくすくす笑い合う。葉菜ちゃんがこちらにいたときの二人の呼吸ってこんなふうだったなと思い出した。

〈てか、ちょっと、香恵に謝ろうかなって思ってね……〉

「何を……?」

〈私さぁ、こっちの生活になかなか慣れなくて、情緒不安定になってたみたい。ホームシックじゃないけど、日本のことが気になったり、自分が何をしたいのか分かんなくなったりして……香恵が気遣ってくれてるのに、つんつんしちゃった気もするし……悪かったよ〉

「何よ、いきなり……」私はくすぐったい気分で応じる。

〈いや、まあ、とにかくそんなことだよ〉葉菜ちゃんは何やらごまかすように言った。

「慣れたの?」

〈うん……落ち着いた〉

「そう……よかったじゃん」心から言ったら、しんみりした口調になった。

短い沈黙を置いて、葉菜ちゃんが言う。

〈彼がね……〉

鹿島さんが……。

〈クリスマスか正月のどっちかには、こっちに来たいって……〉

「電話があったの？」

〈うん……久しぶり過ぎるよって思ったけど、何かやっぱり仕事で仕方なかったみたい。あれこれ考えて損したよ〉

「そうなんだ」

〈香恵に渡した花束のことも言ってくれたし……格好つけたがりだから、ああいうことやっちゃうのよ〉

元の鞘《さや》に収まったらしい……私は心の中でほっと息をついた。鹿島さんにきっぱりと断りの気持ちを伝えてよかったと思った。

「恋は我慢だね」

私がそう言うと、葉菜ちゃんは〈そうそう〉と乗った相槌《あいづち》を打ちながら、〈てか、香恵に悟ったようなこと言われるのも微妙なんだけど……〉と笑っていた。

葉菜ちゃんとの電話を終えた私は、曇っていた空に晴れ間が覗《のぞ》いたような気持ちになっていた。これで私の恋もうまくいけば、一気に晴れ渡るのだが、またそれは別問題だから難しい。
私は気持ちも新たに、伊吹先生のノートに戻った。
《癒《いや》し系ってただのはやり言葉かと思ってたけど、ある意味、男の人の理想の女性像のスタンダードなのかな。隆もそんなタイプが好きらしい。私は癒し系なのかどうか聞いてみたら、笑ってごまかされた。こうなったら、私も癒し系を目指そうか……なんて、無理に演じてもボロが出るだけだろうけど、気づかないうちに肩ひじ張ってるところとかあると思うし、いろいろ丸くなるよう気をつけてみる。》
私も〝天然〟とは言われても、〝癒し系〟とは言われない。
《久しぶりに差し入れの弁当を作ってみた。隆は仕事が忙しくなると、ごはんも適当らしいから、今日もかなり喜ばれてしまった。この前よりもおいしかったみたい。変に和食系で料理の腕を自慢せずに（自慢する腕もないけど）、揚げ物とかでボリュームをつけたのがよかったと思う。また来週も挑戦してみよう。》
手作り弁当って、そんなに反応がいいのだろうか。ちょっと押し売り的というか、ありがた迷惑っぽく取られるという話も聞くけれど……でもそれは、食材ぶら提げて相手の部屋に押しかけるってケースの話か……。

試しに一回やってみようかな……私はふとそう思いついて、伊吹先生のノートを閉じ、本棚から料理の本を取り出した。

次の日、私は学科の友達の何人かに唐揚げをうまく作るコツを聞き出し、鶏肉や唐揚げ粉などを買い込んできた。そして腕試しに何個か作ってみたところ、思いがけず出来がよかった。多少油切れの悪いジュクジュクした完成品を想像していたが、からっと揚がっている。

これをそのまま持っていってもいいなとは思ったものの、もう夕飯を済ませていてもおかしくない時間になっていたし、唐揚げだけではさすがに石飛さんも目が点になるだろうからということで、自分で平らげてしまった。

そしてその翌日、四限目の講義が終わったところで、私はそそくさとキャンパスをあとにし、スーパーで新鮮な食材を見繕って、連日の料理に精を出した。

弁当を持っていく口実は、よくありがちな「作り過ぎちゃったから」ということにするつもりだった。あまりに早い時間では不自然だから、電話するにしても六時くらいだろうか。もちろん、適当に断られてしまうことだってあり得るし、どこかに出かけてしまっている可能性だってある。そのときは自分でやけ食いするしかない。

　唐揚げのほかにはブロッコリーを茹《ゆ》で、だし卵を焼き、たこ型に切り口を入れた赤いウインナーを炒《いた》めた。さらに空いたフライパンで餃子《ギョーザ》も作った。餃子はちょっと不釣り合いな気がしないでもないが、実家でお母さんと一緒によく作っていたので、ボロネーズ以上の自信がある。お弁当屋で餃子弁当を注文すれば、こんな感じの取り合わせだろうから、別におかしくはないだろうと思う。

　しかしその餃子が、仕込んだ具が多かったために、パックに入った餃子の皮全部を使わなければならなくなり、皮に具を包むだけでずいぶん時間を食ってしまった。しかも、パスタに使う大皿二枚に載り切らないほどの量である。口実ではなく、本当に作り過ぎだった。石飛さんの弁当に入れられるのはせいぜい三、四個だろう。私はこれから何日、餃子を食べ続けなければならないのだろうか。

　とにかくそんなことでげんなりしている暇はなく、フライパンに水を入れて餃子を蒸しているところで六時を回ったので、私はキッチンに立ったまま、携帯電話を手にして石飛さんにつなげた。

〈もしもし〉

「もしもし……あ、この間はどうも」

料理をしながらの電話で私の声のトーンが上がっていたこともあり、石飛さんの声もそれに釣られるように少し高くなった。

〈ううん、こっちこそありがとね〉

「お仕事、お忙しいですか？」

〈うん、まあまあかな……個展の準備と並行してやってるから〉

「あの……私、今、夕ご飯作ってるんですけど……」言いながらフライパンのふたを取ると、餃子がじゅうじゅうと油を飛ばしている音が広がった。

〈何か美味《おい》しそうな音が聞こえるね〉石飛さんがおかしそうに言う。

「気合入れたら、いろいろ作り過ぎちゃって……」私は笑ってごまかすように続けた。

「石飛さん、夕ご飯はまだですか？」

〈まだまだ〉

その声が何となく弾んで聞こえたので、私は浮き足立つ思いだった。

「よかったら、詰めてお持ちしますけど……」

〈本当？　いいの？〉

素直に喜んでいるのが伝わってくる彼の反応だった。作ったかいがあった。

「じゃあ、あとでお持ちしますから」私は勢い込んで言った。

〈ありがと。楽しみだよ〉

いですか?」

「えっと……」私はさりげなく訊《き》く。「今日は石飛さん、お一人ですかね……一人分でい

〈ああ……俺一人だから〉

今日は星美さんもいないらしい。

「よかった……誰かいるなら私の分がなくなるとこでした」

私は冗談で電話を終わらせ、料理の続きに取りかかった。

弁当を詰め終えた私は、トートバッグにそれを入れ、〈今から行きます。〉とメールを打ってマンションを出た。料理はずいぶんばたばたとしてしまったものの、時間的には七時を回ったあたりで、夕飯どきとしてはちょうどいい頃合いになった。石飛さんのマンションへの道にはまた迷ってしまったが、携帯電話でSOSを発信する前に何とかたどり着くことができた。

階段を上がって部屋のチャイムを鳴らすと、すぐにドアが開いて、石飛さんが顔を覗かせた。

「お待たせしました」

私は少し照れながら、大きなタッパーに入れた弁当をトートバッグから取り出してみせた。

「うわあ、ありがと」

彼はそれを受け取って、少々大げさなくらい喜んでくれた。

「何か嫌いなものってありました？」

「ゲテモノ料理じゃなかったら大丈夫」

「ゲテモノではないと思いますけど」

私が笑って言うと、石飛さんは「よかった」と冗談っぽく応じた。

「じゃあ……」

お互いに出方を窺《うかが》うような間ができてしまったので、私はお辞儀をして帰ることにした。しかし、顔を上げてみると、石飛さんの訝《いぶか》しげな視線が私のトートバッグに向けられていた。中を見られてしまったらしい。

「あ、これは……」

私は慌てた。もし石飛さんの部屋に上げてもらえたら一緒に食べようかと、自分の分も持ってきたのだ。

「いや別に、それも欲しいなんて言わないよ」石飛さんは笑って手を振る。

「自分のなんです」ほかにも配って歩いていると思われるのも不本意だから、そう言っておいた……が、なぜ自分のを持っているのかという説明がつかなかった。「どっかそのへんで食べようと思って……」

「そのへんってどこ？」

石飛さんは吹き出し気味に訊いてきた。無理もない。私の分はタッパーが足りなかったから、お皿や茶碗《ちゃわん》にサランラップをかぶせてきただけだからだ。

「公園とか……」私は苦し紛れにそう答えるしかなかった。

「ここで食べたほうがいいんじゃない？」石飛さんはいたずらっぽく言った。「お茶くらいなら出せるし」

「そうですか……？」

かなり恥ずかしかったが、お言葉に甘えて部屋に上げてもらうことにした。

仕事部屋のソファに座る。

「どうせなら、一人で食べるよりは一緒に食べたほうが美味しいですしね」

半分開き直ってテーブルの上におかずの載ったお皿やご飯を盛った茶碗を出すと、石飛さんはくすくす笑いながら、その横にお茶を置いてくれた。

「香恵ちゃんは料理が好きなの？」

「好きですけど、作るたびに味が違うんです」

「我流なんだ」彼は愉快そうに言う。

「そう……思いつきで変わった調味料とか試したくなっちゃうから」

石飛さんはソファの向かいにある仕事机の椅子を回して、そこに座った。ここはベッドがロフトになっているらしく、その分だけ私の部屋よりもゆとりがある。

石飛さんはご飯のタッパーをテーブルに置き、足を組んだその膝《ひざ》におかずのタッパーを載せてふたを開けた。

「おぉ、餃子がいっぱい……」

彼のそんな反応を聞いて、私は自分で入れておきながら吹き出してしまった。三、四個が適当と思いながらも、たくさん作ったために、ついつい詰めて十個入れてしまったのだ。唐揚げやブロッコリーはすっかり脇役になっている。部屋にもあっという間に餃子の匂いが立ち込めた。

石飛さんは、餃子の一個を箸《はし》でつまむと、気持ちよく口に放り込んだ。口の動きが途中で止まったらどうしようと思って見ていたが、そんなことはなかった。

「ん……美味しいね」

彼は自然な口調でそう言い、さらにもう一つ口に入れた。眼で笑いかけてくれる。

私は舞い上がりそうな気分をなるべく意識しないようにしながら、自分自身でもお皿の餃子を口にしてみた。なかなか美味しい。お世辞だとかは勘繰らなくてもよさそうだ。

「石飛さんは、自炊はしないんですか？」

「うん……学生の頃、最初だけはやってたけど、今は全然だね。作る暇があったら、その分、仕事してたほうがいいとか思うし……まめに料理する人は、それだけで尊敬できるよ」

「私……普段はパスタとかよく作ります」

「パスタ、いいね。俺も好き」

俺も好き……か。今度はそれを作ってよという意味が込められているようにも取れる口調だった。私の中では、早くもやる気が芽生えている。

それにしても……。

こんなに効果があるとは思わなかった。伊吹先生の試行錯誤を美味しいとこ取りしてしまった感さえある。帰ったら、先生のノートに手を合わせよう。

一人で食べるより美味しいというのは、まったくその通りだった。ご飯を食べながら、幸福感も一緒に噛《か》み締めているような感覚である。

食べている間は、石飛さんといろんな話をした。どこの出身だとか、兄弟は何人かとか、小さな頃はどんな子供だったかとか、趣味は何だとか……。

石飛さんはさすがイラストレーターだけあって、小中学校の図工、美術の成績は優秀で、作品展では何度も金のリボンが付いたらしい。ただ、それでも第一志望の美大は落ちてしまい、浪人できるほど家庭の余裕もなかったので、かろうじて引っかかった教育大の美術科に進んだということだった。

けっこう意外だったのは、大学時代は「児童文学愛好会」という可愛らしいサークルに入っていたということだ。

「ボランティアの朗読会をやるんだけど、それの紙芝居作りだけ手伝ってね……あとは何もやってないし、適当だよ」

彼はあとからそんなふうに言い足したが、それは児童文学のメルヘンティックなイメージと自分が釣り合わないという気恥ずかしさを勝手に感じて取り繕った感があった。私が「へえ」と、大きな声を出したのがいけなかったのかもしれない。

「でも、じゃあ石飛さん、『星の王子さま』の作者って分かります？」

「サン＝テグジュペリでしょ」考える間もなく彼は答えた。

「トム・ソーヤは？」

「トウェイン」

「フローネは？」

「ウィースかな」

「すごーい」

サン＝テグジュペリやトウェインあたりなら、「そうだった」と言えるが、ウィースなんて初めて聞いた名前だ。さすが愛好会に籍を置いていただけはある。

「私も児童文学は好きですけど、ただ読んで楽しんでるだけですもんね。そんなサークルあるなんて知らなかったなぁ」

「知ってたら、マンドリンクラブじゃなくて、そっちに入ってた？」

「入ってたかも」

そうだったら、この出会いも、もっと運命的になっていたかもしれないと思う。ちょっと残念だ。

「そのうち絵本なんかはやってみたいと思ってるけどね」石飛さんがふと真面目な口調になって言った。

「いいですね」私は声を弾ませた。「じゃあ、物語は私が書きますから。中学生のときに書いたことあるんですよ。『宝の地図をしょった牛』っていう話。スランプでミルクの出なくなった牛がお肉屋さんに売られそうになっちゃうんですけど、身体の模様が宝の地図だってことが分かったんで、一躍あちこちに引っ張りだこになって、宝探しの騒動に巻き込まれていくって話なんです。墨汁を浴びて身を隠したりとか、マジックで模様を書き変えて悪党たちに偽の場所を教えたりとか、ドキドキハラハラの展開なんですよ。最後は仲よくなった女の子と一緒に宝物を手に入れて、ミルクも出るようになるっていうハッピーエンドなんですけどね」

勢い込んで話したら、石飛さんは面食らったようにぽかんとしていた。

「あ……」私は自分にブレーキをかけた。「じょ、冗談ですからね」

プロで絵を描いている人に、私は何て身のほど知らずなことを言っているんだろう。馬鹿丸出しだ。

石飛さんは私が肩をすぼめるのを見て、くすくす笑い始めた。

「面白いんじゃない……ちゃんと書いて、どこかに応募してみれば？」

「でも、やっぱり私は、学校の先生になりたいんです」

「そう……？」石飛さんは静かに反応した。

「何十人もの子供に慕われるって、すごいことですよね。そういうのを尊敬しちゃうから、私もそうなりたいって思うんです」

彼は私の言葉にこくりと頷《うなず》いてから、ぼんやりするように視線を横に向けた。

「そうだね……尊い仕事だと思うよ」呟《つぶや》くように言う。

「あ……」

その彼の視線の先にある描きかけの絵を見て、私は声を出した。

「それ、私がモデルになったやつですか？」

スケッチブックに粗く下描きされた絵だったが、そのシルエットは、窓から外を見ている私の写真と同じものだった。

「まだ、これは習作だから」

そう言いながら彼がスケッチブックを手に取ったので、私のところからはその絵が見えなくなってしまった。習作だから、まだ見せたくないということかもしれない。

「実際のは和紙に描こうと思ってるんだ。裏からライトで照らせるような額縁を作ってるとこがギャラリーの近くにあってね。ボンボリみたいな柔らかい雰囲気が出るんだよ」

「へえ……すごい楽しみ」

「うん、まあ、でも……」彼は少し言い淀《よど》んだ。「写真と同じようにはいかないかも」

「いいですよ。本物よりきれいに描いてくださっても」私は冗談混じりに返した。

彼は無言で微苦笑する。

その表情を私はどう捉《とら》えたらいいか分からなかった。もしかしたら、出来上がった絵は、私とはかけ離れた姿になっているのではないだろうか……ふとそんなふうに思えてしまった。言ってしまえば私はただのモデルでしかないのだ。石飛さんには石飛さんの理想の女性像があるのかもしれない。

でも、出来上がった絵の顔が星美さんに似ていたら、ちょっと複雑だなと思う。

「完成した絵を見たら、石飛さんの理想のタイプが分かるんですか？」

私はほんのちょっとだけ皮肉を込めて訊《き》いてみた。

「そういうわけじゃないけど……一応モデルさんをがっかりさせないようにと思って言っただけ」

「石飛さんって、もしかして……」

私は伊吹先生のノートを思い出していた。

「理想のタイプは癒《いや》し系ですか？」

石飛さんはきょとんと私を見てから、困ったように笑った。

「まあ、そうかな」

「やっぱり」私はしみじみと唸《うな》った。「男の人ってみんなそうなんですね」

「みんながそうかどうかは知らないけど……」

「でも、手料理が好きな人とかは、癒し系が好きなんですよ」

「そう言われてるの？」

「私の周囲では」

そう言うと、彼は少しだけ笑ってみせてから、小さな吐息を一つついた。

「でも、まあ、それだけじゃなくて、健気《けなげ》に何かを頑張ってる子とかもいいなって思うし」

独り言のように言って、またぼんやりとした眼をした。

「ああ……そうですよねえ」

私は相槌《あいづち》を打ちながら、それは特別、私のことを指しているのではないなという気がした。マンドリンなどにしても、自分としては健気に頑張っているつもりであっても、みんなと比べてどうかというと、かなり怪しいものだし、第一、石飛さんの前では頑張っているふりもしたことがない。「面白い子とか、ちょっと変わった子がいい」と言われれば、私にも光が当たっていると思えるのだけれど……。

石飛さんの心の中には誰かがいるのだろうか。星美さん……彼女はちょっと気が強そうだし癒し系っぽくはないから、一瞬、私は希望を見出《みいだ》してしまったが、頑張り屋さんではあるのかもしれない。彼女のことを気に留めながら、今の言葉を言ったという可能性はある。

石飛さんと過ごす時間は楽しいけれど……。

見えない壁を感じてしまった。

《目の前にいるのに隆の心が私に向いてないのが分かるときがある。隆の心の中にはどんな世界が広がってるんだろうって思う。私はその世界のどこにいるのかな？》
《隆と会えるだけで嬉《うれ》しいし、話せるだけで楽しい。学生時代でも、こんなに二人だけで会えることってなかった。でも結局、それが続くだけでは満足できなくなる。気持ちはどんどん進んでるのに、現実は足踏みって、何だか身が引き裂かれていく気分。》
《また隆との温度差を感じた。あなたの温度を上げられる人は誰？》
《私は隆から特別な何かが欲しい。「伊吹だけだよ」っていう何かが。でも、口に出して「欲しい」とは言えない。隆もしらばっくれてる。意地悪なやつめ。》

伊吹先生のノートを見ていくと、今の私と同じような気持ちでいる彼女に出会ったりする。最初は伊吹先生の恋模様を他人事《ひとごと》のように読んでいたはずなのに、今はすっかりその気分を共有してしまっている。何の解決にもならないけれど、私だけじゃないんだなと勇気づけられる。伊吹先生と私は、どこかやっぱり似ていると思う。

石飛さんにお弁当を作った日は、帰ったあとすぐに彼からお礼のメールが届いた。それはそれで嬉しかったし、腕によりをかけたかいがあったと思った。

でもそれから三日、四日と経つと、それで何かが変わったわけではないことに気づく。一生懸命近づいて、近づけた気がしても、それはほとんど錯覚のようなものだ。心というものは、何日かの時間が挿《はさ》まれば、また元の距離に戻ってしまう。

「もしかしたら、ちょっと厳しいかもねえ」

石飛さんにお弁当を持っていったときの話を可奈子さんにしてみたら、そんな見通しを頂戴《ちょうだい》してしまった。

「向こうにそれなりの気があったとしたら、『じゃあ今度はお礼に』っていう食事か何かのお誘いがあるのが普通だからねえ」

それは確かにそうかもしれないが、私としては、すぐには認めたくない意見だった。

「個展に出品する作品の追い込みで忙しいらしいし、そんなとんとん拍子には行きませんよ」私は返事をしながら、自分を納得させていた。「でも、お弁当はすごく好評だったんですよ。今度はパスタにしましょうかって言ったら、普通に喜んでたし」

「甘えキャラなんじゃないの？」可奈子さんは冷ややかに言った。「自炊とかはしないんでしょ。そういうとこ甘えて、相手の母性本能をくすぐるタイプなんじゃないかな」

「そういうタイプだとどうなんですか？」

当たっていなくもない気がして、私はその先を訊いてみた。

「ひどいのは甘えるだけってことよ。もらえるものはもらって、やってもらえることはやってもらって、ひたすらウェルカム、ウェルカムで、自分からは何にもしないのよ」

「そんな人いるんですか？」

言いながら、伊吹先生のノートに出てくる隆さんは、それに近いのかもなと思った。伊吹先生があれこれアプローチするのをウェルカムで受け入れているのに、関係は進まないというあたりだ。

「そんなのいくらでもいるわよ。そういう生き方は楽だからねえ」

「でも、彼は花束とか持ってきてくれたし、そこまでじゃないと思うけど」

「計算が入ってたら、花束くらいは持ってくるわよ」可奈子さんはニヤリとして言う。

「うーん……」

私は唸るしかない。そうではないと信じたい。

「ま、そういう人との恋っていうのも成立するけどね」可奈子さんはフォローするように言った。「与えて尽くして、相手が喜べば自分はどうでもいいの……みたいな恋もあるわけだから」

そういうのがありだと言われても、私は嫌だなと思う……。

そんな可奈子さんの話もあって、私は石飛さんとすんなりうまくいくという楽観めいた気持ちは持てなくなってしまった。毎日電話やメールのやり取りがあれば、また気分も違うのだろうが、向こうからも来なければ、私から用もなく連絡するのも抵抗がある。結局はまだまだその程度の間柄であるということだ。

だから、今の私にできることと言えば、伊吹先生のノートから自分と似た心情の言葉を見つけては、伊吹先生も一緒なんだと自分の心を慰めることくらいだった。

《たぶん、隆と私、遠目には合ってるように見えるんだと思う。けれど、互いを近づけてみると、細かいところが曲がっていたりして、フィットしない……そんな繊細なパズルのピース同士なんだという気がする。細かいところが合わないからって目くじら立てないで、近づいたときこそ、もっとアバウトに彼を見ていったほうがいいのかもしれない。》

《私はふくらんだ気持ちの重さに耐え切れなくなってて、隆に半分くらい渡したくなってる。でも、これじゃあ前と同じになっちゃう。隆もそんな重いもの受け取らないよ。ふくらんだ分は自分の責任。自分で持つ。重いけど、重そうな顔はしない。》

《隆、ちょっと前は癒し系がタイプなんて言ってたのに、今日話してたら、存在感のある子がいいなんて言ってる。一つのタイプだけじゃないってことみたいだけど、かなり思いつきで答えてるっぽい。それとも私にはそれが足りないって言いたいのかな。》

存在感のある子って具体的にどういう子なんだろう……癒し系とはまた方向が違うみたいだ。隆さんもいろいろ適当なことを言って振り回してくれる。

でも、石飛さんも、癒し系だけじゃなくて、健気に頑張っている子もいいなんて言い足していた。ただほわんとそこにいるだけでは物足りないということなのかもしれない。

やっぱり人の心って難しいなと思う。その人に乗り移るか、このノートのような吐露を覗《のぞ》き見るかしないと、本心は分からない。

《今日は隆の仕事が一区切りついたらしくて、ご飯のあと居酒屋に行った。久しぶりにゆっくり話せた。眠たいけど、忘れないように書いておく。隆の言葉……物語には順序があるってこと。私は隆に物語を見せてたつもりで見せてなかった。そしていきなりクライマックスだけ見せただけだったのだ。》

何かまた含蓄がありそうな話だな……次の日に続いている。

《昨日の続き。隆とじっくり話して分かったことは、私の気持ちのほとんどは隆に伝わっていなかったということだ。隆は大学三年生の頃に私が仲間から離れていった理由についても分かっていなかった。確かに私は隆にふられてすぐにではなく、だらだらグループに留《とど》まりながら静かに離れていった。それは単なる私なりの体裁の取り繕い方だった。でもそのことさえ、隆には理解されていなかったのだ。

　私が告白したときのことも、隆は、「いきなり映画のクライマックスを見せられたみたいだったし」なんて言ってた。いきなりクライマックスを見せられても、その話には入っていけない。それまで私は、隆に気のある素振りをしたり、気持ちをほのめかしたりはしてこなかった。いや、自分としては、したつもりのこともあったけれど、隆には伝わっていなかったのだ。私は自分のラブストーリーを彼に語ってこなかったということだ。だから、私の存在は隆に意識されていなかった。そういう目では見られていなかった。ある意味、隆は私と出会っていないも同然だったのだ。そんな関係なのに、私は突然のように二者択一を彼に迫った。そして、当然失敗した。

　私が隆の気持ちを分からないように、隆も私の気持ちは分からないのだ。隆が鈍感なのではなく（多少は鈍感かもしれないけど）、私は自分で考えているよりもずっと、自分の気持ちを押し隠して生きているのかもしれない。昨日の話を聞いて思った。私はもっと前

向きになって、自分のラブストーリーを少しずつ、魅力的に、彼に伝えていくことが大切だということ。》
《また、昨日の続き。今までは、どうして私のこの気持ちを隆は分かってくれないんだろうかという思いだけがふくらんで、それを持て余していた。でも、それをぶつけてしまえば、隆はまた私に背中を向けてしまうのが分かっているから、何とかそれを抑えて自然体に見せかけることに苦心して、私は不自然なよろいを余分に着てしまっていた。そんなよろいはいらないし、そんな戦いをするのは意味がない。私はもっと柔らかくて甘い果実を自分の心という畑で育《はぐく》んでいて、その収穫を彼にあげられるはずなのだ。》

伊吹先生、「恋は我慢」などと言っていた頃から比べると、ずいぶん大きく考え方を変えてきたものだ。生徒の私も振り回されてしまうじゃないか……なんて、勝手に生徒になっているだけだから、文句は言えないけれど。

「私は自分で考えているよりもずっと、自分の気持ちを押し隠して生きているのかもしれない」という言葉には考えさせられるものがある。私はけっこう分かりやすい人間だと言われるが、それでも本心を隠したり、裏腹のことを言ってしまったりすることは多いし、誤解もされる。

考えてみると、石飛さんもたぶんまだ、私の気持ちには気づいていないような気がする。

料理を作って持っていっても、そういうことをしたがるタイプだと思われていればそれまでだ。彼にしても、私に慕われているのは薄々分かるとしても、それがどの程度の気持ちのものなのかは分かりようがないだろう。

鹿島さんのことも私にとっては突然だった。何だか態度がおかしいとは感じていても、そういうタイプの人なのかなと思って片づけていた。立場を変えれば、よく分かる。

少しずつこちらの思いを届けて雰囲気を作っていかないと、相手の気持ちに火をつけるのは難しいかもしれない。星美さんは石飛さんへの気持ちが言葉や態度にはっきり出ている。それと競うつもりはないが、ちょっとは踏み込んでいかないと、私の存在など彼女の陰に隠れてしまう。

《隆に「何かいいことあったの?」って聞かれた。そう見えるらしい。》

《「仕事が忙しい」って言われたら、前は「じゃあ、頑張って」って答えてただけだったけど、今日は「早く会いたいから」って付け加えてみた。隆は「うん」って言ってくれた。》

《今日は隆と河原でバーベキュー……のつもりが、スーパーでさつまいもを見て、お互い顔を見合わせてしまった。安く済んだし、ちょっと寒かったし、焼きいもでちょうどよかった。おいしかった。》

《夜はグレバリで隆とご飯。珍しいのは隆から誘ってきたってこと。話の流れじゃなくて、い「今からどう？」みたいな一方的な隆からの誘いは初めてだと思う。おごりだったし、いい仕事でもしたのかな。楽しかった。》

　何だかいい雰囲気になってきたと感じるのは気のせいだろうか。悩みの言葉も出てこなくなった。

《誕生日のこと口にしてみたら、隆が手料理を作ってくれることになった。嬉《うれ》しい。楽しみだ。何を作ってくれるんだろう。》
《明日は今までで一番幸せな誕生日になりますように。》
《学校を出るのが遅れたけど、家に戻る時間は何とかあった。八時過ぎに、隆の部屋におじゃま。隆の手料理って、何とチャーハン！　けっこう大受け。でもさすが自信作、おいしかったよ。それ食べてからケーキ。微妙な組み合わせだけど、これもおいしかった。プレゼントにラピスラズリのイヤリングまでもらってホクホク。「ハンズで材料買って適当に作ったやつだから、お金かかってないよ」なんて言ってたけど、手作りのほうが嬉しい。感動しました。幸せです。》
　それから帰りはマンションまで送ってもらって……ね。何だかキツネにつままれたみた

いだったよ。ふふふのふ。》
「ふふふのふ」って何だ？　伊吹先生、すごく舞い上がってる。肝心なとこ、ぼかして書いてるし……本人としてはそれだけで分かるんだろうけど、読んでいる私はもやもやが残ってしまうじゃないか。
《隆からメールで誘い。明日時間が合ったら、ご飯。》
《喘息《ぜんそく》の薬、もらいに行かなくちゃ。隆が何度も「大丈夫？」ってメールしてくれた。嬉しい。》
　隆さんの態度が明らかに変わってきたような気がする。
《頭痛がひどくて寝てたら、ドアをノックする音。開けたら隆がいてびっくり。電話に出ないから、心配になって来てくれたらしい。ありがとう。ちょうど買い置きしてたカップラーメンを二人で食べた。帰るとき、見送りに出る代わりに、窓から手を振った。隆も笑って手を振り返してくれた。元気が出てきた。》
《クリスマスイブは隆とケーキを食べることになった。あの「お嬢様」から誘われたけど、返事を保留して私の予定を聞いてくれたみたいだ。変にこじれないかなって思ったけど、そうでもないみたい。隆は平然としてる。プレゼント探さないとね。》
《クリスマスの話があったと思ったら、今度はお正月が終わってからの話。実家から早く帰ってきたら、どっか行かないかって言われた。口ぶりからして、泊りがけの旅行を考えてるみたい。うーん、どうしよう。》

うわあ……もう、畳みかけるように隆さんからの反応が返ってくるようになった。あれほど摑《つか》みどころのなかった隆さんの気持ちにとうとう火がついたらしい。遅いくらいだけど、結果がこうなら許してあげようか。

とうとう、伊吹先生の恋が実ったのだ。

私はノートを抱いて、仰向《あおむ》けに寝返った。

ゆっくり深く息をつく。

よかったね、伊吹先生……。

私まで幸せな気分になる。

9

「香〜恵〜」

その日、昼休みに学食でAランチを食べたあとに、外の掲示板に張り出された休講の案内を眺めていたところ、後ろから声がかかった。

振り返ると、美歩ちゃんや恭子ちゃんら、マンドリンクラブの同級生数人の顔があった。

「あ、久しぶり」

「香恵、最近何やってんの？　全然練習来てないね」

今日もみんなの手にはマンドリンケースが提げられているが、私の手にはない。

「うん……ちょっとバイトもやんなきゃだし」

自分の部屋では「ともしび」を練習しているから、それでマンドリンをやった気になってしまっている。

「辞める気じゃないよね？」

二年生で誰か辞めた子はいるか逆に訊《き》いたら、男の子二人の名前が挙がった。

「燃え尽きたらしいよ。灰になったたって」

あとの十人ほどはまだまだ続けるようだ。辞める辞めると言いながら、けっこうみんなやる気なんだなと思う。

「辞めないでよ」恭子ちゃんが柄にもなく優しい声を出して、私の腕を揺すった。「香恵がいないと、味気ないし」

てくれる。

「来年、葉菜ちゃん入れて『案山子』弾こうよ」美歩ちゃんが泣かせるようなことを言っ

どうやら、ちょっとサボっているうちに、私が辞めるという噂が広まっているようだ。

確かに、私もマンドリンをもう五年やっているからか、何となく十分やったような、燃え尽きた感覚があった。そろそろ、毎日毎日指がつりそうになるまで練習するようなマンドリンとの付き合い方はおしまいにしてもいいかなと思っていた。でも、こうやってみんなに励まされると、あと少し続けてもいいかなとも思えてくる。

「もうちょっとゆっくりしてから考えるよ」

そう答えると、みんな頷《うなず》いてくれた。

「うちら、あとはもう増えないんだからね」美歩ちゃんがそう言って、微笑んでみせる。

「そうだね」

仲間っていいなと思う。

部室に行くらしいみんなと手を振って別れ、私は掲示板に目を戻した。三限目の休講を知らせる張り出しがある。

じゃあ、今日は四限目もサボってバイトでもしようか……そう思っていると、事務員のお姉さんが隣の掲示板に一枚の紙を張ろうとしているのが目に留まった。何だか見覚えのあるレイアウトの紙に見えた。

美術科のスペースだ。

近くに寄って確かめる。やはり……石飛さんの個展のチラシである。彼のマンションに行ったときにもらったやつだ。ＯＢだから、お知らせとして掲示板に張り出すらしい。

石飛さんが持ってきたのかな……。

ふとそんなことを考えていたら、もしかして、まだこの大学にいるのではないかと思えてきた。

あのチラシを今日持ってきたとは限らないが、可能性としては、なくはない。

どうだろう……。

いったんそう思うと、確かめずにはいられなくなった。

携帯電話を出して、メールを打つ。

〈もしかして、石飛さん、大学にいます？〉

それだけの文章を送信してみた。

ベンチに腰かけて、返信を待つ。

しかし、十分ほど待ってみても、メールは返ってこなかった。

マンションにいるなら、逆にすんなり返事が来そうなものだが……。

けれど、来ないことにはどうしようもない。

十五分ほど経って、私はあきらめた。身体も冷えてきた。帰ろう。

と、校門を出て、銀杏《いちょう》並木の通りを歩いているところで携帯電話にメールの着信が入った。石飛さんからだ。

〈あれ？　どっかで見てた？〉

やっぱり、いるんだ……私はマシンガンタッチで〈見てないけど分かりましたよ。今、どこにいます？〉と返信を打った。

今度はすぐに返ってきた。

〈超能力だね。美術研究室から外に出るところだよ。〉

私は来た道を戻りながらメールを打つ。

〈美術研究室って何号館でしたっけ？〉

〈四号館。〉

けっこうキャンパスの奥だ。小走りでそちらに向かった。四号館の建物が見えたところで、またメールする。

〈四号館の何階ですか？〉

〈四号館の外。〉

メールを見て顔を上げると、石飛さんがこちらに向かって手を振っている姿があった。

「何で分かったの？」

近くに来るなり、彼はそれを訊いてきた。

「超能力です」

私が答えると、彼は苦笑いして首を捻《ひね》っていた。

「ゼミの先生の昼休みにお邪魔しててね……」石飛さんは言う。

「個展の挨拶《あいさつ》ですね」

「全部お見通しだね」彼は呆《あき》れたように言った。

「お見通しですよ」私は言ってやった。

石飛さんはやはり、首を捻って笑っている。

「もう帰るんですか？」

「うん」

「学食とか寄っていかないんですか？」

「来ようと思えば、いつでも来れるし……今日は仕事が残ってるからね」

「じゃあ、私も帰ります。ちょうど帰るとこでしたから」

「そうなんだ」

彼は肩を並べる私に歩調を合わせてくれた。

「あそこにチラシが張られるのをちょうど見てて」

私は掲示板の脇を通るときに、超能力の種明かしをした。

「そっか」石飛さんは腑《ふ》に落ちたように言って、しきりに頷いた。「もう張ってもらえたんだ……なるほどね」それから彼は、私に目を向けた。「でも、それでここに来てるって思うのは鋭いよね」

「私の勘は、だいたい外れるけど、たまに当たるんです」

そう言うと、彼は眼を細めて笑った。

校門を出る。大学前の通りはすっかり見慣れた風景ではあるが、こうして石飛さんと歩くと、銀杏並木がなかなかいい雰囲気を出しているなと思う。

「ちょうどいいコウヨウ具合だよね」

石飛さんは秋色に染まった銀杏の葉を見上げて言う。

「ああ、そうですね」

普段通学しているときには、気に留めもしなかった。

「もう少ししたら赤くなって、もっといいでしょうけどね」

私の言葉に、石飛さんは吹き出した。

「銀杏はそんな赤くならないよ」

「え……あ……」確かに落ち葉も赤くない。

「コウヨウでも黄色い黄葉だからね」

やってしまった。そんな引っかけ問題みたいなコウヨウがあるとは……。いや、冷静に考えてみれば分かるじゃないか。見事なほどの馬鹿丸出しだ。

「そ、そうですよねぇ」私は笑ってごまかすしかなかった。「やだもう……私の顔が赤くなっちゃいましたよ」

ひとしきり笑い合ってから、私は気を取り直して話を変えた。

「石飛さん、大学にはよく来るんですか？」

「うん……気が向いたときに学食行ったりとか」彼は答える。「学生気分が抜け切れてないってのもあるんだろうけどね」

「もしかしたら、何度もすれ違ったりしてたのかもしれませんね」

「そうかもね」

「〔今井文具堂〕もそうだし、石飛さんって近いところにいたんだなぁって思うんですよ」

「そうだね」彼も少しばかり感慨の混じった口調で応《こた》えてくれた。

「出会いって不思議ですよね。意識するまではいくらすれ違ってても出会ってないわけで、意識して初めて、出会ったことになるんですよね……」私は彼の顔を窺《うかが》う。「って、言ってる意味分かりますかね？」

「うん、もちろん」彼はにこりと微笑んだ。

私は嬉《うれ》しくなって頷《うなず》く。

「私……石飛さんと出会ってから、何かそういうことをすごく感じたんですよね」

私は歩道に目を落としながら、話を続ける。

「ただ私のマンションを見上げてた人だったかも分かんないし、ただのお客さんだったかも分かんない……でも、そうはならずに、今こうやって一緒に歩いてる……それは意識したからです」

銀杏の落ち葉が風に乗って、足元を転がっていく。

「私が言ってる意識とか出会いっていうのは、どこにでも転がってるようなことじゃなくて、ちょっと特別な意味のことですよ」

恥かきついでに言ったものの、やはり照れてしまい、私は意味もなく早口になった。

「たぶん、石飛さんはまだ私に出会ってないかも」

「そんなことはないけど……」石飛さんは微苦笑して、曖昧《あいまい》に反応した。

「ちょっと面白い子にだったら出会ってますけどね」

私が冗談混じりに言うと、彼は困ったように頭をかいた。

「私が石飛さんと出会ったのはいつだろ……私の部屋を見上げてたときかな……猫の絵を描いたときかな……いや、二度見されたときかも」

「二度見……？」彼はうろたえ気味に訊《き》き返す。

「店の入口で私が『ありがとうございました』って言ったら……」

「ああ、したかも……したね」彼は認めてから、いたずらっぽく笑った。

「ああいうのは反則ですよ。しかもそのあと石飛さん、にこって笑ったし……」

「反則って言われても……わざとじゃないし」

「そうでしょうけど……」

私って、かなり踏み込んだこと言ってるなぁと思う。伊吹先生のノートがなかったら、ここまで自分の気持ちを匂わせるようなことは言えていない。あれを読んで、私も伊吹先生のように、自分のラブストーリーを石飛さんに少しずつ伝えていこうと思ったのだ。

私の話を聞いての、石飛さんの表情はそんなに悪くない気がする。少なくとも拒絶反応みたいなものはない。

踏み込みついでに……。

「石飛さんって……」

訊いてみる。

「今……付き合ってる人はいるんですか？」

訊いてしまった。

顔を見ることができず、ただ、答えを待った。

なかなか答えは返ってこなかった。

やっぱり訊くんじゃなかったと思いながら、私はちらりと石飛さんの顔を見た。

彼は私を見返すこともなく、まるで一人の世界にいるように、ただぼんやりと前を見ているだけだった。

「いると言っても嘘になるよね」彼は独り言のようにそう答えた。

私はそんな回りくどいような答えは予想していなかったから、その意味を考えるのに少し時間がかかった。

どうやら、付き合っている人はいないらしい。

けれど、いると言いたいのか、いると思いたいのか……とにかく、そんなような微妙な感情も石飛さんの中にはあるらしい。

「石飛さんの心の中には、誰かがいるんですか……？」

彼はやはり私を見なかった。

「それは……いないと言えば嘘になるかな」

また、微妙な言い回しだったが、今度はいるのだとはっきり分かった。

星美さんだろうか……でも、それ以上は訊けなかった。ずいぶん複雑なものを抱えているのが分かるからだ。

彼がその感情に向き合うとき、彼の視界に私はいない。

私はその彼が遠くに感じる。

「それは喜んでいいんじゃないの？」

昼間の話をしてみると、可奈子さんはそんな反応を返してきた。いつものコーヒーショップでの休憩中である。

「その言葉の通りなら、代理店の彼女も恋人ではないってことだから、香恵ちゃんにも十分チャンスがあるって話よ」

「まあ、それはそうなんでしょうけど……」

私はなおもすっきりしない。

「言い方からすると、スイーツの彼の片思いっぽいよね」

「うーん……でも、はたからは、彼女のほうが入れ込んでるふうに見えるんですけどねぇ……」

「実は人妻で、彼の気持ちを翻弄《ほんろう》して楽しんでるとか……」

話を無責任に転がそうとするのは、本当に可奈子さんの悪い癖である。

私が睨《にら》んだのを見て、彼女は小さく舌を出した。

「まあ、何でもいいじゃない。うまくいってないなら、彼も満たされてないわけだし……その心の隙間にするっと入れれば勝算あるわよ」

「そんな、簡単に言ってもらっても困りますよ」

誰かになびいている石飛さんの気持ちをこちらに向けさせる自信はない。

とはいえ、あきらめるのも嫌だけれど……。

「いや、私、香恵ちゃんってけっこうやるなぁって頼もしく思いながら聞いてるのよ」

それは、伊吹先生のノートを恋のバイブルとして参考にしているからだ。

「その調子、その調子」

可奈子さんは一方的に太鼓判を押してくれた。

《四年二組の太陽の子たちへ
三月二十三日、お別れ会第三部が終わってしまいました。正直言って、私はこの日が来てほしくないという気持ちでした。》
《一年間いろいろあったけれど、あなたたちは学級目標のように「太陽の子」だったと思います。思いやりの「心」をあたたかくて強い「力」にすることができる四年二組のすばらしい子どもたち。いつまでもその「心の力」を持ちつづけてくださいね。
すてきな一年間をありがとう。体調が悪くて心配させたこともあったね。でも、みんなの笑顔があって先生もがんばれました。そして、ちょっぴりこわかったときがあったこともゆるしてね。ごめんなさい。
四年二組担任　真野伊吹》
《この一年のことを思い出してると、なかなか寝つけない。明日で4の2のみんなとお別れかと思うと、やっぱり切ない。》

《考えてみれば、隆と再会して今のようになれたのも、この一年のことだし……それもすべて順調にいったわけじゃなかったから、私も忙しいはずだよね。》
《隆……もうすぐ誕生日だね。少し休んで元気になって、目いっぱいお祝いするよ。》
《そうだ……ちょっと思いつきました！
隆への手紙を書いてみる。子供たちがくれた手紙もすごくよかったからね。あんなふうに自分の気持ちを、素直に、愛敬《あいきよう》たっぷりに、ちょっと詩的に書いたりして……で、プレゼントのかばんに入れて、帰ってから隆に読んでもらおう。》
《隆へ……。》

とうとう伊吹先生のノートを全部読み終えてしまった。

私はベッドの上で仰向《あおむ》けに寝転がり、しみじみと自分が追ってきた物語の余韻に浸った。

三学期の伊吹先生は、仕事もプライベートも本当に楽しそうだった。体調の問題を除けば日々に悩みはなく、その充実ぶりが行間からにじみ出ていた。

最後の、隆さんへの誕生日プレゼントとして書いた言葉がまたよかった。そのあと、誕生日がどうなったのか気になるが、そこまではこのノートに記されていない。修了式の日の出来事も書き留められていない。そこまで書かなければ一年の学校生活を綴《つづ》ってきたこのノートの形としては収まりが悪いような気もするが、それは他人から見ての話で、本人からすれば、修了式を済ませた時点でこのノートの役目も終わったということなのかもしれない。「私の日記はこれで終わります」とか、「THE END」とかの一文があれば、読後感も落ち着いたものになっただろうに、隆さんへのメッセージが最後なものだから、私は熱い余韻を引きずってしまう。

伊吹先生に会いたいな……会って、いろいろ話したいな……そんな思いがごく自然に顔を覗《のぞ》かせる。

会おう。

伊吹先生に会いに行こう……。

日記をすべて読み終えた翌日、私はそう思い立った。

いったんそう決心すると、昨日の夜から迷っていた気持ちは晴れ、わくわくするような気分が湧き上がってきた。

話したいことはいっぱいあった。いざ本人と顔を合わせたら、大した話はできないかもしれない。でも、もしかしたら、以前からの知り合いのように楽しく話せるんじゃないかという気もする。いや、たぶん、盛り上がると思う。

私自身の話も伊吹先生に聞いてほしい。石飛さんとのこととか、可奈子さんより親身に聞いてくれそうだし、自分の経験から真実味のあるアドバイスを送って、勇気づけてくれそうだ。

将来の進路の相談もしたい。いっぺんに全部の話題は無理だろうが、とにかく一度、会いに行くだけでも会いに行こう。クローゼットに置き忘れていったノートを返すという名目があるのだ。下手に学校に連絡を取ると、伊吹先生の都合によっては、郵送してくれという返事になってしまうかもしれない。とりあえず、何も言わずに足を運んだほうがいいような気がする。

ノートには「若小」「若草っ子」という言葉が出てくるから、伊吹先生の通っている小学校は若草小学校というところに違いない。地図で探してみると、若草小学校の場所が分かった。電車で二駅。駅からはちょっと離れている。

どんな服を着て会いに行こうかと迷っているうちに部屋を出るのが遅れ、この日の一限目は見事に遅刻してしまった。出欠確認には間に合わず、授業のあと出席を告げに行くと、先生からは白い目で見られてしまった。けれど、それくらいで気が滅入るような今日の私ではなかった。

服は、襟の大きな白のセーターにブラックデニムのGジャンを着て、下はコットンのロングスカートにブーツを合わせてみた。カジュアル過ぎずコンサバ過ぎず、まあ、罪のない女子大生として見られるには、これくらいでいいだろうと思った。普段よりは少しだけ、おめかしモードである。

そして、愛用のトートバッグには、授業のテキストやルーズリーフなどとともに、伊吹先生のノートや4の2の子供たちのメッセージカードを、クローゼットにかけられていた手紙挿しに包んで忍ばせてきた。

昼を過ぎ、三限目の講義が終わると、いよいよ私の胸はときめいてきた。同じく三限目でこの日の授業が終わった学科の友達を引っ張るようにして、そそくさとキャンパスをあとにした。

「今日、何かあるの？」

「ちょっとね」

私は思わせぶりな答えを友達に返し、一緒に乗った各駅停車の電車を二駅目で降りた。

「じゃあね」

ぽかんとして見送る友達に手を振り、電車が行くのも見ないまま、弾むようにして改札へと向かった。

若草小学校のある北口改札を出る。

上京するとき、部屋探しをしていて、この駅周辺の物件も回ったから、まったく初めての町ではない。各駅停車しか停まらない小さな駅の前には、ほかの町と同じような商店街があり、スーパーマーケットやドラッグストア、本屋、不動産屋、洋菓子屋、パン屋、喫茶店、学習塾、美容室などが通りに連なっている。その一帯を抜けると、北に伸びる二車線道路の左右に民家やマンションが立ち並ぶ住宅街へと風景を変える。

駅から離れるにつれ、ごちゃごちゃしていた景色が間延びするようにゆったりとしてきた。車の通行は多いが、歩道が広いから歩きやすい。銀杏《いちょう》の葉が黄色く染まって、歩道の端々に吹きだまっている。私は一人で思い出し笑いをしながら、歩を進めていく。

陽が少し傾いただけで、風がほのかに冷たくなっていく。もう冬はそこまで来ている。道にはなだらかな勾配《こうばい》があるから、そこを歩く身体に冷えは感じない。今は頬だけがひんやりとして気持ちいい。

「通学路」の標識が立っているのを見つけて、私の心は浮き足立った。

なおも歩く。二十分ほど歩いたところで大きなグラウンドが見えた。これかと一瞬思ったものの、地図を見て違うと分かった。企業の運動場だ。若草小学校はさらにその先にある。畑や竹林、神社やお寺などもちらほらと見える。景色がさらにゆったりとしてきた。

向こうからランドセルを背負った小さな子供たちが歩いてくる。若草っ子だろうか。そろそろ下校時間らしく、その後ろにもランドセル姿は続いている。

そしてとうとう、金網のフェンスが張り巡らされたグラウンドと、その奥に控えるコンクリート造りの大きな建物が視界に入ってきた。

ここだ。

校門までたどり着いて、「若草小学校」の名を確かめた私は、それだけで何だか目的の半分は達成したような気持ちになって、何となくそのまま学校から離れてしまい、その先の道をぶらぶらと歩いた。

いざ現実となると、来たこともない学校の校門を通って校内に入り、そしていきなり職員室を訪問するなど、かなり抵抗のあることだと分かる。私は今、校門の中に入ることも躊躇《ちゅうちょ》してしまった。

小学校の校庭のフェンスが後ろに遠ざかったあたりに、「若草小学校前」というバス停があった。バスが出たばかりなのか、ベンチには誰もいない。私はひとまずそこに腰を下ろした。

どうしようか……。

手紙でも添えて、子供の誰かに持っていってもらおうか。

それとも、せっかくここまで来たのだし、電話をかけて、近くに来てるからと言おうか……でも、電話番号さえ調べてこなかった。

考えがまとまらないまま、私は膝《ひざ》に置いたトートバッグの中から、伊吹先生のノートを取り出してみた。

何気なく開く。

何度となく読み返した伊吹先生の日記……賑《にぎ》やかな学級生活の様子がそこには描かれて

いる。

この日記の舞台……。

この学校なんだ。

私は若草小学校の校舎や、前の通りを歩いていく下校中の子供たちの姿を眺めながら、想像するだけだった場所が目の前にあるという感慨を噛《か》み締めた。

伊吹先生もこの学校にいるんだ。

やっぱり会いたい。

ノートを開けたら勇気が湧いてきた。

知らない学校じゃない。来たのは初めてだけれど、私はこの学校の雰囲気も子供たちの気質も知っている。

私はノートをトートバッグに仕舞い、勢いよく立ち上がった。

ここまで来て、伊吹先生に会わないなんて考えられない。

すぐそこにいるのだ。

転任していなければだけど……。

そう……あのマンションを出ていることからして、もうこの学校を離れてしまっている可能性もなくはない。一年で転任する可能性は低いと思うが、講師など正式採用ではない教員なら学校を転々とするとも聞く。

もしそうなら、新しい学校を聞いて、追いかけるまでだ。今日のところは楽しみを持ち越してしまうことになるが、それは仕方がない。

よし、とりあえず、伊吹先生が今でもこの学校に勤めているかどうか確かめることから始めてみよう。

それは、下校中の子供たちに尋ねてみればいい。

私はバス停の後ろを通り過ぎていく子供たちに訊《き》いてみることにした。

低学年の子では要領を得ないかもしれない。訊くなら去年の四年生、今の五年生の子がいいだろう。

それらしい子が通るのを待つ。

ひょろひょろっとした女の子が一人でやってくる。背の高さは高学年のそれである。長い髪を両耳の後ろで縛って、おでこを出している。手を入れていない眉《まゆ》が若干下がり気味で、なかなか愛敬のある顔をしている。

「ねえ、ちょっと訊いてもいいかな？」

私はソフトな口調でその子に声をかけた。

彼女は私を見て立ち止まり、眉をまたわずかに下げた。

「若草小学校の子だよね？」

そう訊くと、女の子は「はい」と礼儀正しく返事をした。

私は笑顔で頷《うなず》き返して、さらに尋ねる。

「じゃあ、真野先生って知ってるかな？　真野伊吹先生」

即答を期待したが、女の子は「うーん」と思案顔になった。

「名前を聞いたことはあるような……」

「あなたは何年生なの？」

「五年生です」

学年は当たっているのに……。

「去年、4の2を担任してた先生なんだけどね……知らないかな？」

「私、二学期から、若小に転校してきたんです」

「あ、そうなんだ」

じゃあ、知らなくても仕方ないか。

でも、そうすると、今の五年生の担任にはなっていないということか。あるいは、転校してきて三ヵ月くらいだと、ほかのクラスの担任まではまだ憶《おぼ》えていないということか。

「ありがと」

私はその子を見送って、今度は女の子の二人組に声をかけた。二人ともカラフルなスニーカーを履いて、おしゃれな格好をしている。

「ねえ、君たちは何年生？」

「四年生です」

声がそろい、お互いを見合わせて笑っている。

四年生か……なかなか背格好だけでは分からないものだ。でも確かに、口を開いてみれば、喋《しゃべ》り方がさっきの子よりもあどけない。

「真野先生って知ってる?」

一応訊いてみると、彼女らは、知っているとも知らないとも分からない、中途半端な表情を浮かべた。

「真野伊吹先生」私は言い足して、二人の顔を窺《うかが》う。

それに誘われるようにして、目が合ったショートカットの子の顔がこくりと動いた。

突然話しかけてきて、警戒されているのだろうか……何だかはっきりしない頷き方ではある。でも、名前を知っていることに違いはないらしい。

「先生はまだ若小にいるのかな?」

いるなら何年生の担任なんだろう……そんな質問を次に用意して答えを待っていると、ショートカットの子は隣の子と目を合わせた。

そして濁りのない瞳《ひとみ》を私に向け、ゆっくりと口を開いた。

「おなくなりました」

私はすぐにはその言葉の意味が取れなかった。敬語を使っているらしいのだが、どこか変な言葉だなとぼんやり思うだけだった。

首を傾げて見返す私に、ショートカットの女の子は親切に繰り返してくれた。

「真野先生はおなくなりました」

彼女の言葉が意味を伴って……。

頭に入ってきた。

「お亡くなりに……なったの？」

女の子は、そうだと頷いた。

何年生の担任なの？　そう用意していた言葉が、私の頭の中でシャボン玉のように消えていった。

「いつ……？」

相手に届いたかどうかも分からないような声しか出せなかった。

それでも女の子は答えてくれた。

「三年生の終わりくらいです」

終わりくらいって……修了式の前日までの伊吹先生を私は知っているのに……。

でも、そこまでしか知らなかった。

彼女らと別れ、私はもう一度、バス停のベンチに腰を下ろした。足に力が入らなかった。

いや、身体全体が自分のものとは思えないくらいに力が入らない。

伊吹先生……。

私は確かに会ったことはない。

でも、私は彼女の、仕事に恋に生き生きと向かい合ってきた日々を知っている。持病は抱えていても、彼女はバイタリティにあふれていた。彼女の生活は生命の素晴らしさそのものだった。

それがもう……。

どこを探しても、その命は存在しないのだなんて……。

信じられない。

誰か嘘だと言ってほしい。

寂し過ぎる。

想像通りの人じゃなきゃ嫌なんて言わないから……。

ただ、今もノートの日々と同じように生きていてほしい。

しばらく私は立ち上がることができず、ベンチに座ったまま虚脱していた。家に帰る子供たちが私の前に何人か並び、やってきたバスに乗り込んでいった。そして、私はまた一人になった。

通りの向こう側にも反対行きのバス停がある。ふと、ぼんやりしていた目の焦点がそこに合った。バスを待つ何人かの子供が並んでいる。

一番後ろの女の子の顔に、私はなぜか見覚えがあった。前髪をおかっぱ風に作っていて、気の強そうな眼をしている。しっかり者っぽい美人さんだ。

どうしてだろう……初めて来る小学校の生徒なのに、確かに知っている。

不思議に感じながら考えていたら、ああ、そうだと思い出した。

伊吹先生へのメッセージカードに、プリクラシールを貼りつけたやつが何枚かあった。私はトートバッグの中で、メッセージカードの束をかき回した。

あった。そうそう、栗沢絵里《くりさわえり》ちゃんだ。字がうまくて、前期は学級委員の書記を務めていた。モノマネ大会では友達とアイドルの歌を振りつきで歌って伊吹賞をもらった。メッセージカードには、将来は伊吹先生みたいな学校の先生になりたいと書いた子だ。

それが分かると、私はいても立ってもいられなくなった。トートバッグを肩にかけて立ち上がった。絵里ちゃんと話がしたかった。

子供たちの手前、近くの横断歩道を渡ることにする。

と、そうこうしているうちに後ろからバスがやってきた。横断歩道を渡った私はバスと競争するようにして走った。

「ねえ、ちょっと、ごめん！」

バスが止まり、先頭の子は乗り始めている。私はそこに駆け寄って、絵里ちゃんを呼び止めた。彼女が振り返り、きょとんと私を見た。

「バスが来たとこ悪いんだけど……」私は息を弾ませて彼女の前に立った。「伊吹先生……知ってるよね？」

「……はい」絵里ちゃんはちょっとびっくりしたように頷いた。

「このバス、次はいつ来るのかな。一本遅らせられないかな。伊吹先生の話をちょっと聞かせてほしいんだけど」

私が慌しく言ったとのは逆に、絵里ちゃんはバスをゆっくりと見た。

「これ、私が乗るバスじゃないです」

「あ……そうなんだ」

私は拍子抜けしながら、苦笑いにもならない表情を作って、肩で息をしている自分をごまかした。子供たちを乗せたバスが走り去っていく。

「伊吹先生のお知り合いですか？」

絵里ちゃんの喋り方は、さすが四年生の女の子たちとは違い、しっかりしていた。

「知り合いっていうか……」

何て説明しよう……私も先生の教え子だと言いたいところだが、混乱させてしまうかもしれない。

「先輩、後輩って分かるかな？」

伊吹先生が教育大の先輩かどうかは知らないが、部屋主としての先輩であることは確かだ。

「はい、分かります」

絵里ちゃんは呑《の》み込みよく、そう言ってくれた。

「伊吹先生にクラスの写真を見せてもらったことがあってね……それで、あなたの顔を憶《おぼ》えてたんだ」

とりあえず、そう言っておいた。絵里ちゃんはそれで納得してくれたようだった。彼女の顔からは、警戒めいた色があっさりと消え、代わりに唇が何かを語りたそうに小さく動いた。

「私……伊吹先生、大好きでした」

彼女はまっすぐ私を見てそう言った。その眼はほのかに潤んでいた。

私は胸が詰まりそうになりながら、彼女を見つめ返した。

「知らなかったんだけど……先生、本当に死んじゃったの？」

私の問いかけに、絵里ちゃんはこくりと頷《うなず》いた。

私は思わず眼を閉じて、絶望のため息をついた。

「どうして？」震える声で呟《つぶや》く。

「伊吹先生、スクーターで学校に来てたんですけど、その日、トラックとぶつかっちゃって……」

「修了式の日……？」

絵里ちゃんは唇をぎゅっと閉じて、もう一度頷いた。

最後のノートの翌日にそんな悪夢が待っていたなんて……。

「修了式だし、いろいろ無理してたのかなぁって、うちのお母さんも言ってました。先生、体調がよくなかったりしてたの多かったし……そういうのが重なったんじゃないかって」

確かに前の晩も喘息《ぜんそく》の発作があったけれど……。

体調が悪くても、多忙を極めても、それを乗り越えてきたのが伊吹先生じゃないか。

そんな頑張りの少しばかり脆《もろ》いところを衝《つ》いて……。

こんな取り返しのつかないことが起きてしまうのか。

それで伊吹先生の運命すべてを決してしまうなんて無情過ぎる。伊吹先生に似合わない。

けれど……。

そうなってしまったのだ。

「あの日も、最後の『太陽の子通信』を作るために、朝早かったみたいです」

「そう……」

《四年二組の太陽の子たちへ……》

伊吹先生、自分の手でみんなに配りたかっただろうな……。

「4の2のみんなで、お葬式に行きました。私……お別れの手紙を読む一人になって、先生に言いました。絶対、伊吹先生みたいな素敵な学校の先生になりますって……」

「そっか」私は哀しく笑った。「同じだね……私も伊吹先生みたいな素敵な学校の先生になりたいなって思ってるの」

そう言うと、絵里ちゃんは潤んだ眼を細めて、私に笑みを返してくれた。

「ねえ」私は思いついて訊いてみる。「水原君代ちゃんは元気かな?」

「君ちゃん知ってるんですか?」

「直接は知らないけど、伊吹先生に名前を聞いたことがあってね」

「君ちゃん、さっきまで一緒でしたよ」

「一緒のクラスなんだ」

「クラスは違うんですけど、私も君ちゃんも掲示委員会だから、ポスターの張り替えを一緒にやってたんです」

「そう……」学校に来ていると分かっただけで、私はほっとした。

「君ちゃんの帰り道は、こっちじゃなくて、向こうですよ」

そう言って、絵里ちゃんは校門のほうに向かって歩き出した。

「バス、いいの?」

彼女は私の言葉に答えず、「たぶんもうすぐ来るはず……もう行っちゃったかな」と小走りになった。

私は彼女についていく。

「君ちゃんもお葬式で読んだんです。読みたいって言って」

いきさつが分かっているから、それを聞いただけで、私は切なくなってしまう。君代ちゃん、お別れ会で伊吹先生にメッセージカードを渡せなかったからだ。

「あ、いた」

絵里ちゃんは、校門の前から住宅街に伸びた細い路地に目を向け、西日が当たったいくつかのランドセル姿を指差した。

「あの赤い服の子」

言って、絵里ちゃんはまた走る。私は誰を指しているかも分からないまま、とにかくついていった。

「君ちゃん！」

絵里ちゃんの声はよく通った。路地の先で振り向いた子は、確かに赤い服を着ていた。顔立ちが分かる距離まで近づくと、私は歩調を緩めて息を落ち着けた。

君代ちゃんは、まだランドセルが重そうに見えるほど、細い身体をしていた。黒目がちの眼は見るからに優しげで、薄い唇から覗《のぞ》くリスのような前歯が可愛かった。

「伊吹先生のお知り合いなんだって」絵里ちゃんが私のことを紹介してくれる。「君ちゃんのこと、伊吹先生から聞いたことがあるんだって」

君代ちゃんは小さく揺れる瞳《ひとみ》で私を見た。

「はじめまして」私は君代ちゃんに微笑みかけた。

君代ちゃんはうまく笑えないような微妙な表情で私の言葉に応《こた》えた。

「君ちゃんもお葬式でお別れの挨拶《あいさつ》したんだよね」絵里ちゃんが話しかける。

君代ちゃんはそれに頷いて、また私を見上げた。彼女も絵里ちゃんと同じように、何か言いたそうな唇をしていた。彼女らの反応には歳月を超えた温度が感じられた。そう言えばそんな先生もいたなというように伊吹先生を懐かしむ類《たぐい》のものではなく、今日もつい今しがたまで伊吹先生のことを考えていたというような、気持ちの芯《しん》から立ち上ってくる温《ぬく》もりが伝わってきた。

それでも、君代ちゃんの唇は、絵里ちゃんのようには動かない。

「伊吹先生ね、君代ちゃんと会えてよかったって言ってたよ」私から声をかけてみる。

「君代ちゃんのことが縁で出会えた人もいたし、君代ちゃんに感謝しなきゃって……」

君代ちゃんは、頭の中で私の言葉をゆっくりと反芻《はんすう》しているように、しばらく放心気味の顔をしていた。

「君代ちゃんはどんな挨拶をしたのかな？」そう水を向けてみた。

「私……」君代ちゃんがか細い声を出す。「伊吹先生にいっぱい心配かけてました」

「そう……」

「でも、お礼を言えなくて……」

私はうんうんと頷いた。「先生のお写真にはお礼を言えたかな？」

君代ちゃんはこくりと首を動かした。

「そうなんだ。よかった、よかった……伊吹先生には絶対届いてるよ」

「私は先生に……」君代ちゃんは唇を震わせ気味に開いた。「心の力があることを教えてもらいましたって言いました」

「うん……」

「学校に行けない私をいつも心配してくれてありがとうございましたって言いました」

「うん……」

「夏休みに家に遊びに来てくれて、本当に楽しかったですって……刺しゅうの作品で伊吹賞がもらえて嬉《うれ》しかったですって……不安なときでも目が合うと笑ってくれるから、ほっとしましたって……」

「うん……」

「春休みも遊びに来てくれるって約束してたのに……残念ですって言いました」

「そう……」

「伊吹先生……私はすごく寂しいですって言いました」

君代ちゃんの声はかすれ、眼の周りはしっとりと濡《ぬ》れてしまっていた。私も含めて、三人で洟《はな》をすすり合った。

「君ちゃん、頑張って学校に行くって約束もしたんだよね」絵里ちゃんが涙声で言う。

「頑張ってるもんね」

「そう……」私は笑顔を作った。「伊吹先生に胸張れるね」

「見ててくれてる気がするもん」

君代ちゃんはそう言うと唇を結び、またじわっと瞳を潤ませた。

私は伊吹先生の代わりに、彼女を抱き締めてやりたくなった。

そして、もし叶《かな》うなら、伊吹先生に抱き締めさせてあげたいと思った。

帰りの足取りは重かった。

いつもの駅に戻ってきた私は、このままマンションに帰る気も起こらず、駅前のマクドナルドに何となく足を向けていた。夕飯代わりのハンバーガーを買って窓際のカウンターに座った。

絵里ちゃんや君代ちゃんと悲しみを分け合っているときは気も紛れていたが、一人になると、たちまち寂しさが募ってきた。

伊吹先生の人生はあのノートの通りだったのだ。びっしりと続いていた書き込みが、ページをめくると、まったくの空白となっていた、あのノートの通り。

もう、どのノートにも、伊吹先生の日常は記されない。

あれだけ忙しい日々を送っていた人が、もう、一面の空白でしかなくなってしまったなんて……。

人生ってはかない。

伊吹先生、そんなことまで教えてくれなくていいのに……。

私は夕暮れの通りを力なく眺めながら、緩慢にハンバーガーを食べた。自分の口をつく、ため息の味がした。

駅のほうから、仕事帰りや買い物帰りの人たちが、ばらけるようにして歩いていく。

もしかしたら、こんな中に伊吹先生の姿が隠れているのでは……などという想像も、もはやできない。

いないというのは、ゼロだということだ。一年のうち一日でも伊吹先生の人生が続いていくのなら、まだ救われる気にもなる。でも、現実はそうではない。死んでしまったら、一秒たりと続きはない。

人生は一度きり……当たり前のことが、今はとても深く感じられて仕方がない。

憂いを胸に余し、私はまた、ため息としてそれを吐き出す。

その吐き出した先……窓の向こうで……。

カップルが肩を組んで歩いていく。

男の人は鹿島さんに見えた。

いや、鹿島さんだった。

私が彼の顔を見るのと、彼がさっと私から顔を逸《そ》らすのが同時だった。

相変わらず、シックなスーツで決めている。

隣の女の人は見たこともない。

私は反射的にストゥールから下りていた。トートバッグを抱え、トレイの上のものをダストボックスに片して店を出た。

何だろう、この感情は……。

通りを行く鹿島さんは、姑息《こそく》にも隣の女性の肩に回していた手を外していた。グレバリの前で立ち止まり、入口に足を向けながら、後ろを気にするように振り返った。

私と目が合い、彼は動きを止めた。女の人に二言三言何かを言って、先に店に入れ、それからまた私のほうを見た。そのときにはもう、屈託のない笑みを浮かべていた。

「久しぶりだね」

近づいていく私に、鹿島さんは愛想よく声をかけてきた。

「何やってるんですか……？」

私の声は、私の中のずいぶん低いところから出てきた。

彼は一瞬、笑みを強張《こわば》らせ、それを無理に解《ほど》くようにして、さらに笑顔を作った。

「やだなあ……どうしたの、そんな怖い顔して」

「ごまかすような言い方はやめてください」

「いや、違うんだよ」彼は作り笑いのまま、落ち着きなく後ろを見た。「ゴルフ仲間のホームパーティーでたまたま会った子なんだけど、話の流れでグレバリに行きたいって言うから、連れてくることになっちゃってさ……」

彼はちらりと私に目を向けてから、苦笑気味に顔をしかめた。

「俺も仕事があるから、ちょっと食べて帰ろうって思ってたし……てか、香恵ちゃんがOKしてたら、誰かとグレバリに来るなんてことにはならなかったわけだしね」

彼は視線を泳がすのをやめて、私に顔を寄せた。

「本当に、あの子とは何でもないから……」

さっぱりした口調で言い切り、真顔を見せる。

「よそを向かないでって思うなら、ちゃんと言ってほしいよ。言ってくれれば、俺は香恵ちゃんのほうを向くつもりだからさ……今でもね」

言ってから、彼は今の言葉を保証するように頷《うなず》いてみせた。

「何言ってるんですか……？」

私の声は相変わらず低いところからしか出てこなかった。

「鹿島さん、葉菜ちゃんに電話してあげたんじゃないんですか？　今度会いに行くって約束したんじゃないんですか？」

　彼は「あ、うん、そうそう」と、上滑りするような口調で反応した。

「香恵ちゃんに聞いて心配になったからね。俺も何だかんだ言って、ほっとけないたちでさ……まあ、本当に行くかどうかは、まだ分かんないんだけどね」

　彼はあくまで爽《さわ》やかな口ぶりを崩さずに、そんなことを言った。

「鹿島さん……葉菜ちゃんは一人しかいないんですよ」

　そう口に出したのと同時に、私の眼は潤みを増した。

　鹿島さんは口を開けたまま、「え？」というように眉《まゆ》を動かした。

「葉菜ちゃんは、はかなくて尊い命を持った存在なんです。一度きりの人生をひた向きに送ってるんです」

　私は訴えかけるように彼を見つめ、声を絞り出した。

「彼女と出会って、その輝きに触れるのは、奇跡的なことなんですよ！」

　私はあふれ出てくる激情に身体を震わせた。

「鹿島さん……お願いですから、そんな薄っぺらい生き方で彼女に関わらないでください。まやかしの手で人の輝きを取ろうとしないでください。せめて、言葉と気持ちが等しい人間として、彼女の前に立ってください！」

「ちょっと、それ、ずいぶん……」

「口答えしないで！」

感情が一気に沸点を超え、薄笑いのように引きつっていた彼の頬に、私の手のひらが飛んだ。乾いた音が鳴った。

「何だよ、ちょっと、おい……」

彼は驚いたような眼をして、私を見返した。私はもう一度、手を振り上げた。

鹿島さんが反射的に顔を背ける。

私はかろうじて手を止め、ぶつけ損なった衝動を荒い息に代えて吐き出した。そして手を下ろし、彼から視線を外し、トートバッグを胸に抱えてその場から離れた。

火照った神経に任せて、私はやみくもに走った。息が切れるまで走った。手足がバラバラに外れて、どこかへ飛んでいってしまいそうだった。

馬鹿みたいだ。分からない人に感情を爆発させたって、得るものなんか何もないのに。

自分の心の中がぐちゃぐちゃになるだけなのに……。

私はこんなことがしたいんじゃない。

こんなことがしたいんじゃないよ。

誰かほかに、私のこの喪失感を共有できる人はいませんか!?

私はその人と話がしたい。

その人と、人の輝きの素晴らしさを語り合って、寂しさにも寂しさなりの色をつけたい。

いないなら、一人で噛《か》み締めるだけ。

もう、それでもいい。

マンションに帰ってきた。

私はそこでようやく走るのをやめ、鼻水をすすり上げながら部屋に上がった。

私が住み、伊吹先生が住んでいた部屋……。

ここでいい。

気持ちを逆撫《さかな》でする人もいない。

私は床に膝《ひざ》をつき、トートバッグから伊吹先生のノートを取り出した。

涙がこぼれてきて、ノートの表紙を濡《ぬ》らした。

このノートには私の共感できるストーリーが込められている。

伊吹先生の魂が込められている。

これが出会いで、これが別れ。

伊吹先生……やっぱり、一目会いたかった。

私は眼を閉じ、ノートをぎゅっと抱き締めた。

10

心の張りを失って、何日かが過ぎていった。

そうしているうちに、石飛さんの個展が明日にまで近づいてきて、いよいよ今夜がお披露目パーティーという日になってしまった。

つい前まで、パーティーの日が来たら、私は空回りするくらいに張り切ってしまうだろうなと思っていた。大学の授業もそこそこに、ギャラリーの掃除をしたり展示作業を手伝ったりして、石飛さんの片腕になるくらいの勢いで参加しようと思っていた。服だって、きれいなワンピースを奮発して新調するつもりでいた。

しかし、実際には何となくこの日を迎えてしまった感じだった。迎えてなお、大した気力の持ち合わせもなかった。パーティーで弾くことになっているマンドリンの練習をしている時間より、伊吹先生が最後に書き記した隆さんへの誕生日祝いの言葉を読み返している時間のほうが長かった。大学の授業を受けているときも、ふと、頭に刻まれた伊吹先生の言葉を万年筆でノートの片隅に書いてみたりする。そして、この言葉は隆さんに届いたのだろうか……などと考えてしまう。

ノート自体はクローゼットに置き忘れられているくらいだから、伊吹先生の家族の目にも、もちろん隆さんの目にも触れてはいないのだろう。伊吹先生があの言葉を書き留めたとき清書までしていたとしたら、それはそののち隆さんに届いているかもしれないが、修了式前夜の眠れない時間でのことだから、そこまではできていないと思う。

もう一度、若草小学校から伊吹先生の知り合いをたどって隆さんを捜し、私の手で届けたら……という考えが浮かんだりもする。けれど、伊吹先生がこの世を去って半年以上が経った今、私が隆さんのところに行ってそれを見せたとして、いったい彼がどんな反応を返してくれるか……それを思うと怖い気もする。現実というのは、それほど優しくはないものだ。隆さんは大人であり、絵里ちゃんや君代ちゃんとは住んでいる世界が違う。それに、あるべき反応を彼に求めて、期待通りでないから憤るというのも間違っている。

そう考えると、隆さんを捜すことには二の足を踏んでしまう。きれいな思い出のように、そっと自分の胸に仕舞っておくのがいいような気がする。

そんな取りとめもない考え事に気を取られている時間が長く、マンドリンの練習にはあまり身が入らなかった。何人もの前でうまく指が動くか心配だが、本番がやってきたからには、そうも言ってはいられない。

私は三限目の授業が終わると、パーティーに行く準備をするため、足早にキャンパスを出た。

帰り道の途中で、携帯電話に着信があった。石飛さんからだった。

〈何とか間に合って、今から額を合わせに行くとこなんだ〉

私がモデルになった絵が、描き直しなどを重ねて今日まで押した末、ようやく完成にこぎつけたらしい。石飛さんの声には、嬉《うれ》しさが分かりやすくにじんでいた。

外苑前《がいえんまえ》の額縁屋に行って、前に話の出ていたライト付きの額縁を買ってから、その足で表参道のギャラリーに向かうのだという。

〈いろいろ準備もあるし、もう出るんだけど、香恵ちゃんはどうかなと思って〉

「あ……ごめんなさい、私、今学校を出たところで、マンドリンも家に置いてあるし、いったん帰らないと」

〈そう……いや、それならいいんだ。こっちはこっちで行くから、ゆっくり来てもらえば〉

「はい……なるべく早く行きます」

〈香恵ちゃんは、ケーキ、どんなのが好き？〉

「ケーキですか……私は何でも」

〈そう……じゃあ、適当に選んどこうかな〉

「すいません……そうしてください」

〈何か元気ない？〉石飛さんがふと声の調子を落とした。

「そんなことないですよ」私は無理に声を張った。「力作、見るの楽しみです」

〈力作と言われても、うーん、どうかな……期待してるようなのにはなってないかも〉石飛さんは少し申し訳なさそうに言った。

「そうですか……じゃあ、怖いもの見たさで楽しみにしてます」

そんな電話のやり取りを終えてから、私は帰り道を急ぎながら、途中、駅前のコンビニやクリーニング店に寄って用事を済ませた。そのあと、駅前通りの洋菓子店の看板が目に留まり、さっきのケーキの話を思い出して、前を通り過ぎるときにちらりとウインドウ越しに店の中を見やってみた。

お客さんが二人、ショーケースの前に立っている。こちらには背中を向けているが、男の人は石飛さんだと分かった。コットンのカバーオールに足元は革靴で決めていて、いつもよりはよそ行きっぽい。ショルダーバッグの口から後ろのほうに、筒のようなものが顔を出している。たぶん、出来上がった絵を丸めてあそこに入れているのだろう。

女の人は石飛さんのほうを向いているから、これも誰だかすぐに分かる。星美さんだ。こっちはこっちで行くと言っていたから、石飛さん一人ではない気はしていたが、やはり彼女だった。コートの下に覗《のぞ》く黒いスカート部分が大胆なイレギュラーヘムになっているのを見ると、どうやらパーティードレスを着ているらしい。パンプスのヒールは高く、足首がきゅっと締まって見える。

星美さんは勘よく私の視線に気づいて、こちらに目を向けた。流し目だからか、冷たさを感じた。私は反射的に会釈を送ったが、彼女からは何の反応もなかった。横の石飛さんに何やら話しかけている。私のことを言っているのかとも思ったが、石飛さんが一向に振り返らないことからして、そうではなさそうだった。

ここで完成した絵を見せてくれと言うのも失礼な気がするし、見せてもらって、もしそれが星美さんの顔になっていたら、どう感想を口にしていいか分からない。そうすると、わざわざ声をかける理由もない。私はそのまま、この場から離れることにした。星美さんに気づかれる前に、さっさと消えておけばよかった。少し前までは、三角関係に挑もうとする元気もあったはずなのに、今は彼女の睨《にら》み一つに気後れしてしまう。悔しいという気分さえ、あまり湧かない。

星美さんは石飛さんとの付き合いも私より長いわけだし、おそらく石飛さんにとって必要な存在なのだと思う。そんな自信さえ覗かせる彼女に張り合おうとするのは、考えてみればずいぶん身のほど知らずな話である。

石飛さんへの気持ちは変わらないが、距離は感じる。自分のメランコリックな気分を伝える気にはならないほどには離れている。絶えず近づこうと頑張っていないと、こういう距離はたちまち離れていくものなのだ。

それに、今の気分は誰かに理解してもらえるような類《たぐい》のものではない。自分の部屋に以前住んでいた人が亡くなっていたと知って虚脱しているだなんて、誰がその心境を分かってくれるというのだろうか。

私は勝手に落ち込み、勝手に立ち直るしかないのだ。たぶん、時間とともに伊吹先生への共感が色あせたとき、私は立ち直るのかもしれない。寂しいけれど、それを待つ以外にはなさそうだ。

マンションに帰った私は、一度だけマンドリンを手にして「ともしび」の練習をし、まあまあ無難に弾けたので、それでよしとすることにした。チューナーで手早く調弦を済ませると、ひとまずそれを置いて、普段は適当にごまかしている化粧に取りかかった。さすがに一人だけ子供じみた見かけでいるのは嫌だ。アイラインもアイシャドーも入れた。

服はドレープの利いたライトブラウンのワンピースにした。黒のワンピースもあるが、デザインも生地の光沢も星美さんのドレスに負けている。上着にはフードの付いた厚手のニットを羽織る。

夕方までにはまだ時間はあるが、手伝うことがあるかもしれないし、ぎりぎりに行くよりは、早めに顔を出して場に馴染《なじ》んでおいたほうがいいだろう。通学に使っているのより一回り小さいトートバッグに、財布や化粧ポーチ、携帯電話、マンドリンの足台などを放り込んだ。そして、マンドリンケースのフックを留めて、バッグと一緒に手に提げた。用意が整ってみれば、多少なりとも前向きな気分になっていた。パーティーというものに顔を出すこともまれだから、気が紛れるくらいには心も浮く。身体も軽く感じる。

靴は足首で競わなくていい、スエードのショートブーツ。

私はそれに足を通してマンションを出た。

よし……早く行こう。


おしゃれな店が軒を連ねる表参道から一本路地を入ったところにある〔ギャラリー四季〕に着いたのは、五時を少し回った頃だった。もう日もほとんど暮れてきている。

ギャラリーそのものは地味な佇《たたず》まいのペンシルビルの一階にあって、それほど見映えはしない。看板のデザインがちょっと凝っているかなという程度だ。

しかし、場所柄は申し分ない。シックな外観のブティックやイタリアンレストラン、インテリアショップ、デザイナーズマンションなどが向こう三軒両隣を固め、落ち着きのある華やかさが街並みを彩っている。通りを歩く姿にはスーツやパンツルックのＯＬが目立つ。私がイラストレーターなら、やはりこういうところで個展を開いてみたいと夢見るに違いない。

木製の扉を開けると、からんという鈴の音がした。入ってすぐのところに、「石飛隆作個展」と、パソコンか何かで作ったと思われるデザイン文字の張り紙を付けたスタンド看板が置かれていた。おそらく明日になれば表に出すのだろう。

奥に向かってはパーティションが立てられている。そこにも何か飾るか、あるいは挨拶《あいさつ》の言葉でも張るのかもしれないが、今は何も付いていない。

　そのパーティションの横を通り抜ける。

　中はフローリングの床が広がる、ちょっとしたスペースだった。私の部屋が二つくらいは入りそうだから、十五、六畳はある。

　石飛さんと同年代の男の人が二人いた。額に収められた作品を壁に掛けている作業の最中らしかった。石飛さんや星美さんの姿はなかった。

　壁掛けの作品はかなり展示が進んでいる。床には額の空き箱や緩衝材などが散らばっている。

　中央には大きな丸テーブルが置かれていて、しゃれたクロスが敷いてあった。そこにも何か作品を展示するのかもしれないが、今日のところはパーティー用に空けておくスペースであるようだ。オードブルが入ったトレイや飲み物の缶などが積み上げられている。

「もしかして君が、泣かせる曲を弾くという、噂の天才マンドリン少女かな？」

　男の人の一人が、私を見て冗談混じりに声をかけてきた。

「いえいえ、そんな」私は胸の前で慌てて手を振った。「あまりの下手さに自分で泣けちゃうくらいです」

　男の人は、はははっと快活に笑ってから続けた。

「一応、今日の幹事をやる藤坂《ふじさか》です。こっちは長瀬《ながせ》。俺たちも教育大出身なんだよ」

「あ、そうなんですか」

石飛さんの学生時代からの友達らしい。よろしくお願いしますと頭を下げてから、藤坂さんに訊《き》いてみた。

「石飛さんはどちらに？」

「まだ来てないんだよ。リュウのやつ、何か分かんないけど、絵がないとか言って、慌てて家に戻ってったらしいよ」

「絵がない……？」

「そう。額縁屋に行く途中で、額に入れる絵がバッグに入ってないことに気づいたんだって。どっかで落としたのかもしれないけど、家に忘れてきた可能性もあるから帰ってみるってさ」

何だかおかしなことになっているらしい。

「絵って……そのままバッグに入れてるわけじゃないですよね？」

「そうそう、和紙だから、丸めて筒に入れておいたんだけど、それをバッグに突っ込んだつもりが、入ってなかったんだって話だよ」

「え……私、駅前でちらっと見かけたんですけど、そのときはバッグに筒みたいなのを挿してたように見えましたよ」

「あ、そうなんだ……じゃあ、やっぱり落としたのかな。それか、スリに遭ったとか」

「そんなの掏《す》るかね？」奥にいた長瀬さんが口を挿《はさ》んだ。

「いや、分かんないよ」藤坂さんは言い、携帯電話を取り出して、「リュウ、お前、やっぱりバッグに入れてたらしいぞ」と、石飛さんに連絡していた。

「まったく……せっかくの作品を何やってんだか」藤坂さんは携帯電話を仕舞いながら、私に笑いかけた。「徹夜で仕上げたらしいし、あいつもぼーっとしてたんじゃないのかな」

徹夜で仕上げた作品が紛失したとなれば、それはちょっと可哀想だなと思った。私自身としては、モデルとなった自分がどうアレンジされているのか、見るのが怖い気もして、残念というストレートな気持ちよりも、もっと漠然としたものしか湧いてこないのだが、それとは別に、石飛さんの落胆ぶりが想像できてしまい、とても気の毒に思えてくる。

「まあ、作品は十分そろってるし、これでも問題ないとは思うけどね」

藤坂さんはアイボリーカラーの壁をぐるりと見回して、私に同意を求めるように言った。

確かに、壁の四方には色とりどりの作品が高さに変化をつけて掛けられており、見た目にも寂しさは感じられない。大きな絵はないが、数としては、ざっと見て三十点くらいはあるだろうか。十分、格好はついている。

私は自分の荷物を奥の片隅に置きながら、展示された作品に目を凝らした。

目の前には、万年筆で描いたと思われる風景画がシンプルな額に収まっていた。並木通りの深い奥行きが丹念な筆致で描かれている。セピア調のインクが微妙な濃淡をつけながら、何とも言えないノスタルジックな味わいを出している。

「それ、大学の前だよ。あとで付けるけど、タイトルはそのまま『銀杏《いちょう》並木』だしね」

「あ……やっぱり」

しみじみと見入ってしまう……いい絵だ。

絵の片隅には、「隆」という崩し気味のサインが同じインクで施されている。絵の中にすっかり溶け込んでいるそのサインを見つけた私は、一瞬、伊吹先生のノートに出てくる隆さんを思い出し、眼をしばばたたかせた。しかしこれは、隆作から取った〝隆〟で、〝リュウ〟である。さっき、藤坂さんも石飛さんを「リュウ」と呼んでいた。それだ。

隆さんを思い出すなんて、伊吹先生のノートの見過ぎだな……私は心の中で苦笑いする。

ほかの絵には、「Ｒｙｕ」というサインが付いている。「隆」は万年筆の絵だけらしく、もう一つのそれには、丸まって昼寝する猫がいっぱい描かれていた。これも見ていて楽しい。

鑑賞している場合ではなく、何か手伝うことがあるのでは……などと思いながらも、なかなか目が離れない。

入口で鈴の音が鳴った。誰かが入ってきたらしい。

それでも私は絵を見続けていたのだが、ヒールの音と高い声が、私の意識をそこから引き剝《は》がした。

「けっこういい感じに作ってもらったわぁ」

見ると、星美さんが大きな花のアレンジメントを手に引っ提げていた。口元に華やかな笑みを湛《たた》えながら、それを中央の丸テーブルに置いた。

「おぉ、すごいね」藤坂さんたちが感嘆の声を洩《も》らした。

「いい色のバラを入れてもらったの」

バラもランもユリも咲き誇っている。

「これはけっこうするでしょ」

「野暮なことはいいっこなしよ」

星美さんに冷たく返され、藤坂さんは首をすくめた。

「だいぶ仕上がってきたわね」

彼女は壁に掛かった作品を眺めて言った。私の存在に気づいていないとは思えないが、こちらに目を留めようとはしない。

「アートディレクターの先輩たちにも声をかけてあるから、来たら紹介するわね」

展示作業の進み具合には満足したらしく、彼女はそんな話を藤坂さんに向けた。

「作品見せても大丈夫かな？」

「持ってきてるんなら、見せればいいんじゃないかしら。でも、厳しいこと言う人もいるわよ」

「いいよ。厳しいコメントは星美さんに散々言われてるしね」

「あら、私は甘いほうよ。本人を目の前にして作品をけなすのが快感だっていうサディストみたいな人もお出《い》でになるから」

「ひぃ、怖いね」

「ふふふ、覚悟がいってよ」

星美さんは割と上機嫌に見える。姿を見る前は、石飛さんと一緒に戻っていったのかなと、何となく思っていたのだが、そうではなかった。

あの絵……モデルの私が星美さんに変わっているわけではないのかもしれない。自分が描かれた作品が紛失してしまったのなら、石飛さんと一緒に一生懸命捜すか、そうでなくても、もっと不機嫌になっていそうなものだ。

「隆作君から何か連絡はあったかしら？」

「やっぱり家にはなかったって。彼女も君らを駅前で見かけて、リュウのバッグに筒が入ってるのを見たらしいからね。来る途中でなくしたのは確実なんだよ」

藤坂さんの言葉に反応して、星美さんが私を見た。見たと言うより、睨《にら》んだと言うべきか。

そんな睨みつけてこなくてもいいのに……私はたじたじとなり、愛想代わりに小さく会釈した。

星美さんはそれに応《こた》えず、冷ややかに横を向いた。

「やんなっちゃうわね、ようやくってときに変なことになって」

ことさら憤るように彼女は言った。

私は何となく気まずさを感じ、作品の鑑賞に目を戻すことにした。

「本当、災難だよな。誰のせいにもできないから、余計可哀想だよね」

藤坂さんの同情的な声を、私は背中で聞く。

「で、もう、こっちに戻ってくるって？」

星美さんが気を取り直したような声で尋ねる。

「いや、今から習作に色を加えて、代わりを作るしかないって言ってたよ」

「今から作るって、もうすぐみんな来ちゃうでしょ」

「うん……だから、ちょっと遅れるかもって言ってたね」

「そんなの駄目よ。呼んでる人だって暇じゃないんだし、主役がいなかったら始まらないじゃない」

「うん、でもまあ、リュウも頑固だからね。そのへんは、星美さんから言ってみてよ」

石飛さんを「リュウ」なんて呼ぶ人が頑固と評すると、ああ、そうなのかなと思える。

リュウか……私もいつまでも石飛さんじゃなくて、何か呼び方を考えたほうがいいかもしれないな……聞こえてくる会話の本筋からは離れて、私はそんなことを思ったりした。

たぶん、そういう変化が二人の関係を新しくしていくのだろうし、真面目に考えてもいい問題である。

隆作君もいいけれど、星美さんと同じでは芸がない。リュウもちょっとフレンドリー過ぎる。伊吹先生も隆さんを隆と呼んでいたけれど、それも学生時代からの付き合いがあるからだ。私にはちょっと難しい。

私が呼ぶとしたら、隆作だから……。

リュウ……サク……。

リュウ……?

ふと、私の脳裏に、伊吹先生が書いた「隆」という文字が浮かび上がってきた。

私は石飛さんのサインの「隆」を見る。

隆作の隆。

何だか、私は大変なことに気づこうとしている……不意にそんな予感が風のように舞い起こった。

だって……。

タカシは私が勝手にそう読んでいただけだ。

だから、もしかして……。

わっ、わっ。

私はうろたえて、声を上げそうになった。

学生時代に知り合った伊吹先生の恋人って……隆……リュウ。

タカシではなくリュウ。

そうすると……。

そうすると、石飛さんの心にいる人は……。

合う。

何てことだ。

その瞬間、私の中で勝手に想像をふくらませていた伊吹先生の恋人であるタカシという男の人は姿を消した。

石飛さんが……。

現実がそれに取って代わった。

私の心一面にさざ波が広がり、その波動が身体に鳥肌を立たせた。

こんなことがあるのか……一瞬、そう思った。しかし、偶然でも何でもないと気づいた。

石飛さんは私の部屋を見上げていたのだから。

それが彼を見た最初だった。

《帰るとき、見送りに出る代わりに、窓から手を振った。隆も笑って手を振り返してくれた。元気が出てきた。》

あれは、伊吹先生のノートの続きでもあったのだ。

私が気づかなかっただけだ。

そう……私はやっと気づいた。

やっと気づいたのね……そんな伊吹先生のからかいの声さえ、聞こえてくる気がする。

もしかしたら、今ここにいるのは、私ではなく、伊吹先生だったのかもしれない。

そうすると……。

私ははっと振り返って、星美さんを見た。

釣られるようにして視線を合わせた星美さんは、私の真剣な顔に、何かを警戒するようなうろたえを覗《のぞ》かせた。

「どこですか？」私は静かに詰め寄った。

「はあ？」彼女は意味が取れないというようにきょとんとして、それから表情を強張《こわば》らせながら、床のあたりに目を泳がせた。

「どこでなくなったんですか？」私は言い方をソフトに変えた。

「どこでなくなったか分かんないから、困ってんだよ」藤坂さんが代わりに答えた。

「じゃあ……どこでなくなったって気づいたんですか？」

星美さんを見て訊《き》いたが、彼女は答えない。

「地下鉄に乗り換えようとして、電車を降りたときには、なかったんだってさ」また藤坂さんが答える。「それまではリュウも星美さんも、全然気づかなかったらしいよ」

じゃあ、電車に乗る前か……。

「私……捜してきます」

そう言って、私は彼らの横を通り抜けた。

「え……捜すって？」

藤坂さんの声を背中に受けながら、ギャラリーを出た。


私が捜し出すんだ……そんな思いを胸に抱えて電車に乗り続け、大学前の駅まで戻ったときは六時に近かった。電車のドアから飛び出した私は、そのままプラットホームのダストボックスに駆け寄った。

空き缶・ペットボトル用、新聞雑誌用、その他のゴミ用……入れるとしたら、その他のゴミ用か……中を覗こうとしたものの、同じ電車から降りてきた乗客たちが、私の横からゴミを投げ込んでくる。

仕方なく、いったん退《さ》がって周りが落ち着くのを待ち、それからダストボックスの収拾口の扉を開けて、中を引っかき回してみた。

ない。念のため、隣の二つの中も覗き込んでみたが、筒状のものは見当たらなかった。

階段を挿《はさ》んで奥にも一つ、ダストボックスがあるはず……そちらに回ってみる。同じように収拾口を開けて手を突っ込み、底のほうまで漁《あさ》った。

しかし、ない……ゴミの量はそこそこあるから、回収してしまったとも思えないのだが
……ない。

改札の近くにもダストボックスがあった気がする。そこでなければ、駅ビルのどこか。

あるいは駅前広場のどこかか。

とりあえず、ホームにあるベンチの周囲や売店の脇、あるいはホームの下まで、隠せそうなところには目を向けてみた。

それから階段を上がった。改札方向に走り、トイレの横にあるダストボックスを覗いた。

その足で女子トイレの中も確かめた。清掃員のおばさんがいたので訊いてみたものの、ダストボックスの中は昼過ぎに回収しただけで、次の回収はこれからだという。駅の事務室にも声をかけたが、筒状の拾得物はないという返事だった。

私は改札を出て、左右を見回した。

コインロッカーがある。鍵《かぎ》を閉めないままに、さっと突っ込んでおくことだってできる。

鍵のかかっていないロッカーを片っ端から開けてみる。

しかし、ない。

左右にテナントショップが並ぶ広い通路を出口に向かって進む。通路に置かれた観葉樹やベンチの周囲、テナントの店先などに目を走らせるが、それらしいものはない。

階段を下りて駅ビルの外に出る。ロータリー広場。洋菓子屋から来るなら、ここの垣根沿いを歩いてくるはず……どこかに隠れていないか。

目を凝らして垣根の中を探っていく……けれど、やはりない。

じゃあ、いったいどこだ。もう洋菓子屋は目の前じゃないか。

落胆しかけて……。

私は、はっと気づいた。

きびすを返して駅に戻る。

こういうときに限って私の馬鹿っぷりが発揮されてしまうのだ。

下りホームじゃなくて、上りホームを捜さなきゃいけないじゃないか。

駅ビルの階段を上り、通路を駆けて、切符を買って改札を抜ける。奥の上りホームに向かう。階段が左右にある。前寄りに乗るなら右だ。

下りて数メートル先にダストボックスがある。人の目も構わずに飛びついて、その収拾口を開けた。

しまった。回収されてしまっている。

私は清掃員のおばさんの姿を捜した。

もう一つのダストボックスのほうか……階段の脇を走っていくと、大きな回収袋を手にしたおばさんの背中が見えた。

「すいません！」

呼び止めて駆け寄る。

「それ、まだちょっと見てなくて。そこに入ってるかもしれないんです」

私は説明をほとんど省いて、とにかくその袋を見せてほしいというように、盛んに指を差した。

トイレの前で一度声をかけているから、私が何かを捜しているということは分かってくれているのだろう、おばさんは何も言わず、手に持った回収袋を広げてくれた。

中を覗き込む。手でかき回す。

「あった……！」

ボール紙の丸筒がゴミの中から顔を出した。

これだ。間違いない。

私はそれを袋の中から引っ張り出した。

「ありました。これです」

そう言って頭を下げると、おばさんはよかったねというように笑顔を返してくれた。

ホームの前寄りに戻りながら、ティッシュで紙筒を拭《ふ》いた。ふたを取って中を覗くと、確かに和紙が丸まって入っている。

嬉《うれ》しくてたまらない。

私はベンチに座り……。

筒の中から丸められた和紙を取り出した。

取り出したそれを両手で広げた。

きめの細かい和紙に描かれた淡い色合いの絵。

レンガ調の壁。窓辺。小さなバルコニー風の柵《さく》。

その柵に寄りかかるようにして、こちらを見ているクリーム色のセーターを着た女性。

肌が白く、少し面長で、長い髪がとてもよく似合う。形のいい眉《まゆ》が素朴な人柄を感じさせる。

笑顔は優しげでありながら、どこかいたずらっぽくもある。微笑んだ眼には、しっとりした輝きがある。

あなたが伊吹先生……。

やっと会えた。

やっと。

私は言いようのない感動でいっぱいになった自分の胸に、その絵を引き寄せた。眼を閉じたら、一粒だけ涙が頬を伝っていった。

あとはもう、笑みしかこぼれない。

伊吹先生も笑顔だから。

何度も見たくなる。

派手な顔立ちではないけれど、こちらから近づいてみたくなるような、何とも気持ちのいい美しさを持った人だ。やっぱり学校の先生っぽい雰囲気もある。聡明さとおおらかさが表情を彩っている。

伊吹先生……こんな笑みを振りまいてたんだね。

この笑顔でみんなを魅了して、みんなに愛されてたんだね。

生きてるときに会えなかったのは残念だけど……。

私は確かに、あなたの呼吸を感じました。

薫陶を受けました。

ありがとう……伊吹先生。

ありがとう……。

やがて、ホームに電車が到着することを告げるアナウンスが流れた。

私は絵を丸め直して、立ち上がった。

小さな光として彼方《かなた》に現れた電車は、だんだんとその姿を大きくしながら近づいてきた。

そして、ホームに車体を沿わせて、ゆっくりと駅に入った。

その電車と並ぶようにして……。

小走りに階段から下りてきた人影があった。

石飛さんだった。

電車に乗り遅れまいとするように急いできた様子の彼は、しかし、私と目が合って、その場に立ち止まった。

彼の手には、紙袋が提げられていた。おそらくは、代わりに間に合わせた作品が入っているのだろう。急場の仕事を済ませて、眼には疲れの色が強く浮き出ている。

でもやっぱり、それよりは、私が持っている絵のほうが間違いなく、いいと思う。

私は自分が手にしているものを彼に見せ、会心の笑顔を向けた。


電車に乗り、外苑前の額縁屋さんで額を買い、そしてギャラリーに戻るまでの間、私と石飛さんはほとんど話をしなかった。

話したことと言えば、絵の入った筒をダストボックスのゴミの中から見つけたということくらいだった。

「たぶん、スリの仕業で、それが金目のものじゃないって分かったら、ああいうとこに捨てちゃうんじゃないかと思って」

私はそんな適当な説明で済ませ、裏に見え隠れする星美さんの影には、とりあえず目をつぶっておいた。

石飛さんは心から安堵《あんど》したように、優しい表情をしていた。私はそんな彼の顔をときどきこっそりと盗み見るだけで十分だった。彼は伊吹先生のことを私に話してはくれなかったが、それにも不満は感じなかった。それが大事なものであるために、胸の中に仕舞っているのなら、私はいじらしいと思うだけだ。

それに私だって、かなりのことを彼に話していたい。たぶん、石飛さんもそうなのだと思う。二人きりでいるような気がしない。私たちはそれぞれに彼女の存在を感じていて、ひたすらそれを感じることに浸っていたいのだ。

私と伊吹先生は三角関係だった。ちょっと変わっていて、決して完成はしない三角関係……ほかの三角関係はごめんだけれど、これはそれほど悪くない気分である。

外苑前の額縁屋さんには閉店間際に滑り込み、店主にライティング機能の付いた額を見繕ってもらった。

ギャラリーに戻ってきたのは、七時をいくらか過ぎた頃だった。すでに十数人のパーティー参加者が集まっていて、石飛さんは彼らの拍手に迎えられての会場入りとなった。

彼は一人一人に軽い挨拶《あいさつ》と遅刻の詫《わ》びをしながら奥へ進んでいき、額に収まった伊吹先生の絵を銀杏《いちょう》並木の絵の隣に掛けた。額の裏にあるスイッチを入れると、伊吹先生のいる窓辺が柔らかい光で照らし出された。

石飛さんはかすかな吐息をついて、自分の作品を眺めた。私の部屋を見上げているときと同じ横顔だった。

「いい絵を描いたな」

藤坂さんがやってきて、石飛さんの肩を叩《たた》いた。そして絵の下に手を伸ばし、「ともしび」というタイトルの札を付けた。

「うん……伊吹って、こういう表情してたよな」藤坂さんはしみじみとした口調で言った。

「お前にしか描けないよ」

長瀬さんやほかの友人たちも石飛さんの周りに集まってきて、伊吹先生の絵に見入っている。その口々から感嘆の息が洩《も》れていく。

石飛さんは何かを気にするようにして、横にいる私をちらりと見た。

「何ていうか……」彼は絵に目を戻して言う。「この世にいない子の顔なんだ」

ちょっと言い訳めいていておかしかったが、私はただ頷《うなず》いておいた。

「また改めて、香恵ちゃんをモデルに描くから」

彼はそうも言ったが、私は聞き流した。

「けっこう、私に似てると思いますよ」

私がそんなふうに言うと、彼は一瞬の間を空けてから、口元をほころばせた。

「さて、とりあえず乾杯するか」

藤坂さんが手をぽんと叩いて言った。

ふと振り返ると、中央テーブルの向こうにいた星美さんと目が合った。彼女は睨《にら》みつけるように私を見たあと、ぷいっと顔を逸《そ》らし、そのまま入口のほうへ消えてしまった。鈴が鳴ったから出ていったようだ。

「乾杯のあとで、みんなに祝いの言葉を順番に言ってもらうことにするよ」

藤坂さんが石飛さんに段取りを告げる。

「気楽な感じでやってくれよ」

「まあ、任せとけ」藤坂さんは言い、私に顔を向けた。「マンドリンはその順番が来たときでいいかな。最後に回すから」

「あ、はい」

私は前向きな気持ちになっていたから、にっこり笑って返事をした。それに呼応して、石飛さんや藤坂さんが笑顔で頷いた。

缶ビールや缶ジュースがみんなの手に渡る。参加者は石飛さんの同年代を中心に、二、三十代の若い人たちが多かった。スーツ姿の人もいるが、クリエイターらしく個性的な格好の人も目立つ。

「それではみなさん、お待たせしました」

藤坂さんが手を上げて言い、それぞれの雑談がやんだ。

「主役がようやく最後の絵を持って到着したので、早速乾杯をしたいと思います」

拍手とともに、乗りのいい喝采《かっさい》が上がった。

「我らが石飛隆作君が、今ある力の結晶をここに集めて、披露することになりました。この作品の数々を見れば、改めて彼の才能に瞠目《どうもく》していただけると思います。これで見切る人はさっさと見切って、僕らほかのイラストレーターに注目してください」

笑いが起こって、石飛さんも苦笑している。

「それでは、石飛隆作、記念すべき初の個展開催を祝して乾杯します」

それぞれが缶を掲げる。

「乾杯！」

「乾杯！」

拍手が沸き、石飛さんが一礼で応《こた》えた。

「それではみなさん」藤坂さんが続ける。「テーブルの上のものなどをつまみながらですね、順番に一言、祝いのお言葉をお願いしたいと思います。あと、必ずどれか一つ、気に入らない作品の駄目出しをして、天狗《てんぐ》になってる石飛君をへこましてやってください」

笑い声が軽やかに立ち、朗らかな空気の中で、参加者からのお祝いの言葉が始まった。

「イラストレーターの真中《まなか》です」藤坂さんの隣にいた女の人が周りに自己紹介した。「このたびはおめでとうございます」と石飛さんに祝福の言葉を送ってから続ける。「こういう発表の場に来ると、大変自分も刺激されてですねえ、今すぐにでも帰って自分の作品に取りかかりたくなっちゃうんですが、ちょっと貧乏でお腹がすいてますんで、もう少しここで食べてから帰りたいと思います」

なかなか個性的な女の人で、笑いも取っている。

「えーと、出展されている作品はどれもいい絵で、駄目出ししたくてもできないのが残念です。特に最後に持ってこられた『ともしび』という絵は、一目見てため息が出ました。素晴らしいと思います」

同意するような拍手が起こり、石飛さんが口元に笑みを覗かせながら、恐縮するように頭を下げた。

「京経エージェンシーのアートディレクターをしております近藤です。石飛さん、おめでとうございます。ここの中に僕が手がけているキャンペーンのイメージにぴったりの絵を見つけてしまいましたので、あとで早速石飛さんと交渉したいと思います」

はやし立てるような声が上がり、拍手がそれに続いた。

「『イラストマガジン』の編集をしております田辺です。石飛さん、このたびはおめでとうございます。誌上コンペで入選されたときから、その活動に注目させていただいているんですが、作風にかかわらず、石飛さんのいい絵は、透明感のある凛《りん》とした眼差《まなざ》しを感じさせてくれます。得がたい描き手だと期待していますので、これからもその眼差しを大切にして頑張ってください」

静かな称賛には、石飛さんも神妙な面持ちで対している。

その後もある人は冗談混じりに、ある人は真面目に、石飛さんへのお祝いの言葉をスピーチしていった。

私の番も近づいてきた。この場でいきなりマンドリンを弾き始めたら、かなりインパクトがあるなぁ……などと思うと、少しずつ緊張してきて、話している人の言葉が頭に入らなくなってきた。

また誰かのスピーチが終わり、拍手が鳴る。私は話をほとんど聞いていないままに、一緒になって手を叩いた。

その拍手に混じって、鈴の音が聞こえた。

入口のほうから姿を見せたのは星美さんだった。どこに行っていたのか知らないが、戻ってきたらしい。

彼女はなぜか満面の笑みを浮かべていた。

そして、彼女の後ろから、タキシード姿の男の人たちがわらわらと現れた。

一同がそれに気づき、そちらを向いた。

私は彼女の後ろに控えている光景に唖然《あぜん》とした。四人のタキシード姿の男の人たちは、それぞれにバイオリンやチェロ、ビオラを手にしていた。

「みなさん、今宵《こよい》のひとときに、ささやかな音楽をご用意いたしました」

星美さんが踊るような手の振りをつけて言った。

「おぉ、すごいねえ！」

参加者の口々からどよめきが洩れ、拍手がそれに続いた。

「それでは……しばしご静聴を」

星美さんが完璧《かんぺき》な笑顔で言い、楽団に合図した。

タキシード姿の奏者たちが、さっそうと楽器を構える。

弦に当てられた弓が鋭く動き出し、優雅なメロディーが奏でられ始めた。

モーツァルト。

アイネ・クライネ・ナハトムジーク。

この部屋の中での弦楽四重奏は、思わず息を呑《の》むくらいの、申し分ない音量を持っていた。

もちろんプロの演奏だから、私などに見せるような隙もない。ただ呆然《ぼうぜん》と聴き惚《ほ》れるしかない。

気のせいだろうか……星美さんの得意げな視線がちらりと私に向けられたように思えた。

弦楽四重奏のセレナーデが奏でられたあと、つたないマンドリンでロシア民謡を弾こうとする私に……。

周りのみんなも演奏に魅了されていた。眼を閉じて聴き入っている人もいれば、心地よさそうに肩を揺らしている人もいる。

余韻をたっぷり残して、演奏が終わった。

感嘆の声と盛大な拍手がタキシードの一団に送られた。そして彼らは、星美さんの上品な拍手に促されるようにして、悠然と去っていった。

「いやあ、よかった、よかった」

「びっくりだねえ」

あとの拍手喝采は星美さんが引き取り、彼女はにこやかな顔でそれに応じた。

「今度の個展は、隆作君がまだ時期尚早だとためらっていたところを、私が背中を押して実現にこぎつけたといういきさつがございまして、正直なところ、成功するかどうかには一抹の不安もなくはありませんでした。でも、彼の力作が次々と出来上がってくるのを見て、その不安はなくなり、今日、ここに集まられたみなさまのお顔を拝見して、私はこの個展の成功を確信いたしました。私のできることなどささやかなものでしかありませんが、彼が一流のイラストレーターとして世界に羽ばたく日を夢見て、その挑戦を応援していきたいと思っています。みなさまもどうか引き続き、温かい目で石飛隆作をお見守りくださいませ」

星美さんは淀《よど》みなく挨拶《あいさつ》を済ませ、たおやかに一礼した。

「何だよ、夫婦みたいな挨拶だな」

星美さんの同僚がはやし立てて、場が和やかに沸いた。

「さあ……じゃあ、続けましょうか」藤坂さんが空気を入れ替えるように言った。「えっと、どなたからでしたっけ」

石飛さんがそっと私のそばに寄ってきた。

「マンドリン、もっとあとでいいよ」耳元で彼がささやく。

「あ、はい」

気を遣ってもらえて嬉《うれ》しかった。心の中で、ほっと胸を撫《な》で下ろした。

「内田デザイン事務所の内田です。私も飲むのが嫌いじゃないものですから、こういう個展の前祝いにはついつい顔を出してしまうんですが、今日は石飛ワールドを堪能《たんのう》しながら、さらには音楽もついてきたりなんかして、本当にビールが美味《うま》いなと思っているところです」

「イラストレーターの中谷と申します。といっても、まだ堂々と名乗れるほど仕事はしていないんですが、僕も石飛さんに追いつけ追い越せで、早くこんな個展を開いて、みなさんに祝ってもらえるようになりたいなと思いました」

あっという間に私の順番が来た。

演奏はあとでいいと言われて、それじゃあ何か気の利いたスピーチでも考えなければと思ったのだが、しかし、私の思考はまとまっていなかった。みんなの視線が自分に集まるのを感じて、さらに頭の中が白くなっていく。

「あ、あの……教育大の堀井と申します」

社会人ばかりに囲まれていると、自己紹介さえ貧弱に思えてくる。大学生一人でこの場にいる不相応な自分を今さらながら強く感じてしまう。

「我が母校の後輩です」

藤坂さんが言葉を足して、私の格好をつけてくれた。

「石飛さん、このたびはおめでとうございます」

嫌になるほどしゃちほこばった口調になってしまった。石飛さんも神妙に頭を下げ返してくるから、言った私が困惑してしまう。

「えっと……」

とうとう私の口が動かなくなった。人前で話すことなど、それほど苦手ではないはずなのに……頭の中にはいろんなことが渦巻くように浮かんでいるのだが、それをうまく取り出せない。

私はどうしてここにいるんだろう……マンドリンを弾いて、このパーティーに花を添えるために来たはずだ。もういいから弾いてしまおうか。しかし、今弾いたところで花を添えることにはならないということも分かっている。

星美さんも値踏みするような視線を私に向けている。

演奏できないなら、何か言わなければ……。

やはり、今求められているのは、石飛さんへの祝福の言葉なのだ。そうなら、この輪に加わっている以上、その意味があるだけのことを言いたい。私ならではの言葉を石飛さんに贈りたい。そうすることによって、ここにいるべくしている人間でありたい。

「彼女にはあとでまた、素敵な演奏を披露してもらいますから」

よほど、私が弱った顔をしていたのだろう、藤坂さんがフォローするように言った。

周りからの期待の声を受けて、私は小さくなる。

「何か気に入った作品はありますか?」藤坂さんがもう一つ助け舟を出してくれた。

「それは……やっぱり、『ともしび』という作品が素敵だと思いました」

私は言いながら軽く振り返り、窓辺で微笑んでいる伊吹先生を見る。

「あれはいいよね」

「うん、すごくいい」

周りから賛同の声が集まる中、私はまた、その絵から目が離せなくなってしまった。

伊吹先生の絵を見ていると、心細さが消えていくのだ。私はここにいていいんだと素直に思えてくる。

本当は伊吹先生がここに立っていたかったんだろうに……。

その代わりに、こうして私を見守ってくれているのだ……そんな気がする。

私は彼女の代理なのかもしれない。大学の後輩だし、彼女が住んでいた部屋に住んでいるのだし……。

「さあ、それじゃあ、みなさん……」

スピーチは回し終わったとして、藤坂さんが言葉を結ぼうとする。

「あ、すいません」

私は思わず輪のほうへ向き直って、それをさえぎった。

「あ、ごめん、終わってなかった？」藤坂さんが申し訳なさそうに苦笑いして訊《き》く。

「そりゃそうだよ。まだ何にも言ってないじゃん」藤坂さんの友達が茶化して言う。

「すいません……あと少し言わせてください」

私の細い声に、テーブルを囲む輪は静かになった。

石飛さんが首を傾げるようにして、その先を待っている。

「いえ……」私は小さく首を振る。「あとどれだけ自分の言葉をつなげても、お祝いしたい気持ちを石飛さんに伝え切る自信はありません」

テーブルに視線を落として言葉を継ぐ。

「だから、私の言葉ではありません。この個展に向けられた言葉でもありません。でも、何よりもこの場に相応《ふさわ》しいと私は信じます」

ゆっくりと伊吹先生の絵を見る。自分の唇がにわかに生気を宿し、熱を帯びていくのを感じる。

「私の部屋に偶然残されていたノートに、その言葉はありました。愛する人の誕生日に向けられたものです。一字一句その通りに言えるかどうかは分かりませんけど、私はすごく共感できるその言葉を石飛さんに贈りたいと思います」

石飛さんは、瞬きを忘れたようにして私を見ていた。

「隆《りゅう》……」

私はその彼を見つめ返し、伊吹先生の言葉を声に乗せる。

「照れながらだけど」

口にした言葉自身が私の唇を和らげる。

「あなたが生まれてきて、
その才能と魅力を輝かせながらここに生きていることを、
私は心から祝福して、
その気持ちを謳《うた》い上げようと思います。

隆……おめでとう。

そう言えるって奇跡だね。

私たちは悠久の時のたまたま同じ頃に生を受けて、
それぞれの人生を送るうち、偶然に交錯して、その瞬間、お互いの生を祝福し合えた。

素晴らしいよね。

素晴らしいから、もう一度……。

隆……おめでとう」

石飛さんは放心気味に立ち尽くしたまま、揺れる瞳《ひとみ》を私に向けている。

私は伊吹先生の言葉を続ける。

「小さな頃……そう、今の教え子たちと同じ、夢見る少女だった頃、私は大きくなったら学校の先生になりたいと思っていました。

そして、頑張ってその通りになりました。

でも、こんなに幸せな今の自分は想像できなかった。

そのときはまだ、隆に巡り合えることまでは分からなかったからね。

小さな頃……私は暖炉のある部屋に憧《あこが》れていました。

暖炉の前で揺り椅子に座り、
おとぎ話を読みながら、心地いい眠りにいざなわれる自分を空想すると、
それだけで幸せな気分になれた。

今、私の部屋に暖炉はないけれど、
隆……あなたは隣にいるだけで、ほんのり暖かくて、

その温《ぬく》もりに触れた私は、
もうそこから動きたくなってしまう。
あの頃、暖炉の部屋を空想していたときと、
それは同じ気分です」
石飛さんの瞳を包む潤みが、彼の感情に押し出されるようにして静かにこぼれた。そして、きれいな筋を作って頬を伝っていった。
「隆……人生って面白いね。
小さな頃の私は身体が弱くて、
お母さんも無事に育つかどうか分からなかったみたい。
なのに、今の私はこんな一人前の仕事をして、
一人前の恋をしてる。
夢なら永遠に覚めないでほしい。
でも、これが現実なら、
一瞬でも構わない。
これが一瞬でも、
私は生きてきてよかったたって言える」
伊吹先生の言葉を口にしながら、私の眼からも涙があふれ出てきた。止まらない。

「隆……愛もときどき素直じゃなくて、
あなたを満たせないことがあるかもしれないね。
そんなときは、
あなたの才能のほんの少しだけを割いて、
心のどこかに私を思い描いてください。
その私は、さぞしおらしく、可愛くなって、
あなたに微笑みかけてることでしょう。
それも私だよ。
隆のこと考えるのって楽しい。
私の心の隆は本物より優しいかも。
でも、それも隆だよね。
幸せな気分にしてくれてありがとう……。
隆……おやすみ。
あなたの夢を見るね……」
言い終えた私の唇は、あとはただ、涙に震えるだけとなった。
石飛さんも伊吹先生の絵を見ながら、はらはらと涙を流し続けていた。
そして、頬をかすかに歪《ゆが》ませる。

それは嗚咽《おえつ》を堪《こら》えたようにも見えたし、伊吹先生に笑いかけたようにも見えた。

藤坂さんがいたわるようにして、石飛さんの肩を叩《たた》く。

誰かの拍手がしんみりと鳴り響いた。


ポンッと小気味のいい音がして、シャンパンが開けられた。

中央テーブルを囲んでいた輪はばらけ、パーティーらしい時間が訪れた。あちらこちらで好き好きの会話が始まり、私も何人かに気さくな言葉をかけてもらった。

ケーキが振る舞われ、私はショコラケーキをもらった。

伊吹先生の絵のそばでそれに舌鼓を打っていると、どこかから流れてきた石飛さんがそっと近づいてきた。

お互いに顔を見合わせ、照れ笑いのような視線を交わす。

どちらからともなく、伊吹先生の絵に身体が向いた。

「ちょっとびっくりした」

私と肩を並べた石飛さんが、軽い吐露をするように言った。

「そうですか？」私は笑いを含んだ声で受け流す。

「ありがとう……」石飛さんがぽつりと言う。

誰に言ったのかは分からない。

でも、自分にであろうと、伊吹先生にであろうと、私は嬉《うれ》しい。

「この光の具合がいいわね」

後ろを見ると、星美さんが立っていた。

「和紙との相性もいいし、もっと工夫すれば、いろんな可能性が出てくると思うわ」

絵については触れないのが彼女らしい。

でも、その星美さんも、伊吹先生の言葉には、眼をうるうるさせて拍手していた。私はそれを見て、彼女を許す気になった。

「伊吹、何て言ってる?」藤坂さんがそばに来た。「そろそろマンドリンが聴きたいって言ってない?」

「あ、そろそろいいよね」石飛さんも思い出したように反応し、私の顔を見た。

「はい、じゃあ……弾きます」

私は心を決めて、笑顔で頷いた。

「みなさん、今宵のひとときに、ささやかな音楽を、またまたご用意しました」

藤坂さんがおどけるように言って、みんなの注目を呼び寄せた。

よし、弾いてみせようじゃないか。

私は近くに置いてあったマンドリンケースを引き寄せ、それを開けた。

しかし……。

え……?

手が止まり、目が点になった。

マンドリンが……。

入ってない。

「ん……どうしたの?」石飛さんが間の抜けた問いかけをくれる。

私は絶句したまま挙動を失い、目を泳がせた。

私は知らないわよ……視線が合った星美さんの顔にはそう書いてある。

そう……もちろん彼女には関係ない。

調弦をしたまま、部屋に置いてきてしまったのだ。バタバタしていて、まったく気づかなかった。

ぽかんとしていた石飛さんと藤坂さんが同時に吹き出した。

「あーっ、ごめんなさい!」私は頭を抱えた。

事情に気づいたみんなも一斉に笑い始めた。

私も笑うしかない。

やだもう……。

こんな大きな忘れ物して……。

伊吹先生に怒られちゃう。

涙目になって笑いながら、彼女を見上げる。
窓辺からこちらを見ている伊吹先生は……。
そんなことで怒んないよ……。
そう言いたそうに、優しく微笑んでくれていた。

〈参考文献〉

『私がイラストレーターになれた理由《わけ》』　田中ひろみ著　アスペクト
『趣味の文具箱』　枻出版社
『万年筆スタイル』　ワールドフォトプレス
『［日本産］万年筆型録』　マジックランプ編　六耀社

（以下、本作の内容に触れています）

本作中に、筆者の手によるものではない文章を入れていることについて記しておきます。

筆者の長姉は数年前に不慮の事故によって他界しているのですが、生前、結婚する前までは小学校の教員を務めていました。後年、実家の押し入れなどに残されていた遺品を整理していると、勤務当時のアルバムや文集、子供たちからもらった手紙、不登校児童の母親と交わした連絡帳の写しなどが出てきました。子供たちに混ざって溌《はつ》剌《らつ》とした姿を見せている野外学習の写真や「先生ありがとう」「先生大好き」という子供たちからのメッセージ、不登校問題について悩む文章……それらはあまり目にしたことがない姉の「外の顔」であり、（先生の仕事、こんなに頑張ってやっていたんだ……）という発見めいた思いをしんみりと抱いたのでした。

そのときの感慨をモチーフにして創り上げたのが本作品です。

執筆に当たっては、前述の遺品を参考資料にしていますが、姉が遺《のこ》した文章についてはそのまま、あるいは加筆した上で、作中に使っているものがあります。着想の経緯もあり、そうすることによって、この作品の中に何かが息吹いてくれるのではないかとの思いから試みたものです。

作中の箇所で言うと、冒頭に出てくる「太陽の子通信」の草稿、及び、君代ちゃんの母親と交わす伊吹の手紙がそれに当たります。

例えば、《三月二十三日、お別れ会第三部が終わってしまいました。正直言って、私はこの日が来てほしくないという気持ちでした。みんなで作ったくす玉に三十四本のひもをつけて、みんなで引っぱろうというアイデア、くす玉がわれたら、みんなで「ありがとう・さようなら」の歌を歌おうというアイデアが出たとき、思わず「さんせい！」とピースサインを出していました。自分が先生だということをすっかり忘れていました。でもきょう、くす玉がわれたとき、何だか胸がいっぱいでした。歌も歌えないくらいに……どうしてこんな気持ちになったのかなあ。たぶん、あなたたち太陽の子が、とってもすばらしい子どもたちだったからでしょうね。そして四年二組という学級が大好きだったから……。》というくだりは、語られるエピソードに何とも言えないセンチメンタルな味わいがあり、学級風景を息遣いたっぷりに表現する文章として原文を取り入れています。ほかにも、《ちょっぴりこわかったときがあったこともゆるしてね（原文・ちょっぴりこわかった時もあったこと、ゆるしてね）。》《先生と生徒というより、お姉さんになった気持ちでした。》などの言葉には、現実の教師ならではの教え子に対する優しい眼差《まなざ》しが込められていて、伊吹という人間像を形にする上でも重要な役割を果たす文章になっていると思います。

本書は、二〇〇六年一月小社より刊行された
単行本を、文庫化したものです。

クローズド・ノート

雫《しずく》井《い》脩《しゅう》介《すけ》

平成20年 6月25日　初版発行
令和2年 10月25日　18版発行

発行者●青柳昌行

発行●株式会社KADOKAWA
〒102-8177　東京都千代田区富士見2-13-3
電話 03-3238-8521（カスタマーサポート）
http://www.kadokawa.co.jp/

角川文庫 15188

印刷所●大日本印刷株式会社　製本所●大日本印刷株式会社

表紙画●和田三造

◎定価はカバーに明記してあります。
◎落丁・乱丁本は、送料小社負担にて、お取り替えいたします。KADOKAWA読者係までご連絡ください。（古書店で購入したものについては、お取り替えできません）
電話 049-259-1100（10:00 ～ 17:00/土日、祝日、年末年始を除く）
〒354-0041　埼玉県入間郡三芳町藤久保550-1

ISBN978-4-04-388601-2　C0193

角川文庫発刊に際して

角川源義

第二次世界大戦の敗北は、軍事力の敗北であった以上に、私たちの若い文化力の敗退であった。私たちの文化が戦争に対して如何に無力であり、単なるあだ花に過ぎなかったかを、私たちは身を以て体験し痛感した。西洋近代文化の摂取にとって、明治以後八十年の歳月は決して短かすぎたとは言えない。にもかかわらず、近代文化の伝統を確立し、自由な批判と柔軟な良識に富む文化層として自らを形成することに私たちは失敗して来た。そしてこれは、各層への文化の普及滲透を任務とする出版人の責任でもあった。

一九四五年以来、私たちは再び振出しに戻り、第一歩から踏み出すことを余儀なくされた。これは大きな不幸ではあるが、反面、これまでの混沌・未熟・歪曲の中にあった我が国の文化に秩序と確たる基礎を齎らすためには絶好の機会でもある。角川書店は、このような祖国の文化的危機にあたり、微力をも顧みず再建の礎石たるべき抱負と決意とをもって出発したが、ここに創立以来の念願を果すべく角川文庫を発刊する。これまで刊行されたあらゆる全集叢書文庫類の長所と短所とを検討し、古今東西の不朽の典籍を、良心的編集のもとに、廉価に、そして書架にふさわしい美本として、多くのひとびとに提供しようとする。しかし私たちは徒らに百科全書的な知識のジレッタントを作ることを目的とせず、あくまで祖国の文化に秩序と再建への道を示し、この文庫を角川書店の栄ある事業として、今後永久に継続発展せしめ、学芸と教養との殿堂として大成せんことを期したい。多くの読書子の愛情ある忠言と支持とによって、この希望と抱負とを完遂せしめられんことを願う。

一九四九年五月三日